inspire 1

Méthode de français A1

Jean-Thierry Le Bougnec
Marie-José Lopes

Avec la collaboration de
Lucas Malcor (S'entraîner)
Jalila El Baraka et Anne-Marie Diogo (DELF)
Joëlle Bonenfant (Précis de grammaire
et de conjugaison)

FRANÇAIS LANGUE ÉTRANGÈRE

Pourquoi inspire ?

Chère collègue, cher collègue,

Les manières de comprendre, d'apprendre, d'être en classe ont énormément changé avec la technologie. Elle a donné à l'étudiant de nouvelles possibilités de s'exprimer, de pratiquer la langue, d'être autonome et de jouer un rôle actif dans son apprentissage. Nous le constatons tous les jours dans nos classes ainsi qu'en mission avec nos collègues étrangers.

Parce que nous pensons que la classe doit être un espace d'échanges, de communication, de productions et de corrections, nous plaçons l'étudiant et l'autonomie au cœur de l'apprentissage.

Inspire est basé sur deux principes fondamentaux : d'une part, il offre un cadre dans lequel les étudiants collaborent, réfléchissent au fonctionnement de la langue et produisent. D'autre part, il permet à l'étudiant de travailler plus librement, à son rythme, en autonomie. Cette possibilité d'hybridation, notamment lors des activités de compréhension et de production, libère du temps en classe pour la communication authentique.

Pour offrir une expérience vivante, nous avons choisi des documents authentiques en intégrant les formats issus des nouveaux moyens de communication.

Les étudiants découvriront des techniques pour utiliser le français dans des situations réelles et concrètes. Ils réaliseront des documents qu'ils pourront utiliser et partager.

Nous privilégions la médiation pour impliquer l'étudiant, lui donner un rôle actif. Il devient alors l'intermédiaire entre le contenu et le groupe. Ainsi, *Inspire* crée un espace à la fois rassurant et respectueux des cultures de tous.

C'est grâce à notre expérience, à nos rencontres mais aussi grâce à vous, chère collègue, cher collègue, qu'*Inspire* est né.

Vous nous avez inspirés !

Amicalement,

Marie-José Lopes

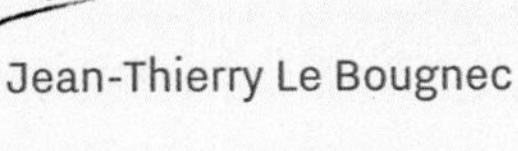

Jean-Thierry Le Bougnec

PARCE QUE

Lire des documents d'actualité et en discuter en classe.

Aïcha, Maroc

Trouver en ligne des vidéos en français, c'est super utile !

Doris, Nigéria

Parler avec les autres étudiants dans mon groupe et échanger pour avoir des conseils.

Adam, Pologne

PARCE QUE

France

Sylvie Vaskou, Régine Mertens, Catherine Brumelot, Marthe Vorobiov, Iryna Linde, Frédéric Moussion

Allemagne

Françoise Hynek, Axel Polybe, Chistophe Peyrani

Japon

Julien Agaësse, Malvina Lecomte, Sylvain Mokhtari, Xavier Gillard, Guillaume Delaveney, Rodolphe Bourgeois, Nicolas Bouffé, Fabrice Chotin, Charles Hacquel, Antoine Nicolas, Frédéric Lafaye, Fabien Lautier

LES ÉTUDIANTS NOUS ONT PARLÉ DE LEURS EXPÉRIENCES

« Qu'est-ce qui vous a aidé au début de votre apprentissage ? »
Voici leurs témoignages. Vous retrouverez les étudiants dans les unités d'*Inspire*.

J'ai fait des listes de vocabulaire et d'expressions à mémoriser.
Juan, Mexique

Pour moi le plus difficile, c'était la prononciation. Je regarde des séries sous-titrées.
Ying, Chine

Moi, j'ai fait beaucoup d'exercices avec les corrigés pour me tester : dans le livre, le cahier, sur Internet, partout !
Angelica, Brésil

J'ai cherché des exemples de textes en français sur Internet !
Nina, Allemagne

Ma première prof de français ! Et aussi trouver facilement les explications de grammaire.
Antonio, Italie

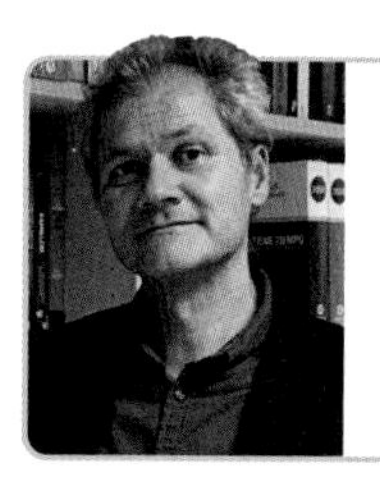

Au début, on a besoin d'explications simples avec des exemples.
Pablo, Espagne

VOUS AVEZ PARTAGÉ VOS IDÉES

Pour nous rapprocher le plus possible de vos pratiques de classe, nous sommes venus à votre rencontre. Merci à tous !

Mamadou Wade, Imane Ettoubaji

Sophie Villate, Prescillia Milhet, Ricardo Gonzáles, Diego Damian Gomez Becerra, Oscar Gamaliel Osorio Garcia, Betty Fritz Delienne, César Paz, Miriam Domínguez Granados

Maxime Hunerblaes, Christine Comiti, Audrey Gloanec, Catherine Loche, Christine Josserand, Samara Ibarra, Enriqueta Cabra, Mercedes Castaño, Beatriz de Loizaga, Carlos Pérez, Marina García, Olivier Mathlet, Laetitia Bournazel, Roxane Beauvais

Samia Berbachi, William Moissenet, Nathalie Rognon, Christine Thomoré, Francis Zahi

Diego Chotro, Victoria Torres, Marie-Hélène Mieszkin

Pour en savoir +

Retrouvez toutes les informations concernant la méthode *Inspire* sur cette brochure interactive.

inspire, c'est vous ! PARCE QUE

> Documents, thématiques, cultures

Les thématiques de la vie réelle doivent être stimulantes pour maintenir l'intérêt des étudiants. Les documents doivent permettre de rencontrer « le quotidien en français » et la culture.

Roxane Beauvais, Alliance française de Madrid, Espagne

Inspire propose :

- des documents et médias variés, de sources authentiques françaises et francophones, pour **intégrer la vie réelle dans la classe**
- des thématiques du quotidien pour **agir en français** avec :
  - des **tâches collaboratives** (rubrique *Agir*) en fin de leçon
  - des **stratégies pour développer l'autonomie** à l'oral et à l'écrit (pages « Techniques pour... »)
- des **rendez-vous culturels tout au long de l'apprentissage** avec des vidéos culturelles à exploiter et des rubriques *Culture(s)* pour faciliter les échanges

> Contenus et activités linguistiques

Les contenus linguistiques doivent être structurés et clairs. Il faut aussi multiplier les activités motivantes qui favorisent la prise de parole et l'utilisation des éléments de langue et de vocabulaire dans des contextes proches du réel.

Ionut Pepenel, professeur au lycée Câmpulung Muscel, Roumanie

Inspire offre :

- une approche progressive et inductive de la langue, intégrant **des étapes de collaboration et de réflexion commune**, pour un apprentissage de la langue en contexte
- des **contenus linguistiques (grammaire, vocabulaire et phonétique) répertoriés** dans un tableau par leçon et les **expressions utiles listées** dans la page « Faites le point » en fin d'unité
- des capsules vidéo pour **guider l'étudiant dans sa production**
- de **nombreuses activités à réaliser seul, en petit groupe ou en groupe** :
  - des exercices d'entraînement en contexte
  - des activités de production ludiques
  - des activités autocorrectives notées (Parcours digital®)

VOUS NOUS AVEZ FAIT PART DE VOS BESOINS

› Outils pour évaluer

Les évaluations formatives sont une manière simple pour l'enseignant de savoir où en est l'étudiant et de lui proposer des activités en fonction de ses besoins. J'essaie également d'intégrer l'autoévaluation au fil des cours, ce qui permet aux étudiants de mesurer les progrès qu'ils pensent avoir réalisés et me permet de réadapter mon cours ! L'institution demande des notes. Il faut aussi évaluer de façon sommative.

Catherine Brumelot, professeure de FLE à l'université, Paris, France

***Inspire* inclut :**

- dans le livre de l'élève : **une autoévaluation** par unité, **une évaluation** de type DELF toutes les deux unités et **une épreuve DELF complète**
- dans le cahier : **un bilan** par unité et **un portfolio** pour faire le point sur son apprentissage
- dans le Parcours digital® : un tableau de bord pour **suivre ses progrès** et **des activités de remédiation**
- dans le guide pédagogique : **des tests modifiables**, **des fiches d'approfondissement** pour gérer l'hétérogénéité de la classe et **une épreuve DELF complète**

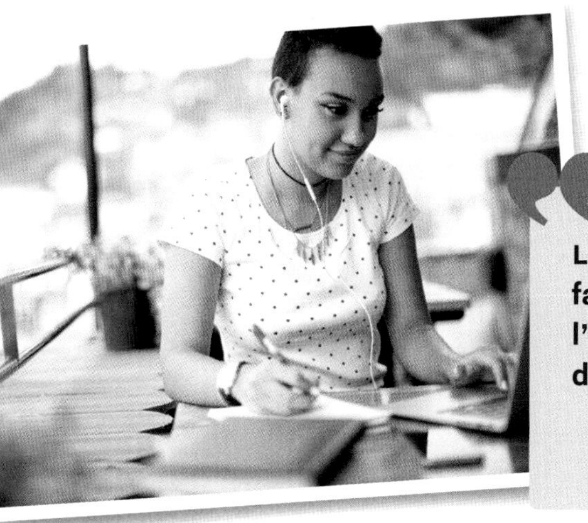

› Outils pour organiser le temps et personnaliser l'apprentissage

Le livre doit faciliter la gestion de la classe, m'aider à faire face aux contraintes actuelles : moins de temps en classe, l'organisation du travail, les besoins différents au sein du groupe.

Samah El Khatib, professeure de FLE en centre universitaire, Beyrouth, Liban

***Inspire* comprend :**

- des consignes illustrées, des exemples systématiques pour **aborder efficacement les activités**
- les médias pour l'élève sur Internet et smartphone, les transcriptions des audios et les corrigés des pages « S'entraîner » pour **travailler librement sur papier ou sur écran**
- **des aides pour faciliter la classe inversée dans chaque leçon** : des modèles de production d'étudiants de français en vidéo et des capsules de phonétique ; les activités de compréhension globale et certaines tâches réalisables en autonomie ; les exercices d'entraînement avec leurs corrigés
- des fiches de révision et d'approfondissement et le Parcours digital® pour **répondre aux différents niveaux dans la classe**
- des conseils et des outils pour **faciliter l'hybridation du cours**

Comment utiliser inspire

Le livre de l'élève

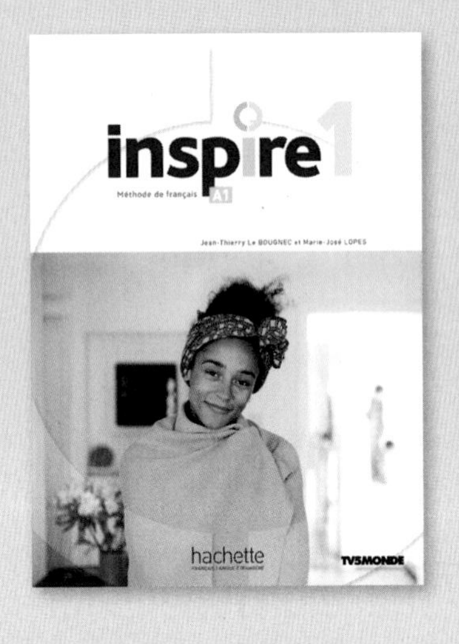

- 1 unité de démarrage
- 7 unités de 4 leçons

} **8 unités**

- 3 évaluations de type DELF, toutes les deux unités
- Des annexes : une épreuve DELF complète, des précis de grammaire, de conjugaison et de phonétique, les corrigés des exercices « S'entraîner », une carte de France
- Un livret avec la transcription des audios et un lexique multilingue

\+ **165 documents audio et 40 vidéos complémentaires**

\+ 

250 activités autocorrectives pour s'entraîner sur **ehachettefle.com**

> *Voir l'intérieur de la couverture pour des explications détaillées.*

1 unité = 12 pages

Une page d'ouverture
avec le contrat d'apprentissage.

Les savoir-faire et savoir agir

Les objectifs linguistiques

Une vidéo culturelle exploitée sur TV5MONDE (enseigner.tv5monde.org)

Trois leçons d'apprentissage
en doubles pages, avec un travail sur la langue en contexte.

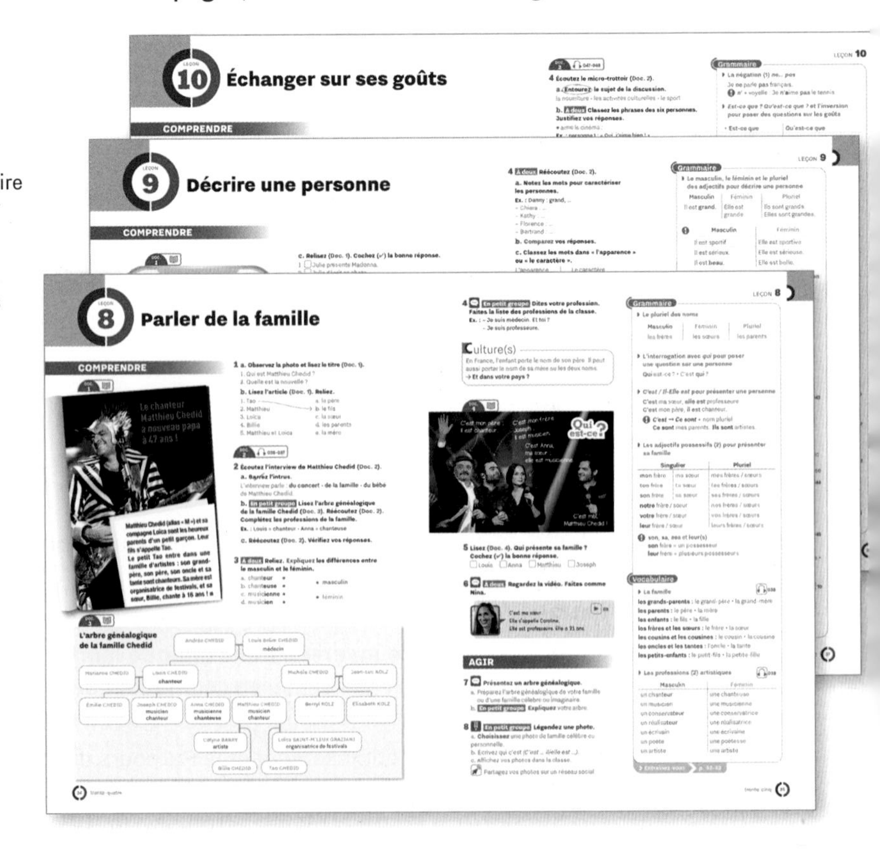

Une double page « Techniques pour… » qui développe l'autonomie en français, à l'oral et à l'écrit, à l'aide de matrices discursives.

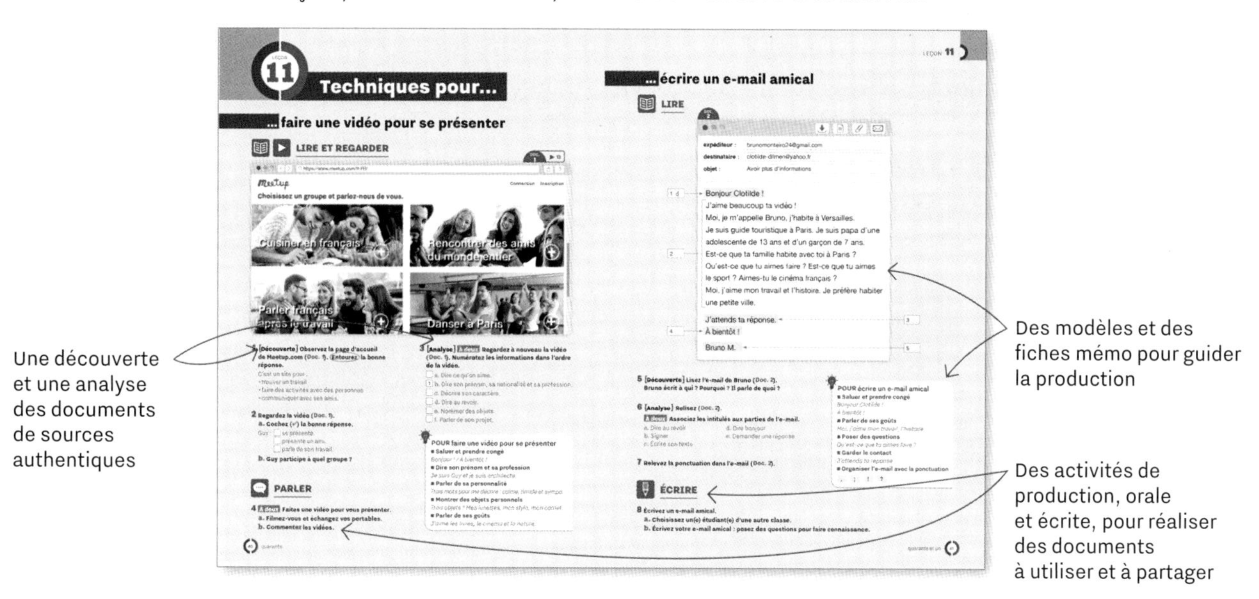

Une découverte et une analyse des documents de sources authentiques

Des modèles et des fiches mémo pour guider la production

Des activités de production, orale et écrite, pour réaliser des documents à utiliser et à partager

Une double page « S'entraîner » avec de nombreux exercices de systématisation à faire seul(e) ou en groupe.

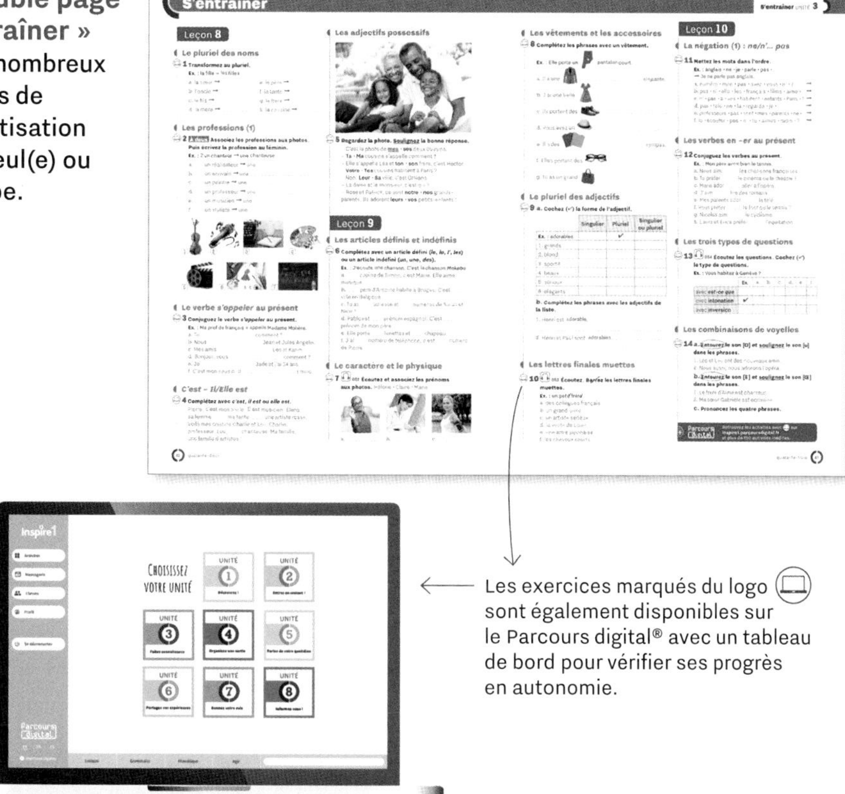

Une page « Faites le point » présente la liste des expressions utiles et une autoévaluation à réaliser.

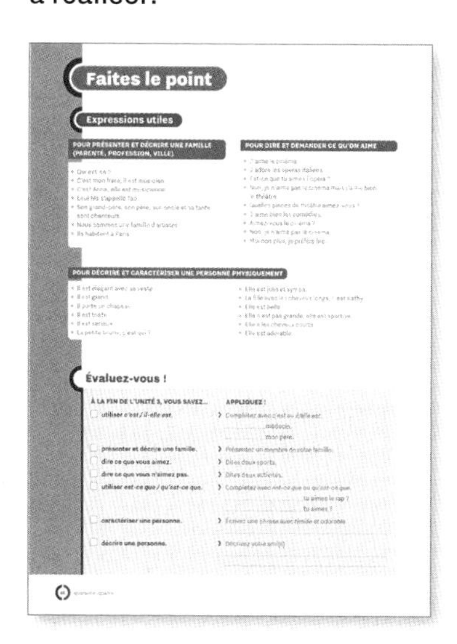

Les exercices marqués du logo sont également disponibles sur le Parcours digital® avec un tableau de bord pour vérifier ses progrès en autonomie.

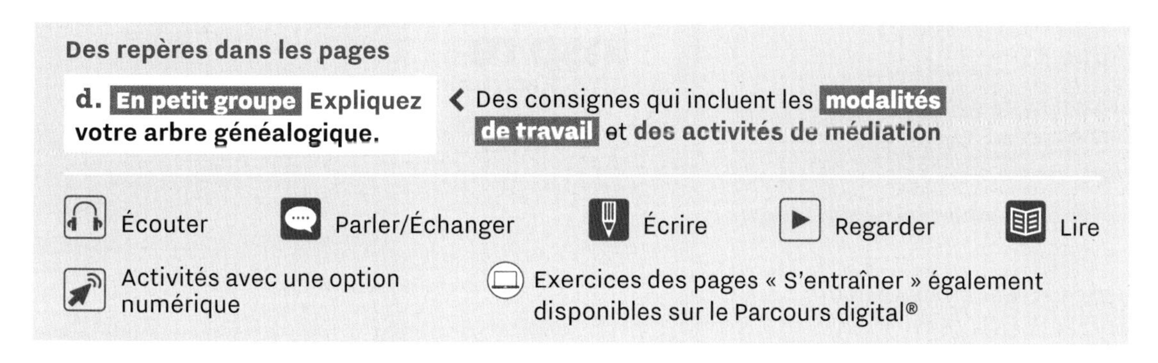

Comment utiliser inspire ?

1 leçon d'apprentissage = 1 double page

Une séquence complète avec de nombreuses activités pour s'entraîner

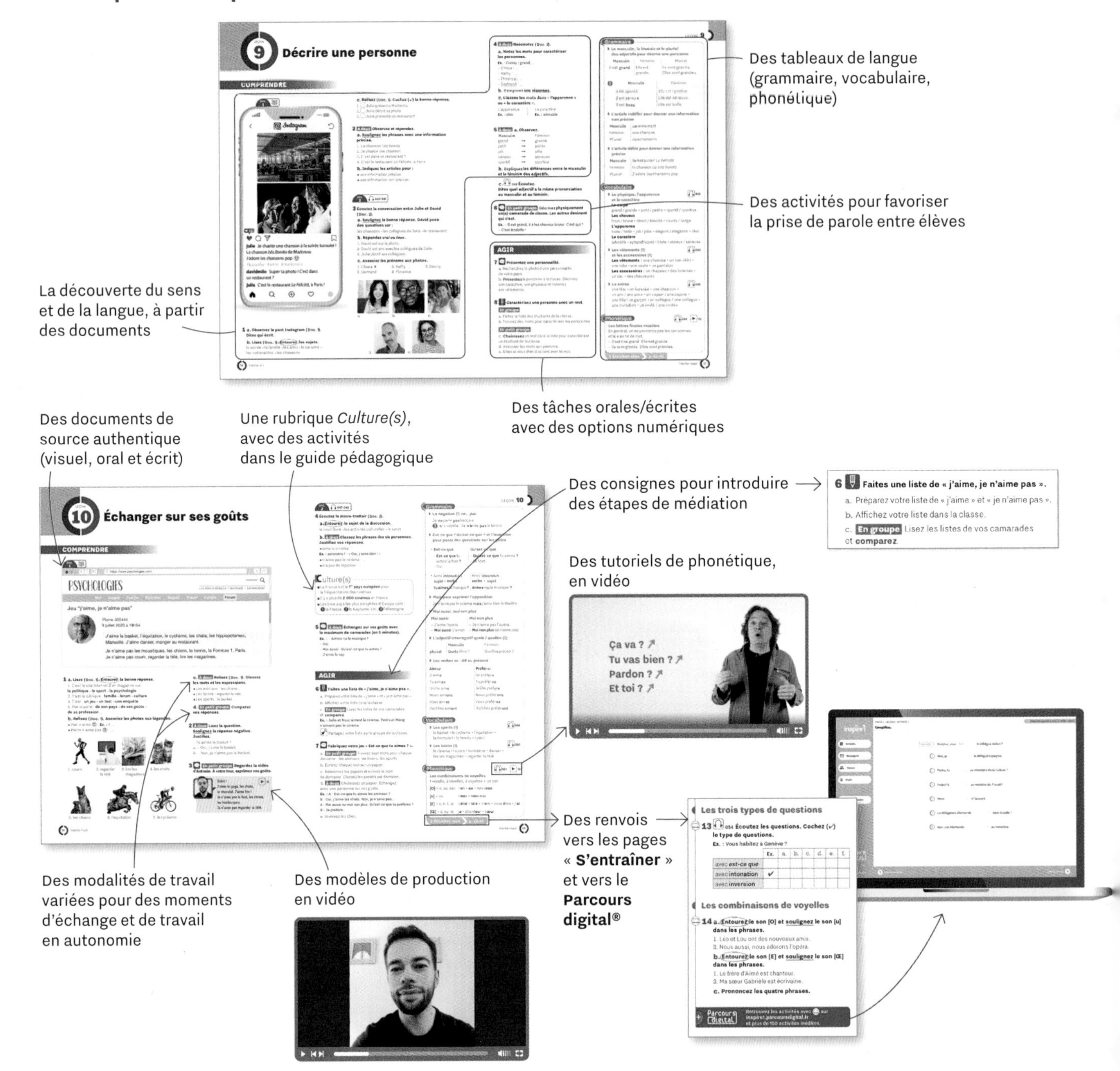

***Inspire 1*, c'est + de 500 activités d'entraînement !**

- **+ 100 exercices de systématisation** dans les pages « S'entraîner » (livre de l'élève + Parcours digital®)
- **+ 150 activités autocorrectives inédites** dans le Parcours digital®
- **+ 250 activités d'entraînement** avec les corrigés dans le cahier d'activités

Des activités pour s'entraîner en autonomie :

- Activités de compréhension et de production, orales et écrites
- Exercices de réemploi : *Vocabulaire, Grammaire, Conjugaison, Phonétique et Culture(s)*
- 2 pages de bilan en fin d'unité et un portfolio en annexe
- 1 épreuve DELF en annexe

Sommaire

UNITÉ 1 — DÉCOUVREZ !

UNITÉ 2 — ENTREZ EN CONTACT !

Sommaire

UNITÉ 3 FAITES CONNAISSANCE

	Savoir-faire / savoir agir	Grammaire	Vocabulaire	Phonétique	Socioculturel
LEÇON 8 Parler de la famille	• Présenter sa famille • Décrire sa famille • Dire la profession	• Le pluriel des noms • L'interrogation avec *qui* : *Qui est-ce ? / C'est qui ?* • *C'est (2) / Il-Elle est / Ce sont / Ils-Elles sont* • Les adjectifs possessifs (2) : *mes, tes, ses, notre, nos, votre, vos, leur, leurs*	• La famille • Les professions (2) artistiques		• La famille Chedid • Le nom de famille en France • Un petit article de presse people
LEÇON 9 Décrire une personne	• Décrire et caractériser une personne	• Le masculin et le féminin des adjectifs • Le pluriel des adjectifs • Les articles indéfinis/définis	• Le physique • L'apparence • Le caractère • Les vêtements et les accessoires (1) • La soirée	• Les lettres finales muettes	• Les loisirs des Français • Le texto • Le *post* Instagram
LEÇON 10 Échanger sur ses goûts	• Dire et demander ce qu'on aime	• La négation (1) : *ne... pas* • L'interrogation avec *est-ce que / qu'est-ce que*, l'intonation et avec *l'inversion* • *Moi aussi / Moi non plus* • *Mais* • L'adjectif interrogatif *quels/quelles* (2) **Verbes :** • Les verbes en *-er* au présent : *aimer, préférer*	• Les sports (1) • Les loisirs (1)	• Les combinaisons de voyelles	• La France et le cinéma • Les pays européens cinéphiles • Le magazine Psychologie.com
LEÇON 11	**Techniques pour...** • faire une vidéo pour se présenter • écrire un e-mail amical				**Culture(s) vidéo** *Nabil se présente et présente sa famille*

UNITÉ 4 ORGANISEZ UNE SORTIE

	Savoir-faire / savoir agir	Grammaire	Vocabulaire	Phonétique	Socioculturel
LEÇON 12 S'informer sur un lieu	• Décrire un lieu • Situer un lieu sur un plan • Dire le pays où on habite • S'informer sur un lieu	• Les présentatifs *C'est* (3) et *Il y a* • Les adverbes de lieu *ici* et *là* • Les prépositions de lieu (1) : *à côté de, loin de* • Les prépositions *en, à, au, aux* + pays	• Les lieux de la ville (1) • Les points cardinaux • Les déplacements	• Le groupe rythmique	• Marseille : le Vieux-Port, le MuCEM, le château d'If, les Calanques • Un dépliant touristique • Un plan de ville
LEÇON 13 Indiquer un chemin	• Se déplacer • Demander le chemin et indiquer le chemin, la direction	• L'interrogation avec *où* • L'impératif (1) **Verbe :** • Le verbe *aller* au présent + *au, à l', à la, aux*	• Les lieux de la ville (2) • L'itinéraire, la direction	• Les sons [y] et [u]	• Les types de rues en France • Les noms de rues en France • Les types de bâtiments administratifs
LEÇON 14 Proposer une sortie	• Inviter, accepter et refuser une invitation • Dire l'heure • Fixer un rendez-vous	• Les pronoms toniques • L'interrogation avec *quand* • Les indicateur de temps (1) : *à* + heure, *entre, le* + jour ou + moment **Verbes :** • Les verbes *pouvoir* et *vouloir* au présent • Le verbe *faire* au présent • Le verbe *venir* au présent	• Les loisirs (2) • Les sorties • L'heure		• Le site Sortir à Paris.com • Les sorties gratuites à Paris • Le brunch • Nuit Blanche
LEÇON 15	**Techniques pour...** • faire une carte postale sonore de sa ville • réaliser un itinéraire dans une ville				**Culture(s) vidéo** *Un week-end à Bruxelles*

PARLEZ DE VOTRE QUOTIDIEN

	Savoir-faire / savoir agir	Grammaire	Vocabulaire	Phonétique	Socioculturel
LEÇON 16 **Décrire son quotidien**	· Parler de ses activités / décrire son quotidien · Situer dans le temps · Dire quel sport on pratique	· Les indicateurs de temps (2) : *jusqu'à... ; de... à, quand...* · La fréquence : *jamais (ne), parfois, souvent, toujours* · *Faire du, de la, des* · Les indicateurs chronologiques *d'abord* (1), *et, après* **Verbes :** · Les verbes pronominaux au présent · Le verbe *dormir* au présent · Le verbe *finir* au présent	· Les activités quotidiennes · Les moments de la journée, de la semaine · Les repas		· La durée de travail en France · La routine · Un article de blog de la vie quotidienne
LEÇON 17 **Faire les courses**	· Faire les courses · Indiquer la quantité · Demander / donner le prix · Réagir au prix	· La quantité (1) : avec les adjectifs numéraux · Les articles partitifs · L'interrogation avec *Combien* · Le futur proche (1) : forme affirmative et négative **Verbe :** · Le verbe *prendre* au présent	· Les commerces (1) · Les aliments (1) · Les contenants · Le prix	· Les sons [O] et [ɔ̃]	· La vie de famille et le rythme quotidien · Les Français et les courses alimentaires
LEÇON 18 **Acheter des vêtements**	· Faire des achats, du shopping · Caractériser un vêtement/ un accessoire · Situer des objets dans l'espace	· Les adjectifs démonstratifs *(ce, cet, cette, ces)* · La place des adjectifs · Les prépositions de lieu (2) : *sur, sous, devant, derrière, entre* **Verbe :** · Le verbe *essayer* au présent	· Les vêtements (2) · Les accessoires (2) · Les chaussures · Les caractéristiques des vêtements · Les magasins · Les couleurs	· Les sons [i] et [E]	· Les tailles de vêtements et les pointures en France
LEÇON 19	Techniques pour... · écrire une carte postale · écrire une petite annonce pour vendre un vêtement				**Culture(s) vidéo** *Le Paris des grands magasins*

PARTAGEZ VOS EXPÉRIENCES !

	Savoir-faire / savoir agir	Grammaire	Vocabulaire	Phonétique	Socioculturel
LEÇON 20 **Faire une recette**	· Exprimer des quantités · Parler d'un plat	· La quantité déterminée (2) : *pas de, un peu de, beaucoup de* · L'infinitif : forme affirmative et négative **Verbe :** · Le verbe *manger* au présent	· Les ingrédients · Les ustensiles de cuisine · Les appareils électroménagers · Les étapes culinaires · La quantité	· Le son [j]	· Le site Marmiton.com · La recette
LEÇON 21 **Commander au restaurant**	· Décrire ce qu'on mange habituellement · Raconter des événements passés	· Le passé composé (1) avec *avoir* · Les participes passés en *é* et *i* · Le pronom personnel sujet *on*	· Les mots du restaurant	· Les sons [E] et [ɛ̃]	· Le Café de l'Ancienne Gare de Fribourg (Suisse) · Le menu, l'ardoise
LEÇON 22 **Raconter un événement**	· Indiquer la chronologie dans le passé	· Le passé composé (2) avec *avoir* et *être* · Le passé composé : forme négative · Les indicateurs chronologiques *d'abord* (2), *puis, ensuite* · L'indicateur temporel *il y a*	· Le mariage · Le temps · Le cinéma		· La demande en mariage · Le mariage civil · Le PACS
LEÇON 23	Techniques pour... · écrire un avis sur un restaurant · écrire un article de blog				**Culture(s) vidéo** *Les Français à table !*

Sommaire

UNITÉ 7

DONNEZ VOTRE AVIS !

UNITÉ 8

INFORMEZ-VOUS

Découvrez !

VOUS ALLEZ APPRENDRE À :

- saluer
- épeler et compter
- parler de la France et de la francophonie
- communiquer en classe

VOUS ALLEZ UTILISER :

- les salutations (1)
- les objets de la classe
- les nombres de 0 à 99
- l'alphabet
- les jours de la semaine

CULTURE(S) VIDÉO
Les bonjours du monde

LEÇON 1 Saluer

LE FRANÇAIS

1 002 **Écoutez.**

a. **Qui parle français ?**

b. **En petit groupe** **Vous connaissez les autres langues ?**

LES SALUTATIONS

2 a. **Observez les photos.**

b. 003-004 **Écoutez et lisez les salutations.**

c. **Associez les salutations aux photos.**

Ex. : 1–c

1. – Bonsoir ! Tu vas bien ? – Oui, et toi ?	2. – Salut ! Ça va ? – Ça va ! Et toi ?	3. – Bonjour, vous allez bien ? – Oui, très bien ! Et vous ?	4. – Au revoir ! – Salut !

a

b

c

d

Culture(s)

■ ***Tu* ou *vous* pour s'adresser à une personne**

Situation informelle : **Tu** → **Et toi ?**

Situation formelle : **Vous** → **Et vous ?**

LES PRÉSENTATIONS

3 005 **En petit groupe** **Écoutez ou regardez la vidéo d'Aïcha. Saluez et présentez-vous.**

02

Bonjour, je m'appelle Aïcha. Et vous ?

LES OBJETS DE LA CLASSE

4 006 a. **Observez, écoutez et répétez.**

1. une chaise

2. une table

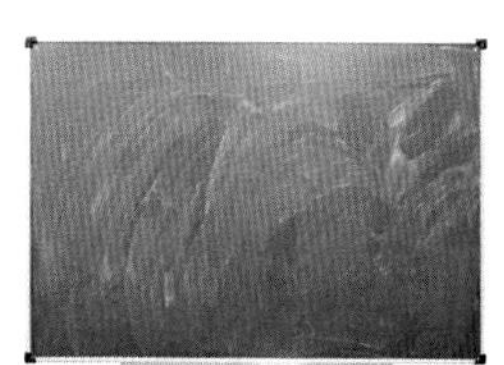
3. un tableau

4. un ordinateur

5. une tablette

6. un smartphone

7. un cahier

8. un livre

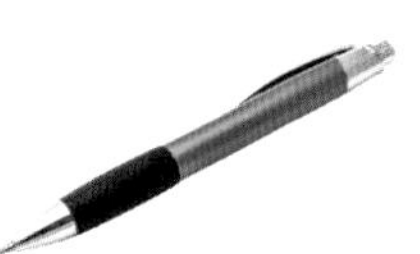
9. un stylo

10. un crayon

b. **À deux** **Montrez un objet et interrogez votre camarade.**

Ex. : – Qu'est-ce que c'est ?
– C'est une table.

Vocabulaire

Les salutations (1)

007

Bonjour
Salut !
Au revoir
Bonsoir

Les objets de la classe

008

un cahier
une chaise
un crayon
un livre
un ordinateur
un smartphone
un stylo
une table
un tableau
une tablette

Phonétique

009

03

L'intonation

Pour poser une question, la voix monte. ↑
– Ça va ? ↑
Pour répondre, la voix descend. ↓
– Ça va. ↓

- **Écoutez. La voix monte ↑ ou la voix descend ↓ ?**

Ex. : Comment ? ↑ la voix monte.

Épeler et compter

L'ALPHABET

1 a. 010 **Écoutez. Entourez la lettre. Répétez.**

a A   b B   c C   d D   e E   f F   g G   h H   i I   j J

k K   l L   m M   n N   o O   p P   q Q   r R   s S   t T

u U   v V   w W   x X   y Y   z Z

b. **En petit groupe** **Épelez votre prénom.**

Culture(s)

En français, on écrit en « attaché ».

Bonjour ! Comment ça va ?

LES NOMBRES DE 0 À 99

2 011 **En petit groupe** **Écoutez les nombres et entourez.**

	11		19	21		64	71	
		15	31			80	12	5
7	16			55	63			93

	18	47		97		74	19	
1	66		80		78			14
		29		87	42		19	15

Culture(s)

En Belgique et en Suisse, 70 se dit « septante » et 90 « nonante ».

LES JOURS DE LA SEMAINE

3 **À deux** **Associez les jours de la semaine aux photos.**

Ex. : dimanche : g

mercredi : ...... • lundi : ...... • samedi : ...... • mardi : ...... • vendredi : ...... • jeudi : ......

a. **la Lune**

b. **Mars**

c. **Mercure**

d. **Jupiter**

e. **Vénus**

f. **Saturne**

g. **le Soleil**

Culture(s)

En France, les jours de la semaine sont associés aux planètes.

→ **Et dans votre pays ?**

COMMUNIQUER EN CLASSE

4 **À deux** **Reliez les consignes du professeur aux photos.**

Ex. : e – 1

a. Ouvrez votre livre page 18.

b. Fermez votre livre.

c. Écoutez.

d. Vous comprenez ? Ça va ?

e. Travaillez par deux.

1 

2 

3 

4 

5 

5 012 **À deux** a. **Écoutez et lisez la question avec la réponse.**

Ex. : – S'il vous plaît, comment on dit « computer » en français ?
– Un ordinateur.

1. – Qu'est-ce que c'est « un stylo » ?
– C'est 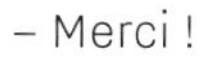
– D'accord !

2. – Comment ça s'écrit « livre » ?
– Ça s'écrit : L – I – V – R – E.
– Merci !

b. **Interrogez à l'oral votre camarade. Il/Elle répond.**

Vocabulaire

Les nombres de 0 à 99 

0 zéro
1 un
2 deux
3 trois
4 quatre
5 cinq
6 six
7 sept
8 huit
9 neuf
10 dix
11 onze
12 douze
13 treize
14 quatorze
15 quinze
16 seize
17 dix-sept
18 dix-huit
19 dix-neuf
20 vingt
21 vingt et un
22 vingt-deux
30 trente
31 trente et un
40 quarante
50 cinquante
60 soixante
61 soixante et un
70 soixante-dix
71 soixante et onze
80 quatre-vingts
81 quatre-vingt-un
90 quatre-vingt-dix
91 quatre-vingt-onze

L'alphabet (1) 

A B C D E F G H I J K L M
N O P Q R S T U V W X Y Z

Les jours de la semaine 

lundi • mardi • mercredi • jeudi • vendredi • samedi • dimanche

Parler de la France et de la francophonie

LA FRANCE

1 a. **À deux** Observez les photos de la France. Qu'est-ce que vous connaissez ?

b. **En petit groupe** Choisissez trois symboles de la France.

2 **En petit groupe** Choisissez trois symboles de votre pays.

3 **En groupe** Présentez les symboles à la classe.

LA FRANCOPHONIE

DOC. 1

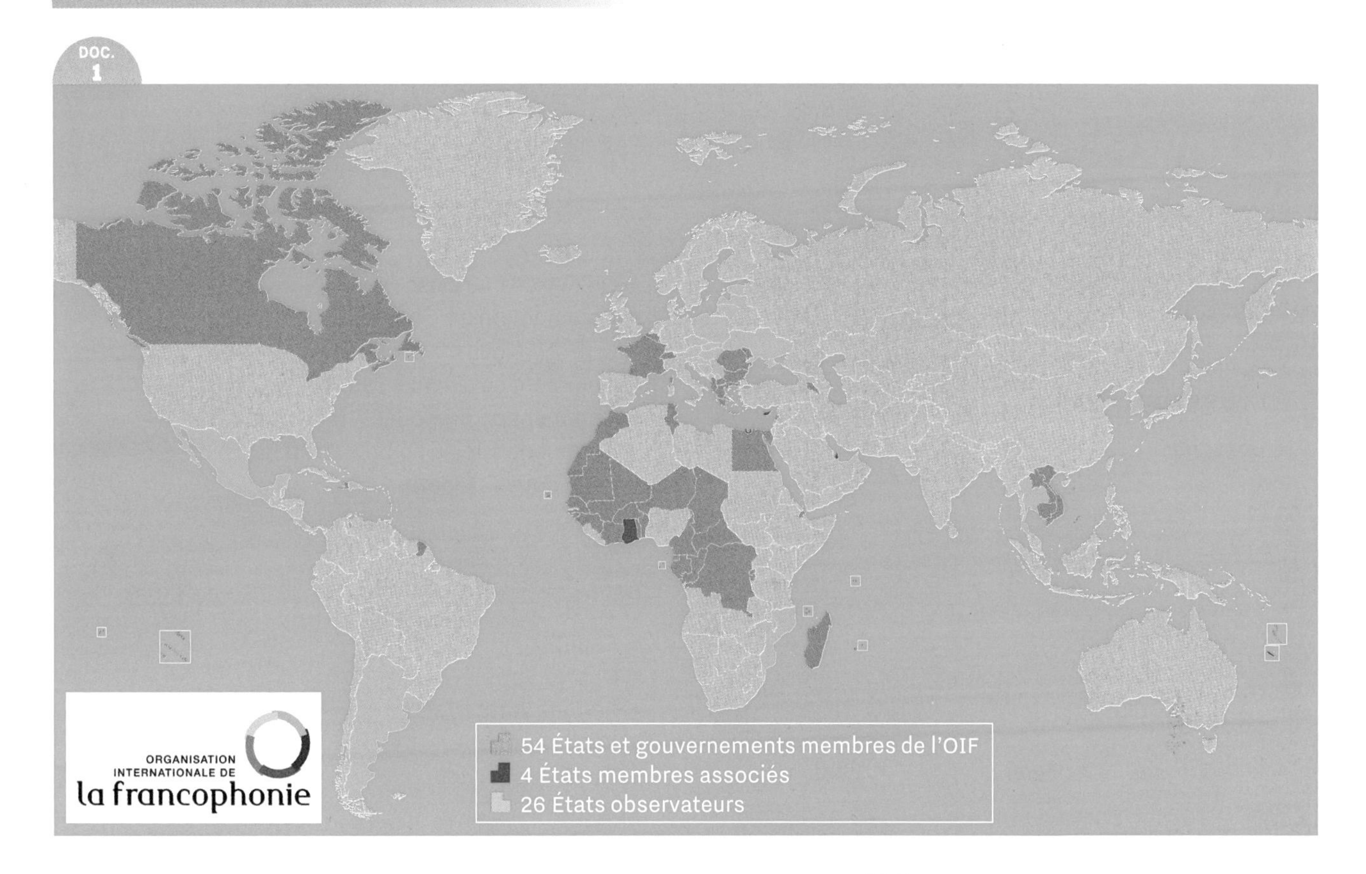

4 **À deux** a. **Observez la carte de la francophonie (Doc. 1) et les neuf photos.**

b. **Associez les villes francophones aux pays.**

Ex. : 1 – La Belgique

le Mali – le Canada – le Liban – la Belgique – la France – la Tunisie – la Suisse – le Sénégal – le Vietnam

Culture(s)

Le français est parlé par **200 millions de personnes** sur les cinq continents : l'Afrique, l'Amérique, l'Asie, l'Europe, l'Océanie.

1 Bruxelles

2 Dakar

3 Paris

4 Tunis

5 Montréal

6 Hanoï

7 Beyrouth

8 Lausanne

9 Bamako

Faites le point

Expressions utiles

POUR SALUER

- Salut ! Ça va ?
- Oui, et toi ?

- Bonjour ! Vous allez bien ?
- Oui, très bien ! Et vous ?

- Bonsoir !

POUR PRENDRE CONGÉ

- Salut !
- Au revoir !
- Bonsoir !

POUR DEMANDER POLIMENT

- S'il vous plaît.
- Merci.
- Pardon ?

POUR COMMUNIQUER EN CLASSE

- Qu'est-ce que c'est ?
- Comment on dit « computer » en français ?
- Qu'est-ce que c'est « un stylo » ?
- Comment ça s'écrit « livre » ?
- Comment on prononce « tableau » ?
- Comment ? Je ne comprends pas !
- Vous pouvez répéter ?

POUR COMPRENDRE LES CONSIGNES

- Écoutez.
- Ouvrez votre livre page 18.
- Fermez votre livre.
- Vous comprenez ? Ça va ?
- Travaillez par deux.

Évaluez-vous !

À LA FIN DE L'UNITÉ 1, VOUS SAVEZ...	APPLIQUEZ !
☐ **épeler.**	Épelez : un cahier.
☐ **compter.**	Calculez. Dites le résultat. 3 x 5 = ... 7 x 9 = ... 45 + 28 = ... 36 + 51 = ... 100 – 87 = ... 98 – 5 = ... 80 ÷ 2 = ... 100 ÷ 2 = ...
☐ **saluer et prendre congé.**	Vous dites : .... Vous dites : ....
☐ **comprendre les consignes.**	Reliez. Ouvrez votre livre. / Écoutez. / Travaillez par deux.
☐ **nommer des objets.**	Écrivez. un .... un .... un ....

Entrez en contact !

VOUS ALLEZ APPRENDRE À :

- vous présenter
- échanger des informations personnelles
- préciser des informations

VOUS ALLEZ UTILISER :

- les articles définis *le*, *la*, *l'*, *les*
- l'adjectif interrogatif (1) *quel*, *quelle*
- les adjectifs possessifs (1) *mon/ma*, *ton/ta*, *son/sa, votre*
- les articles indéfinis *un*, *une*, *des*
- les verbes *être*, *s'appeler*, *habiter (à)*, *parler*, *avoir* au présent

TECHNIQUES POUR...

- créer sa carte de visite
- faire le trombinoscope de la classe

CULTURE(S) VIDÉO
Nadine se présente

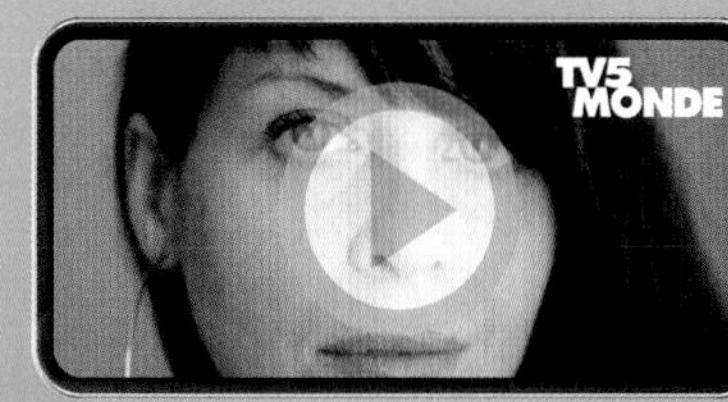

Se présenter

COMPRENDRE

DOC. 1 016-017

DOC. 2

1 Observez les neuf étudiants de français en visio-conférence (Doc. 1).

a. Écoutez les présentations (Doc. 1).

b. Associez les prénoms des étudiants aux photos : Nina • Angelica • Antonio • Juan • Aïcha • Pablo • Ying • Adam • Doris.

Ex. : a – Juan

2 À deux a. Reliez.

1. italien → A. (homme)
2. marocaine
3. française B. (femme)
4. polonais
5. chinoise

b. Répondez *vrai* ou *faux*.

Il y a un *e* au féminin.

3 En petit groupe Dites votre nationalité.

Ex. : – Je suis mexicain. Et toi ?
– Je suis mexicaine. Et vous ?

4 Observez la carte (Doc. 2).

a. Dites le pays des neuf étudiants.

Ex. : Doris : le Nigéria.

b. À deux Lisez (Doc. 2) et classez les pays.

le	la	l'
....	la Pologne	....
....	....	....
....	....	....
....	....	....
....	....	....

c. Complétez la phrase avec *le*, *la* ou *l'*.

On utilise ...... devant le nom de pays avec une voyelle.

5 À deux Saluez. Dites votre prénom, votre nationalité et le nom de votre pays.

Ex. : Bonjour, je m'appelle Alessandra. Je suis italienne. L'Italie !

DOC. 3

6 a. **Lisez les messages du groupe WhatsApp (Doc. 3). Qui écrit ?**

b. **En petit groupe** **Présentez les personnes du groupe (Doc. 3).**

Ex. : Elle s'appelle Ying, elle est chinoise. Elle est étudiante.

c. **En groupe** **Présentez les personnes de la classe.**

AGIR

7 **En groupe** **Créez le groupe de votre classe sur un réseau social.**

a. Choisissez un nom pour le groupe.

b. Écrivez votre message.

Ex. : Bonjour ! Je m'appelle Victor. Je suis russe. Je suis étudiant. Et vous ?

c. Regroupez les messages.

Envoyez votre message sur le groupe de la classe.

Grammaire

Les articles définis *le*, *la*, *l'*, *les* pour nommer le pays

	Singulier	Pluriel
Nom de pays masculin	le Mexique	les États-Unis les Philippines
Nom de pays féminin	la Pologne	

! *L'* + nom de pays avec voyelle : l'Italie

! Noms de pays sans article :
Cuba • Madagascar • Malte • Chypre • Singapour

Le verbe *être* au présent pour dire la nationalité

Je **suis** français.

Tu **es** espagnol.

Il **est** chinois. / Elle **est** chinoise.

Vous **êtes** polonais.

Le verbe *s'appeler* au présent pour dire le prénom

Je **m'appelle** Angelica.

Tu **t'appelles** François.

Il **s'appelle** Antonio. / Elle **s'appelle** Ying.

Vous **vous appelez** Emma.

Vocabulaire

Les nationalités

018

Masculin	Féminin
italien	italienne
polonais	polonaise
mexicain	mexicaine
espagnol	espagnole
suisse	! suisse

Les professions (1) de la classe

019

l'étudiant / l'étudiante
le professeur / la professeure

Phonétique

020 05

Le rythme

2 syllabes	la / Chine /
3 syllabes	l'I / ta / lie /
4 syllabes	le / Ca / na / da /
5 syllabes	la / Nou / velle / -Zé / lande /

• **En groupe** **Écoutez et répétez les noms de pays.**

> Entraînez-vous p. 30-31

Échanger des informations personnelles

COMPRENDRE

DOC. 1 021-022

DOC. 2

1 Observez (Doc. 1). Cochez (✓) la bonne réponse.

C'est une affiche pour :

- ☐ une école de langue.
- ☐ un film.
- ☐ un salon.

2 a. Écoutez la conversation (Doc. 1). Entourez les informations demandées.

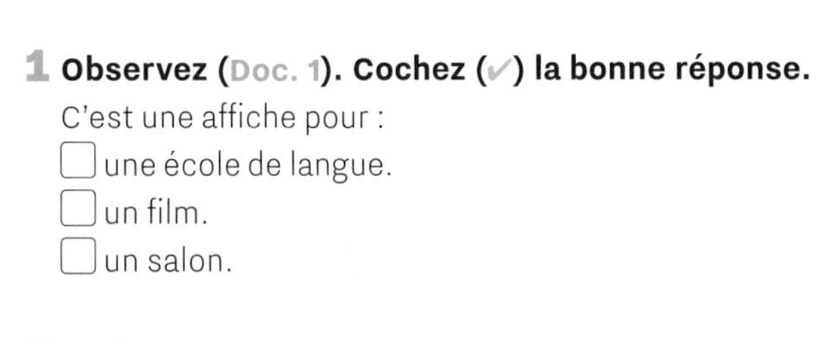

1. la ville
2. le prénom
3. le nom
4. le numéro de téléphone
5. l'adresse
6. l'e-mail
7. la nationalité
8. les langues parlées

b. Lisez le badge (Doc. 2). Réécoutez (Doc. 1). Corrigez le prénom et la ville.

3 À deux Réécoutez (Doc. 1).

a. Reliez.

1. J'habite à
2. Je parle
3. Vous habitez à
4. Vous parlez

a. espagnol.
b. Madrid.

b. Soulignez la bonne réponse.

Le nom de la langue parlée est : **féminin • masculin**.

4 À deux Regardez la vidéo. À votre tour, faites comme Adam.

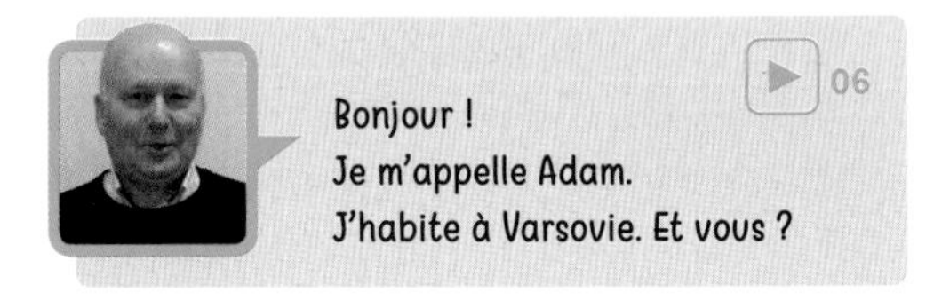

DOC. 3 023-024

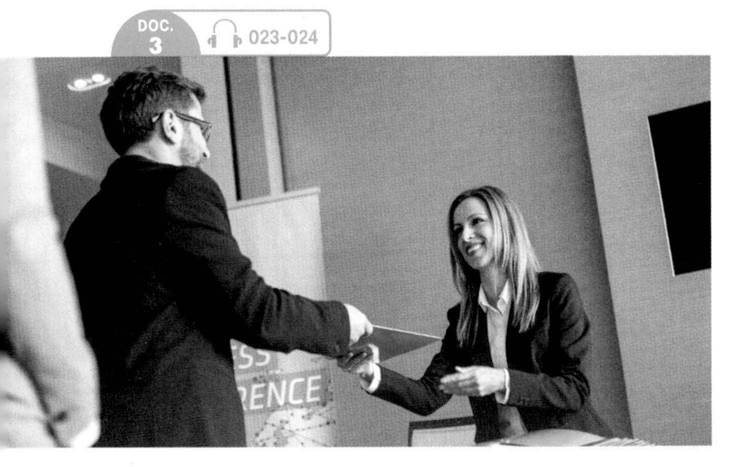

5 Observez la photo (Doc. 3). Répondez.

À votre avis, qui parle ? De quoi ?

6 a. Écoutez la conversation (Doc. 3). Entourez la bonne information.

a. Nom : **De Oliveira** · **Déolivéra** · **De Oliverra**
b. Prénom : **Elisabeth** · **Elisabete** · **Elisabett**
c. E-mail : **e.oliv@gmail.com** · **e-oliv@gmail.com** · **eoliv@gmail.com**
d. Langue : **anglais** · **allemand** · **portugais**

b. À deux Observez les phrases.

1. Tu parles quelle langue ?
2. Quel est ton nom ?

c. Reliez.

1. quelle •   • masculin
2. quel •   • féminin

Culture(s)

_Tu_ ou _vous_ ? (2)

Dans une situation formelle, en France, on dit *vous*.
Au Québec, on peut dire *tu* dans une situation formelle et informelle.
→ **Et dans votre pays ?**

AGIR

7 Créez la fiche contacts de la classe.

a. Demandez et notez les e-mails des étudiants de la classe.
b. **En groupe** Décidez les informations nécessaires : le prénom, la nationalité, la langue, l'e-mail...
c. Réalisez une fiche par étudiant.
d. Rassemblez les fiches.
c. Présentez une personne de la classe.

8 Inscrivez-vous au Parcours digital® d'*Inspire*.

a. Connectez-vous au site inspire1.parcoursdigital.fr.
b. Activez votre Parcours digital avec votre code.
c. Complétez le formulaire en ligne.

Grammaire

L'adjectif interrogatif *quel / quelle* (1) pour demander des informations personnelles

Masculin	Féminin
Quel est ton nom ?	Tu parles **quelle** langue ?

Les adjectifs possessifs (1) pour dire à qui c'est

Masculin	Féminin
mon nom	ma langue
ton nom	ta langue
son nom	sa langue
votre nom	votre langue

Le verbe *habiter (à)* pour dire la ville où on habite

J'**habite à** Madrid.
Tu habites **à** Berlin.
Il/Elle habite **à** Monterrey.
Vous habitez **à** Rio.

Le verbe *parler* pour dire la langue parlée

Je **parle** chinois.
Tu parles arabe.
Il/Elle parle anglais.
Vous parlez français.

Vocabulaire

025

Les salutations (2)

Bonjour Madame !
Bonjour Monsieur !
Bonne journée !
Enchanté(e) !

Phonétique

026 07

L'alphabet (2)

[a]	a • h • k
[e]	b • c • d • g • p • t • v • w
[ɛ]	f • l • m • n • r • s • y • z
[i]	i • j • x
[y]	u • q
[o]	o
[ə]	e
é	e accent aigu
è	e accent grave
ê	e accent circonflexe

L'e-mail

plus loin / espace   @ = arobase
. = point   - = tiret

• **Écoutez l'alphabet et l'e-mail.**

> Entraînez-vous p. 30-31

Préciser des informations

COMPRENDRE

DOC. 1 027-028

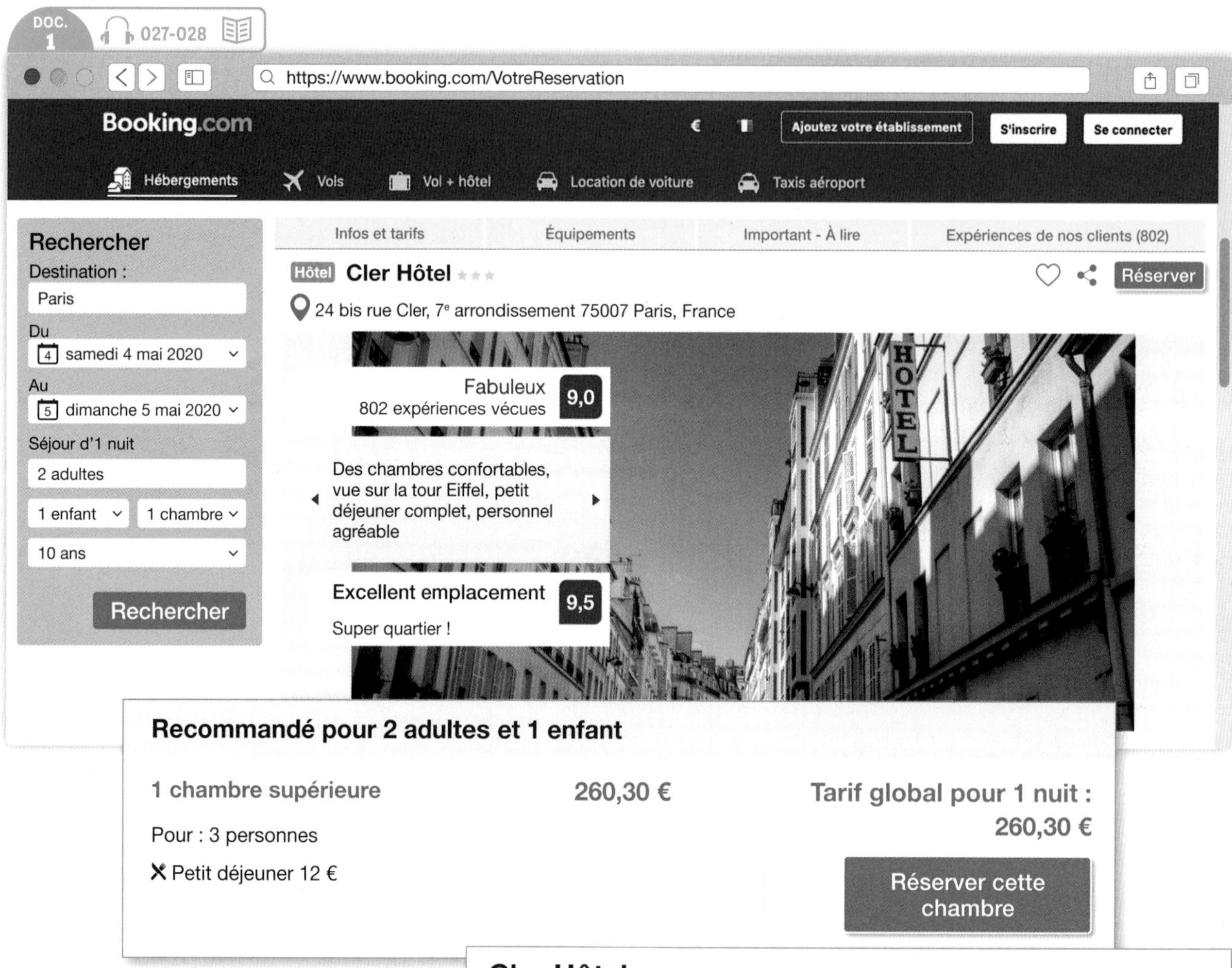

Cler Hôtel

FORMULAIRE DE RÉSERVATION

☑ Réservation ☐ Modification ☐ Annulation

Nom : Dumont

Numéro de téléphone : 05 97 45 12 08

Prénom : Julie

Numéro de téléphone portable :

Adresse : 92 rue Pelleport 33800 BORDEAUX

E-mail : c.dumont14@gmail.com

Date d'arrivée :

Date de départ : 5 mai 2020

Nombre de nuits : 1

Nombre de personnes : ☐ adulte(s) ☐ enfant(s)

Réservation : Booking le 20/03/2020

1 Observez (Doc. 1). Soulignez la bonne réponse.

C'est la page d'un site pour réserver : **un billet d'avion** • **un voyage** • **une chambre d'hôtel**.

2 Lisez (Doc. 1). Complétez le formulaire de réservation.

3 Écoutez la conversation (Doc. 1). Répondez *vrai* ou *faux*.

a. Trois personnes parlent.
b. Mme Dumont appelle l'hôtel *Cler*.
c. L'hôtel *Cler* demande le numéro de téléphone portable de Mme Dumont.

4 a. Réécoutez (Doc. 1). Entourez le numéro de réservation de Mme Dumont.

1. 11 35 6 3 ZM 2. 11 57 2 ZM 3. 11 85 1 ZM

b. Réécoutez (Doc. 1). Complétez le formulaire de réservation avec l'information manquante.

5 En groupe Demandez le numéro de téléphone de vos camarades. Complétez la fiche contacts de la classe (leçon 5).

– Quel est votre numéro de téléphone ? – C'est le ...

Culture(s)

La tour Eiffel en chiffres

324 mètres
18 000 pièces
1 665 marches
6 ascenseurs
20 000 ampoules
7 000 000 de visiteurs par an

7 décembre 1888 → 31 mars 1889

6 Observez. Quelle est la différence entre le masculin et le féminin ?

une chambre – **un** numéro

7 À deux Observez les quatre mois de l'année. Proposez une émoticône pour votre pays.

Ex. : Pour la France :

 juin  août  septembre octobre

AGIR

8 En petit groupe Complétez le formulaire d'une agence de voyages.

a. **Décidez** la ville de départ, la destination, les dates du voyage et le nombre de personnes.
b. Créez le nom du groupe et une adresse e-mail.
c. Complétez le formulaire.

VOTRE VOYAGE		VOS COORDONNÉES	
DESTINATION*		NOM*	
DATE DE DÉPART*		PRÉNOM	
DATE DE RETOUR*		E-MAIL*	
VILLE DE DÉPART*		TÉL**	
NOMBRE DE PERSONNES*			

9 En groupe Présentez les informations du voyage.

a. Dites la destination, le nom du groupe, le nombre de personnes et l'adresse e-mail du groupe.
b. La classe vote pour un voyage.

Grammaire

Les articles indéfinis *un*, *une*, *des* pour nommer des choses

	Singulier	Pluriel
Masculin	**un** petit déjeuner	**des** petits déjeuners
Féminin	**une** chambre	**des** chambres

Le verbe *avoir* au présent pour dire l'âge, ce qu'on possède et informer

J'**ai** dix ans.
Tu **as** vingt-huit ans.
Il/Elle **a** une réservation.
Nous **avons** une grande chambre.
Vous **avez** un numéro de téléphone.
Ils/Elles **ont** une réservation.

Le verbe *être* au présent

Je **suis**	Nous **sommes**
Tu **es**	Vous **êtes**
Il/Elle **est**	Ils/Elles **sont**

Vocabulaire

Les nombres de 100 à 1 000 000

Rappel

21 vingt **et** un
31 trente **et** un
41 quarante **et** un
51 cinquante **et** un
61 soixante **et** un
71 soixante **et** onze
81 ! quatre-vingt-un
91 ! quatre-vingt-onze

100 cent
101 cent un
200 deux cents
235 deux cent trente-cinq
300 trois cents
359 trois cent cinquante-neuf
1 000 mille
2 000 deux mille
2 024 deux mille vingt-quatre
1 000 000 un million

Les mois de l'année

janvier • février • mars • avril • mai • juin • juillet • août • septembre • octobre • novembre • décembre

Les saisons

le printemps • l'été • l'automne • l'hiver

> Entraînez-vous p. 30-31

Techniques pour...

... créer sa carte de visite

LIRE

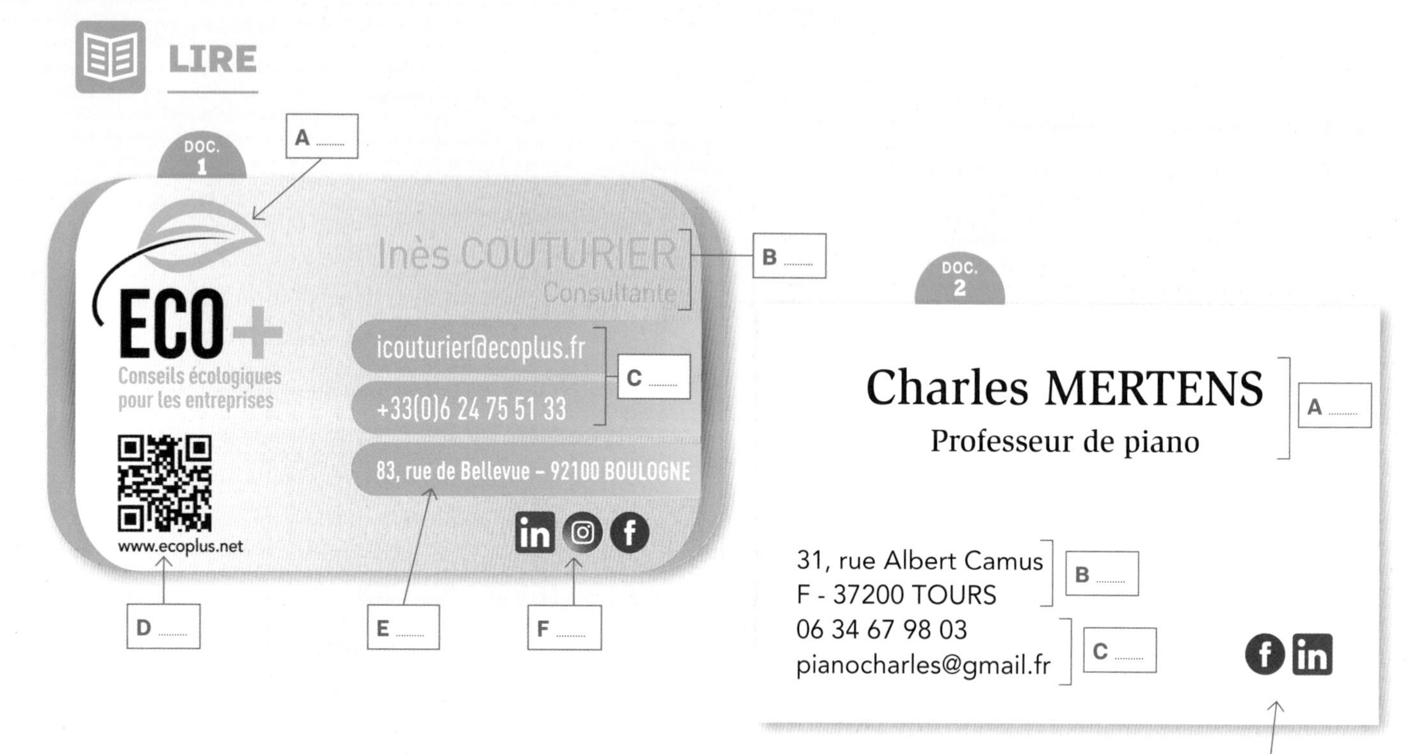

1 [**Découverte**] **Lisez les cartes de visite (Doc. 1 et 2).**

a. **Entourez la bonne réponse.**

Ce sont des documents **personnels** • **professionnels**.

b. **Identifiez le nom, le prénom, la profession et la ville des personnes.**

2 [**Analyse**] **À deux** **Relisez (Doc. 1 et 2).**

Numérotez les parties des cartes avec les numéros des intitulés suivants.

1. Le contact (e-mail et numéro de téléphone)
2. Le nom et la profession
3. Le site et le code QR
4. Le nom de l'entreprise, le logo et l'activité
5. Les réseaux sociaux
6. L'adresse postale

POUR créer sa carte de visite

Indiquer :

- **le nom de l'entreprise et la description**
  Eco+
  Conseils écologiques pour les entreprises
- **son prénom, son nom et sa profession**
  Charles MERTENS
  Professeur de piano
- **son adresse postale**
  31, rue Albert Camus
  F - 37200 TOURS
- **les moyens de contact : numéro de téléphone, e-mail**
  06 34 67 98 03
  pianocharles@gmail.fr
- **le site Internet, un QR code**
  www.ecoplus.net

ÉCRIRE

3 **Créez votre carte de visite.**

a. **Écrivez les informations sur une feuille : votre prénom, votre nom, votre profession...**

b. **En groupe** **Échangez vos cartes de visite.**

... faire le trombinoscope de la classe

LIRE

LE TROMBINOSCOPE DES ÉTUDIANTS DE FRANÇAIS

4 [**Découverte**]

a. **Observez le trombinoscope des étudiants de français (Doc. 3). Soulignez la bonne réponse.**

C'est un document pour présenter :

a. un objet • b. un pays • c. un groupe de personnes.

b. **Entourez les informations du trombinoscope.**

le prénom • l'adresse • l'âge • la langue • l'objet • la nationalité

5 [**Analyse**] **À deux** **Lisez le trombinoscope (Doc. 3). Associez les parties pour une personne.**

a. la photo ... b. le drapeau ... c. le prénom ... d. les informations personnelles ...

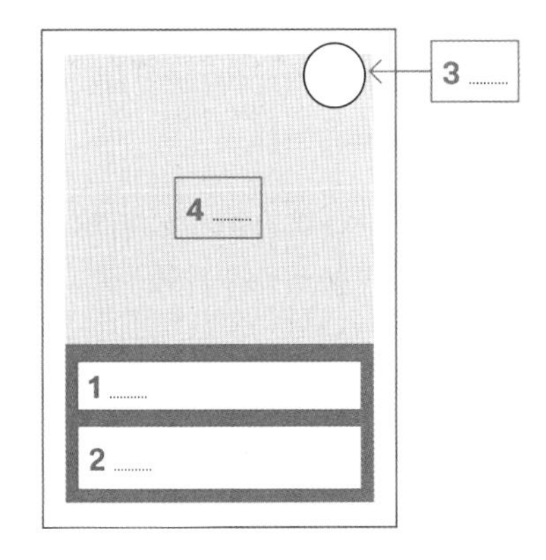

ÉCRIRE

6 **Faites le trombinoscope de la classe.**

a. Choisissez un objet personnel.

b. **À deux** Trouvez son nom en français.

c. Faites une photo de vous et d'un objet personnel.

d. Écrivez votre prénom, votre nationalité et le nom de votre objet.

e. Affichez le trombinoscope de la classe.

Leçon 4

Les adjectifs de nationalité

1 Entourez le bon adjectif.

Ex. : Je m'appelle Elisabete.
Je suis portugais • portugaise.

a. Je m'appelle Sandra.
Je suis **ghanéen** • **ghanéenne**.

b. Je m'appelle Michel.
Je suis **polonaise** • **polonais**.

c. Je m'appelle Li.
Je suis **chinoise** • **chinois**.

d. Je m'appelle Kinzie.
Je suis **américain** • **américaine**.

e. Je m'appelle Johannes.
Je suis **allemand** • **allemande**.

f. Je m'appelle Pablo.
Je suis **espagnole** • **espagnol**.

Les articles définis *le*, *la*, *l'*, *les*

2 a. Cochez (✓) la bonne réponse.

1. ☐ le ☐ la ☐ l' ☐ les Pologne
2. ☐ le ☐ la ☐ l' ☐ les Nigéria
3. ☐ le ☐ la ☐ l' ☐ les Philippines
4. ☐ le ☐ la ☐ l' ☐ les Brésil
5. ☐ le ☐ la ☐ l' ☐ les Iran
6. ☐ le ☐ la ☐ l' ☐ les États-Unis

b. Écrivez votre pays.

Les pronoms personnels, le verbe *être* et le verbe *s'appeler* au présent

3 Complétez avec *je*, *tu*, *il*, *elle* ou *vous*.

Ex. : Tu es française ?

a. .... m'appelle François.
b. .... es américaine ?
c. .... êtes professeure ?
d. .... vous appelez Monique ?
e. .... est française.
f. .... est français.
g. .... t'appelles Xavier ?

4 Soulignez le bon verbe.

Ex. : Tu es • est russe ?

a. Je **suis** • **êtes** italien.
b. Tu t' **appelle** • **appelles** Serge ?
c. Elle **êtes** • **est** coréenne ?
d. Vous vous **appelez** • **appelles** Tom.
e. Il **est** • **suis** suisse.
f. Je m' **appelles** • **appelle** Enzo.

Le rythme

5 032 **À deux a. Écoutez. Tapez le nombre de syllabes avec les mains. Votre camarade répète le pays.**

b. Changez de rôle.

Ex. : Le / Pa / ra / guay → 4 syllabes

Leçon 5

L'alphabet et l'e-mail

6 033 **Écoutez. Complétez les badges avec le nom et l'e-mail.**

Ex. : Nom : Martin E-mail : annemartin@yahoo.fr

a
Nom : ....
E-mail : ....

b
Nom : ....
E-mail : ....

Les verbes *habiter* et *parler* au présent

7 Conjuguez le verbe *habiter* ou *parler* au présent.

Ex. : – Vous parlez français ?
– Non, je parle espagnol.

a. – J'.......... à Paris. Et vous ?
– J'.......... à Rome.
b. – Vous .... anglais.
Vous .... à Londres ?
– Non, j'.......... à Sydney.
c. – Marie .... à Marseille. Elle .... français et italien. Et Baptiste ?
– Baptiste .... français et allemand.
Il .... à Berlin.

L'adjectif interrogatif *quel/quelle*

8 a. Complétez avec *quel* ou *quelle*.

Ex. : Quel est votre nom ?

1. .... est votre prénom ?
2. .... est votre nationalité ?
3. Vous habitez .... ville ?
4. Vous parlez .... langue ?
5. .... est votre e-mail ?
6. .... est votre pays ?

b. **À deux** **Posez les questions à votre camarade et notez les réponses.**

Les adjectifs possessifs

9 Transformez avec un adjectif possessif.

Ex. : (à toi) e-mail → ton e-mail
a. (à vous) → .... nom
b. (à moi) → .... ville
c. (à toi) → .... cahier
d. (à lui) → .... livre
e. (à elle) → .... langue
f. (à vous) → .... prénom

Leçon 6

Les nombres de 100 à 1 000 000

10 Écrivez les nombres en toutes lettres.

Ex. : 908 → neuf cent huit
a. 111 → ....
b. 1 000 000 → ....
c. 2 049 → ....
d. 620 000 → ....
e. 357 → ....
f. 12 235 → ....
g. 791 → ....

Les mois de l'année et les saisons

11 a. **À deux** **Complétez les noms des mois. Numérotez les mois de 1 à 12 dans l'ordre chronologique.**

Ex. : 4 → a v r i l
1. .... → _a i
2. .... → _é _e_ _ _e
3. .... → _a_ _i e_
4. .... → _o û_
5. .... → _o_e_ _ _e
6. .... → _e_ _e_ _ _e
7. .... → _a_ _
8. .... → _u i_
9. .... → _u i_ _e_
10. .... → _é_ _i e_
11. .... → o_ _o_ _e

b. **Associez les mois aux saisons en France.**

Le printemps : avril, ...
L'été : ....
L'automne : ....
L'hiver : ....

Les articles indéfinis *un*, *une*, *des*

12 Entourez *un*, *une* ou *des*.

Ex. : (un) • une • des petit déjeuner
a. un • une • des chambres
b. un • une • des nationalité
c. un • une • des adresse
d. un • une • des objets
e. un • une • des prénom
f. un • une • des réservations

Le verbe *avoir* au présent

13 034 **Écoutez et cochez (✓).**

	Ex.	a.	b.	c.	d.	e.	f.	g.
il a	✓							
j'ai								
vous avez								
elle a								
tu as								

14 Complétez avec *nous*, *tu*, *il*, *elles* ou *vous*.

Ex. : J'ai une grande chambre.
a. .... avez une chambre confortable.
b. .... a un numéro de téléphone français.
c. .... as une adresse e-mail ?
d. .... avons une réservation.
e. .... ont un formulaire de réservation.

Le verbe *être* au présent

15 035 **Écoutez et cochez (✓) la forme entendue.**

Ex. : Ils sont américains.

	Ex.	a.	b.	c.	d.	e.	f.
ils ont							
ils sont	✓						
elles ont							
elles sont							

16 Conjuguez le verbe *être* au présent.

Ex. : Ils sont japonais.
a. Je .... coréenne.
b. Il .... au Brésil.
c. Nous .... chinoises.
d. Elles .... en Italie.
e. Vous .... allemande ?
f. Tu .... en France ?

Faites le point

Expressions utiles

POUR SALUER ET PRENDRE CONGÉ

- Bonjour !
- Salut !
- Bonsoir !
- Enchanté(e) !
- Comment ça va ?
- Ça va ?
- Ça va, et toi ?
- Bonjour Madame !
- Bonjour Monsieur !
- Comment ça va ?
- Ça va, et vous ?
- Au revoir !

POUR SE PRÉSENTER

- **Demander et dire son nom, son prénom**
  - Je m'appelle Javier Gonzalez.
  - Et vous ? Et toi ?
  - Quel est votre prénom ?
  - Quel est ton prénom ?
  - Mon prénom, c'est Pablo.
  - Quel est votre nom ?
  - Quel est ton nom ?
  - Mon nom, c'est Gonzalez.
  - Comment ça s'écrit ?
  - G – O – N – Z – A – L – E – Z.
- **Dire son pays**
  - Le Mexique !
- **Dire sa nationalité**
  - Je suis mexicain.
  - Je suis mexicaine.
- **Demander et dire les langues parlées**
  - Tu parles quelle langue ?
  - Vous parlez français ?
  - Je parle espagnol.
- **Dire la ville où on habite**
  - J'habite à Madrid.
- **Dire sa profession**
  - Je suis étudiante.
  - Je suis professeur(e).

POUR DEMANDER ET DIRE L'ÂGE

- Vous avez quel âge ?
- Tu as quel âge ?
- J'ai 45 ans.

POUR DEMANDER ET DIRE SON E-MAIL

- Quel est votre e-mail ?
- Quel est ton e-mail ?
- Mon e-mail, c'est : j.gonzalez@gmail.com.

POUR DEMANDER ET DIRE SON NUMÉRO DE TÉLÉPHONE

- Quel est ton/votre numéro de téléphone ?
- C'est le 06 57 32 79 26.

POUR DIRE LA DATE

- 5 mai 2020.

Évaluez-vous !

À LA FIN DE L'UNITÉ 2, VOUS SAVEZ...	APPLIQUEZ !
☐ **dire les noms de pays et les nationalités.**	› Quel est votre pays et votre nationalité ? ....
☐ **dire un numéro de téléphone.**	› Quel est votre numéro de téléphone ? ....
☐ **dire la langue parlée.**	› Vous parlez quelle langue ? ....
☐ **dire la ville où vous habitez.**	› Complétez la phrase : J'habite ....
☐ **demander une information personnelle.**	› Entourez la forme correcte : *Quel* · *Quelle* est ton prénom ?
☐ **présenter une personne.**	› Présentez un camarade de classe (prénom, nom, nationalité, âge). ....

Faites connaissance !

VOUS ALLEZ APPRENDRE À :

- parler de la famille
- décrire une personne
- échanger sur vos goûts

VOUS ALLEZ UTILISER :

- le pluriel des noms
- l'interrogation avec *qui*
- *c'est / Il-Elle est*
- les adjectifs possessifs au pluriel
- le masculin, le féminin et le pluriel des adjectifs
- les articles définis et indéfinis
- la négation *ne... pas*
- l'interrogation : *Est-ce que / Qu'est-ce que,* l'intonation, l'inversion
- *mais*
- *moi aussi, moi non plus*
- l'adjectif interrogatif (2) *quels / quelles*
- le présent des verbes en *-er*

TECHNIQUES POUR...

- faire une vidéo pour se présenter
- écrire un e-mail amical

CULTURE(S) VIDÉO

Nabil se présente et présente sa famille

08

Parler de la famille

COMPRENDRE

DOC. 1

Le chanteur Matthieu Chedid à nouveau papa à 47 ans !

Matthieu Chedid (alias « M ») et sa compagne Loïca sont les heureux parents d'un petit garçon. Leur fils s'appelle Tao.
Le petit Tao entre dans une famille d'artistes : son grand-père, son père, son oncle et sa tante sont chanteurs. Sa mère est organisatrice de festivals, et sa sœur, Billie, chante à 16 ans ! ■

1 a. Observez la photo et lisez le titre (Doc. 1).

1. Qui est Matthieu Chedid ?
2. Quelle est la nouvelle ?

b. Lisez l'article (Doc. 1). Reliez.

1. Tao → b. le fils
2. Matthieu
3. Loïca
4. Billie
5. Matthieu et Loïca

a. le père
b. le fils
c. la sœur
d. les parents
e. la mère

DOC. 2 036-037

2 Écoutez l'interview de Matthieu Chedid (Doc. 2).

a. Barrez l'intrus.

L'interview parle : **du concert** • **de la famille** • **du bébé** de Matthieu Chedid.

b. En petit groupe Lisez l'arbre généalogique de la famille Chedid (Doc. 3). Réécoutez (Doc. 2). Complétez les professions de la famille.

Ex. : Louis = chanteur • Anna = chanteuse

c. Réécoutez (Doc. 2). Vérifiez vos réponses.

3 À deux Reliez. Expliquez les différences entre le masculin et le féminin.

a. chant**eur** •
b. chant**euse** •
c. music**ienne** •
d. music**ien** •

• masculin
• féminin

DOC. 3

L'arbre généalogique de la famille Chedid

Andrée CHEDID ....
Louis Selim CHEDID médecin

Marianne CHEDID ....
Louis CHEDID **chanteur**
Michèle CHEDID ....
Jean-Luc KOLTZ ....

Émilie CHEDID ....
Joseph CHEDID musicien chanteur
Anna CHEDID musicienne **chanteuse**
Matthieu CHEDID musicien chanteur
Berryl KOLTZ ....
Élisabeth KOLTZ ....

Célyne BARRY artiste
Loïca SAINT-M'LEUX GRAZIANI organisatrice de festivals

Billie CHEDID
Tao CHEDID

4 **En petit groupe** **Dites votre profession. Faites la liste des professions de la classe.**

Ex. : – Je suis médecin. Et toi ?
– Je suis professeure.

Culture(s)

En France, l'enfant porte le nom de son père. Il peut aussi porter le nom de sa mère ou les deux noms.
→ **Et dans votre pays ?**

DOC. 4

5 **Lisez (Doc. 4). Qui présente sa famille ? Cochez (✓) la bonne réponse.**

☐ Louis ☐ Anna ☐ Matthieu ☐ Joseph

6 **À deux** **Regardez la vidéo. Faites comme Nina.**

C'est ma sœur.
Elle s'appelle Caroline.
Elle est professeure. Elle a 31 ans.

09

AGIR

7 **Présentez un arbre généalogique.**

a. Préparez l'arbre généalogique de votre famille ou d'une famille célèbre ou imaginaire.
b. **En petit groupe** **Expliquez** votre arbre.

8 **En petit groupe** **Légendez une photo.**

a. **Choisissez** une photo de famille célèbre ou personnelle.
b. Écrivez qui c'est *(C'est … il/elle est …)*.
c. Affichez vos photos dans la classe.

Partagez vos photos sur un réseau social.

Grammaire

Le pluriel des noms

Masculin	Féminin	Pluriel
les frères	les sœurs	les parents

L'interrogation avec *qui* pour poser une question sur une personne

Qui est-ce ? • C'est **qui** ?

C'est / Il-Elle est pour présenter une personne

C'est ma sœur, **elle est** professeure.
C'est mon père, **il est** chanteur.

❗ ***C'est*** → ***Ce sont*** + nom pluriel
Ce sont mes parents. **Ils sont** artistes.

Les adjectifs possessifs (2) pour présenter sa famille

Singulier		Pluriel
mon frère	**ma** sœur	**mes** frères / sœurs
ton frère	**ta** sœur	**tes** frères / sœurs
son frère	**sa** sœur	**ses** frères / sœurs
notre frère / sœur		**nos** frères / sœurs
votre frère / sœur		**vos** frères / sœurs
leur frère / sœur		**leurs** frères / sœurs

❗ **son**, **sa**, **ses** et **leur(s)**
son frère = un possesseur
leur frère = plusieurs possesseurs

Vocabulaire

La famille

038

les grands-parents : le grand-père • la grand-mère
les parents : le père • la mère
les enfants : le fils • la fille
les frères et les sœurs : le frère • la sœur
les cousins et les cousines : le cousin • la cousine
les oncles et les tantes : l'oncle • la tante
les petits-enfants : le petit-fils • la petite-fille

Les professions (2) artistiques

039

Masculin	Féminin
un chant**eur**	une chant**euse**
un musici**en**	une musici**enne**
un conserva**teur**	une conserva**trice**
un réalisa**teur**	une réalisa**trice**
un écrivain	une écrivain**e**
un poète	une poét**esse**
un artiste	une artiste

› Entraînez-vous p. 42-43

Décrire une personne

COMPRENDRE

DOC. 1

1 a. Observez le post Instagram (Doc. 1). Dites qui écrit.

b. Lisez (Doc. 1). Entourez les sujets.

la soirée • la famille • les amis • le karaoké • les nationalités • les chansons

c. Relisez (Doc. 1). Cochez (✓) la bonne réponse.

1. ☐ Julie présente Madonna.
2. ☐ Julie décrit sa photo.
3. ☐ Julie présente un restaurant.

2 À deux Observez et répondez.

a. Soulignez les phrases avec une information précise.

1. La chanson *Isla bonita*.
2. Je chante une chanson.
3. C'est dans un restaurant ?
4. C'est le restaurant *La Felicità*, à Paris.

b. Indiquez les articles pour :

- une information précise.
- une information non précise.

3 Écoutez la conversation entre Julie et David (Doc. 2).

a. Soulignez la bonne réponse. David pose des questions sur :

les chansons • les collègues de Julie • le restaurant.

b. Répondez *vrai* ou *faux*.

1. David est sur la photo.
2. David est ami avec les collègues de Julie.
3. Julie décrit ses collègues.

c. Associez les prénoms aux photos.

1. Chiara a
2. Bertrand ......
3. Kathy ......
4. Florence ......
5. Danny ......

a.

b.

c.

d.

e.

4 **À deux** **Réécoutez (Doc. 2).**

a. Notez les mots pour caractériser les personnes.

Ex. : Danny : grand, ...
- Chiara : ...
- Kathy : ...
- Florence : ...
- Bertrand : ...

b. Comparez vos réponses.

c. Classez les mots dans « l'apparence » ou « le caractère ».

L'apparence	Le caractère
Ex. : chic	**Ex. :** adorable

5 **À deux** **a. Observez.**

Masculin		Féminin
grand	→	grande
petit	→	petite
joli	→	jolie
sérieux	→	sérieuse
sportif	→	sportive

b. Expliquez les différences entre le masculin et le féminin des adjectifs.

c. 042 **Écoutez.**
Dites quel adjectif a la même prononciation au masculin et au féminin.

6 **En petit groupe** **Décrivez physiquement un(e) camarade de classe. Les autres devinent qui c'est.**

Ex. – Il est grand, il a les cheveux bruns. C'est qui ?
– C'est Rodolfo !

AGIR

7 **Présentez une personnalité.**

a. Recherchez la photo d'une personnalité de votre pays.
b. **Présentez** la personne à la classe. Décrivez son caractère, son physique et nommez ses vêtements.

8 **Caractérisez une personne avec un mot.**

En groupe

a. Faites la liste des étudiants de la classe.
b. Trouvez des mots pour caractériser les personnes.

En petit groupe

c. **Choisissez** un mot dans la liste pour caractériser un étudiant de la classe.
d. Associez les mots aux prénoms.
e. Dites si vous êtes d'accord avec le mot.

Grammaire

Le masculin, le féminin et le pluriel des adjectifs pour décrire une personne

Masculin	Féminin	Pluriel
Il est **grand**.	Elle est grande.	Ils sont grands. Elles sont grandes.

!

Masculin	Féminin
Il est sportif.	Elle est sportive.
Il est sérieux.	Elle est sérieuse.
Il est **beau**.	Elle est belle.

L'article indéfini pour donner une information non précise

Masculin	un restaurant
Féminin	une chanson
Pluriel	des chansons

L'article défini pour donner une information précise

Masculin	le restaurant *La Felicità*
Féminin	la chanson *La Isla bonita*
Pluriel	J'adore les chansons pop.

Vocabulaire

Le physique, l'apparence et le caractère 

Le corps
grand / grande • petit / petite • sportif / sportive
Les cheveux
brun / brune • blond / blonde • courts / longs
L'apparence
beau / belle • joli / jolie • élégant / élégante • chic
Le caractère
adorable • sympa(thique) • triste • sérieux / sérieuse

Les vêtements (1) et les accessoires (1) 

Les vêtements : une chemise • un tee-shirt • une robe • une veste • un pantalon
Les accessoires : un chapeau • des lunettes • un sac • des chaussures

La soirée 

une fête • un karaoké • une chanson • un ami / une amie • un copain / une copine • un garçon / une fille • un collègue / une collègue • une invitation • un invité / une invitée

Phonétique

Les lettres finales muettes

En général, on ne prononce pas les consonnes et le *e* en fin de mot.
– Il e~~st~~ trè~~s~~ gran~~d~~. Elle e~~st~~ grand~~e~~.
– Il~~s~~ son~~t~~ grand~~s~~. Elle~~s~~ son~~t~~ grand~~es~~.

Entraînez-vous p. 42-43

Échanger sur ses goûts

COMPRENDRE

DOC. 1

https://www.psychologies.com/

PSYCHOLOGIES

Rechercher

LES APPLIS MOBILES I BOUTIQUE I ABONNEMENT

Moi Couple Famille Bien-être Beauté Travail Culture Forum

Jeu "j'aime, je n'aime pas"

Pierre 305444
9 juillet 2020 à 19h54

J'aime le basket, l'équitation, le cyclisme, les chats, les hippopotames, Marseille. J'aime danser, manger au restaurant.

Je n'aime pas les moustiques, les chiens, le tennis, la Formule 1, Paris. Je n'aime pas courir, regarder la télé, lire les magazines.

1 a. Lisez (Doc. 1). Entourez la bonne réponse.

1. C'est le site Internet d'un magazine sur : **la politique • le sport • la psychologie**.
2. C'est la rubrique : **famille • forum • culture**.
3. C'est : **un jeu • un test • une enquête**.
4. Pierre parle : **de son pays • de ses goûts • de sa profession**.

b. Relisez (Doc. 1). Associez les photos aux légendes.

- Pierre aime 🙂 : **Ex. :** 4 ...
- Pierre n'aime pas 🙁 : ...

1. courir

2. regarder la télé

3. lire les magazines

4. les chats

5. les chiens

6. l'équitation

7. le cyclisme

c. À deux Relisez (Doc. 1). Classez les mots et les expressions.

- Les animaux : les chiens ...
- Les loisirs : regarder la télé ...
- Les sports : le basket ...

d. En petit groupe Comparez vos réponses.

2 À deux Lisez la question. Soulignez la réponse négative. Justifiez.

– Tu aimes le basket ?
a. – Oui, j'aime le basket.
b. – Non, je n'aime pas le basket.

3 En petit groupe Regardez la vidéo d'Antonio. À votre tour, exprimez vos goûts.

Salut !
J'aime le yoga, les chats, le chocolat. J'aime lire !
Je n'aime pas le foot, les chiens, les hamburgers.
Je n'aime pas regarder la télé.

▶ 11

DOC. 2 047-048

4 Écoutez le micro-trottoir (Doc. 2).

a. Entourez le sujet de la discussion.

la nourriture • les activités culturelles • le sport

b. À deux Classez les phrases des six personnes. Justifiez vos réponses.

- aime le cinéma :

Ex. : personne 1 : « Oui, j'aime bien ! »

- n'aime pas le cinéma : ...
- n'a pas de réponse : ...

Culture(s)

- La France est le 1er **pays européen** pour la fréquentation des cinémas.
- Il y a plus de **2 000 cinémas** en France.
- Les trois pays les plus cinéphiles d'Europe sont : ❶ la France, ❷ le Royaume-Uni, ❸ l'Allemagne

5 À deux Échangez sur vos goûts avec le maximum de camarades (en 5 minutes).

Ex. : – Aimes-tu la musique ?
– Oui.
– Moi aussi. Qu'est-ce que tu aimes ?
– J'aime le rap.

AGIR

6 Faites une liste de « j'aime, je n'aime pas ».

a. Préparez votre liste de « j'aime » et « je n'aime pas ».

b. Affichez votre liste dans la classe.

c. **En groupe** Lisez les listes de vos camarades et **comparez**.

Ex. : Julia et Nour aiment le cinéma. Pedro et Meng n'aiment pas le cinéma.

Partagez votre liste sur le groupe de la classe.

7 Fabriquez votre jeu « Est-ce que tu aimes ? ».

a. **En petit groupe** Trouvez sept mots pour chaque domaine : les animaux, les loisirs, les sports.

b. Écrivez chaque mot sur un papier.

c. Retournez les papiers et écrivez le nom du domaine. Classez les papiers par domaine.

d. **À deux** Choisissez un papier. Échangez avec une personne sur vos goûts.

Ex. : A : Est-ce que tu aimes les animaux ?
B : Oui, j'aime les chats. Non, je n'aime pas...
A : Moi aussi *ou* moi non plus. Qu'est-ce que tu préfères ?
B : Je préfère...

e. Inversez les rôles.

Grammaire

La négation (1) *ne... pas*

Je **ne** parle **pas** français.

❗ **n'** + voyelle : Je **n'a**ime **pas** le tennis.

***Est-ce que ? Qu'est-ce que ?* et l'inversion pour poser des questions sur les goûts**

• Est-ce que	Qu'est-ce que
– **Est-ce que** tu aimes le foot **?** – Oui.	– **Qu'est-ce que** tu aimes **?** – Le foot.

• Avec **intonation** sujet + verbe	Avec **inversion** verbe + sujet
Tu **aimes** la musique **?**	**Aimes-tu** la musique **?**

***Mais* pour exprimer l'opposition**

Je n'aime pas le cinéma **mais** j'aime bien le théâtre.

Moi aussi, moi non plus

Moi aussi	Moi non plus
– J'aime l'opéra. – **Moi aussi** (j'aime).	– Je n'aime pas l'opéra. – **Moi non plus** (je n'aime pas).

L'adjectif interrogatif *quels / quelles* (2)

	Masculin	Féminin
pluriel	**Quels** films ?	**Quelles** pièces ?

Les verbes en *–ER* au présent

Aimer	**Préférer**
J'aime	Je préfère
Tu aimes	Tu préfères
Il/Elle aime	Il/Elle préfère
Nous aimons	Nous préférons
Vous aimez	Vous préférez
Ils/Elles aiment	Ils/Elles préfèrent

Vocabulaire

Les sports (1) 

le basket • le cyclisme • l'équitation • la Formule 1 • le tennis • courir

Les loisirs (1) 

le cinéma • l'opéra • le théâtre • danser • lire les magazines • regarder la télé

Phonétique

Les combinaisons de voyelles

1 voyelle, 2 voyelles, 3 voyelles = un son

[O] = o, au, eau	n**o**s • **au** • nouv**eau**
[u] = ou	n**ou**s • n**ou**veau
[E] = é, è, ê, ai	b**é**b**é** • t**é**l**é** • m**è**re • vous **ê**tes • j'**ai**
[Œ] = e, eu, œu	j**e** • chant**eu**r • s**œu**r

› Entraînez-vous p. 42-43

Techniques pour...

... faire une vidéo pour se présenter

LIRE ET REGARDER

DOC. 1 ▶ 13

1 [Découverte] Observez la page d'accueil de Meetup.com (Doc. 1). (Entourez) la bonne réponse.

C'est un site pour :
- trouver un travail
- faire des activités avec des personnes
- communiquer avec ses amis.

2 Regardez la vidéo (Doc. 1).

a. Cochez (✓) la bonne réponse.

Guy : ☐ se présente.
☐ présente un ami.
☐ parle de son travail.

b. Guy participe à quel groupe ?

3 [Analyse] À deux Regardez à nouveau la vidéo (Doc. 1). Numérotez les informations dans l'ordre de la vidéo.

☐ a. Dire ce qu'on aime.
1 b. Dire son prénom, sa nationalité et sa profession.
☐ c. Décrire son caractère.
☐ d. Dire au revoir.
☐ e. Nommer des objets.
☐ f. Parler de son projet.

POUR faire une vidéo pour se présenter

- **Saluer et prendre congé**
  Bonjour ! / À bientôt !
- **Dire son prénom et sa profession**
  Je suis Guy et je suis architecte.
- **Parler de sa personnalité**
  Trois mots pour me décrire : calme, timide et sympa.
- **Montrer des objets personnels**
  Trois objets ? Mes lunettes, mon stylo, mon carnet.
- **Parler de ses goûts**
  J'aime les livres, le cinéma et la nature.

PARLER

4 À deux Faites une vidéo pour vous présenter.

a. Filmez-vous et échangez vos portables.

b. Commentez les vidéos.

... écrire un e-mail amical

LIRE

DOC. 2

expéditeur : brunomonteiro24@gmail.com
destinataire : clotilde-dilmen@yahoo.fr
objet : Avoir plus d'informations

1 d → Bonjour Clotilde !

J'aime beaucoup ta vidéo !
Moi, je m'appelle Bruno, j'habite à Versailles.
Je suis guide touristique à Paris. Je suis papa d'une adolescente de 13 ans et d'un garçon de 7 ans.
Est-ce que ta famille habite avec toi à Paris ?
Qu'est-ce que tu aimes faire ? Est-ce que tu aimes le sport ? Aimes-tu le cinéma français ?
Moi, j'aime mon travail et l'histoire. Je préfère habiter une petite ville.
(2 ......)

J'attends ta réponse. ← 3 ......

4 ...... → À bientôt !

Bruno M. ← 5 ......

5 [Découverte] Lisez l'e-mail de Bruno (Doc. 2).
Bruno écrit à qui ? Pourquoi ? Il parle de quoi ?

6 [Analyse] Relisez (Doc. 2).
À deux Associez les intitulés aux parties de l'e-mail.

a. Dire au revoir
b. Signer
c. Écrire son texte
d. Dire bonjour
e. Demander une réponse

7 Relevez la ponctuation dans l'e-mail (Doc. 2).

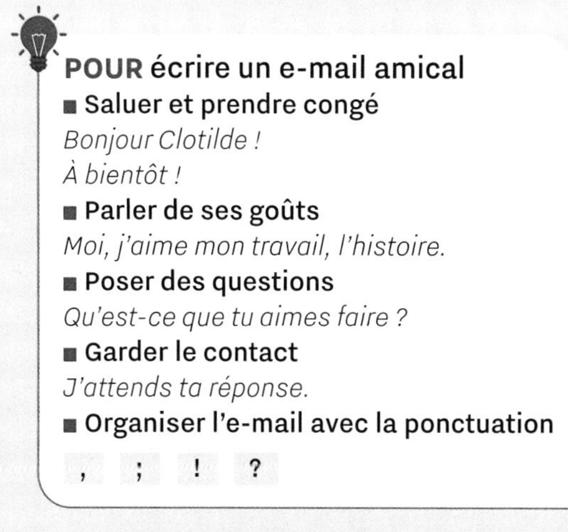
POUR écrire un e-mail amical

- **Saluer et prendre congé**
  Bonjour Clotilde !
  À bientôt !
- **Parler de ses goûts**
  Moi, j'aime mon travail, l'histoire.
- **Poser des questions**
  Qu'est-ce que tu aimes faire ?
- **Garder le contact**
  J'attends ta réponse.
- **Organiser l'e-mail avec la ponctuation**
  , ; ! ?

ÉCRIRE

8 Écrivez un e-mail amical.

a. Choisissez un(e) étudiant(e) d'une autre classe.
b. Écrivez votre e-mail amical : posez des questions pour faire connaissance.

Leçon 8

Le pluriel des noms

1 Transformez au pluriel.

Ex. : la fille → les filles

a. la sœur → ....
b. l'oncle → ....
c. le fils → ....
d. la mère → ....
e. le père → ....
f. la tante → ....
g. le frère → ....
h. la cousine → ....

Les professions (1)

2 À deux Associez les professions aux photos. Puis écrivez la profession au féminin.

Ex. : 2 un chanteur → une chanteuse

a. ...... un réalisateur → une ....
b. ...... un écrivain → une ....
c. ...... un peintre → une ....
d. ...... un professeur → une ....
e. ...... un musicien → une ....
f. ...... un styliste → une ....

1

2

3

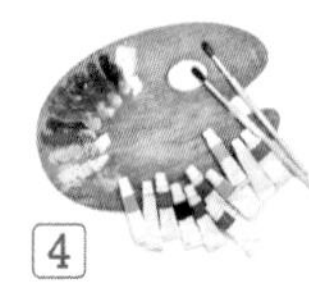
4

5

6

7

Le verbe *s'appeler* au présent

3 Conjuguez le verbe *s'appeler* au présent.

Ex. : Ma prof de français s'appelle Madame Molière.

a. Tu .... comment ?
b. Nous .... Jean et Jules Angelin.
c. Mes amis .... Léo et Karim.
d. Bonjour, vous .... comment ?
e. Je .... Jade et j'ai 24 ans.
f. C'est mon cousin. Il .... Emilio.

C'est – Il/Elle est

4 Complétez avec *c'est*, *il est* ou *elle est*.

Pierre, c'est mon oncle. Il est musicien. Elena, ... sa femme. .... ma tante. .... une artiste russe. Voilà mes cousins Charlie et Lou. Charlie, ... professeur. Lou, ... chanteuse. Ma famille, ... une famille d'artistes !

Les adjectifs possessifs

5 Regardez la photo. Soulignez la bonne réponse.

– C'est la photo de **mes** • **ses** deux cousins.
– **Ta** • **Ma** cousine s'appelle comment ?
– Elle s'appelle Léa et **ton** • **son** frère, c'est Hector.
– **Votre** • **Tes** cousins habitent à Paris ?
– Non. **Leur** • **Sa** ville, c'est Orléans.
– La dame et le monsieur, c'est qui ?
– Rose et Patrick, ce sont **notre** • **nos** grands-parents. Ils adorent **leurs** • **vos** petits-enfants !

Leçon 9

Les articles définis et indéfinis

6 Complétez avec un article défini (*le*, *la*, *l'*, *les*) ou un article indéfini (*un*, *une*, *des*).

Ex. : J'écoute une chanson. C'est la chanson *Makeba*.

a. .... copine de Simon, c'est Marie. Elle aime .... musique.
b. .... père d'Antoine habite à Bruges. C'est .... ville en Belgique.
c. Tu as .... adresse et .... numéros de Sarah et Nico ?
d. Pablo est .... prénom espagnol. C'est .... prénom de mon père.
e. Elle porte .... lunettes et .... chapeau.
f. J'ai .... numéro de téléphone, c'est .... numéro de Pierre.

Le caractère et le physique

7 052 Écoutez et associez les prénoms aux photos. Hélène • Claire • Marie

a. ....

b. ....

c. ....

Les vêtements et les accessoires

8 Complétez les phrases avec un vêtement.

Ex. : Elle porte un  pantalon court.

a. Il a une .... élégante.

b. J'ai une belle ....

c. Ils portent des  ....

d. Vous avez un ....

e. Il a des  .... sympas.

f. Elles portent des  ....

g. Tu as un grand ....

Le pluriel des adjectifs

9 a. Cochez (✔) la forme de l'adjectif.

	Singulier	Pluriel	Singulier ou pluriel
Ex. : adorables		✔	
1. grands			
2. blond			
3. sportif			
4. beaux			
5. sérieux			
6. élégants			

b. Complétez les phrases avec les adjectifs de la liste.

1. Henri est adorable, ...

....

2. Henri et Paul sont adorables, ...

....

Les lettres finales muettes

10 053 Écoutez. Barrez les lettres finales muettes.

Ex. : un petit frère

a. des collègues français
b. un grand-père
c. un artiste sérieux
d. la veste de Louis
e. une amie japonaise
f. les cheveux courts

Leçon 10

La négation (1) : *ne/n'... pas*

11 Mettez les mots dans l'ordre.

Ex. : anglais • ne • je • parle • pas • .
→ Je ne parle pas anglais.

a. numéro • mon • pas • avez • vous • n' • ? → ....
b. pas • n' • elle • les • français • films • aime • . → ....
c. n' • pas • à • vos • habitent • enfants • Paris • ? → ....
d. pas • télé • ne • la • regarde • je • . → ....
e. professeurs • pas • sont • mes • parents • ne • . → ....
f. la • écouter • pas • n' • tu • aimes • radio • ? → ....

Les verbes en *-er* au présent

12 Conjuguez les verbes au présent.

Ex. : Mon père aime bien le tennis.

a. Nous aim............ les chansons françaises.
b. Tu préfèr............ le cinéma ou le théâtre ?
c. Maria ador............ aller à l'opéra.
d. J'aim............ lire des romans.
e. Mes parents ador............ la télé.
f. Vous préfér............ le foot ou le tennis ?
g. Nicolas aim............ le cyclisme.
h. Laura et Erica préfèr............ l'équitation.

Les trois types de questions

13 054 Écoutez les questions. Cochez (✔) le type de questions.

Ex. : Vous habitez à Genève ?

	Ex.	a.	b.	c.	d.	e.	f.
avec *est-ce que*							
avec intonation	✔						
avec inversion							

Les combinaisons de voyelles

14 a. Entourez le son [O] et soulignez le son [u] dans les phrases.

1. Léo et Lou ont des nouveaux amis.
2. Nous aussi, nous adorons l'opéra.

b. Entourez le son [E] et soulignez le son [Œ] dans les phrases.

1. Le frère d'Aimé est chanteur.
2. Ma sœur Gabriele est écrivaine.

c. Prononcez les quatre phrases.

Retrouvez les activités avec sur inspire1.parcoursdigital.fr et plus de 150 activités inédites.

Faites le point

Expressions utiles

POUR PRÉSENTER ET DÉCRIRE UNE FAMILLE (PARENTÉ, PROFESSION, VILLE)

- Qui est-ce ?
- C'est mon frère, il est musicien.
- C'est Anna, elle est musicienne.
- Leur fils s'appelle Tao.
- Son grand-père, son père, son oncle et sa tante sont chanteurs.
- Nous sommes une famille d'artistes.
- Ils habitent à Paris.

POUR DIRE ET DEMANDER CE QU'ON AIME

- J'aime le cinéma.
- J'adore les opéras italiens.
- Est-ce que tu aimes l'opéra ?
- Non, je n'aime pas le cinéma mais j'aime bien le théâtre.
- Quelles pièces de théâtre aimez-vous ?
- J'aime bien les comédies.
- Aimez-vous le cinéma ?
- Non, je n'aime pas le cinéma.
- Moi non plus, je préfère lire.

POUR DÉCRIRE ET CARACTÉRISER UNE PERSONNE PHYSIQUEMENT

- Il est élégant avec sa veste.
- Il est grand.
- Il porte un chapeau.
- Il est triste.
- Il est sérieux.
- La petite brune, c'est qui ?
- Elle est jolie et sympa.
- La fille avec les cheveux longs, c'est Kathy.
- Elle est belle !
- Elle n'est pas grande, elle est sportive.
- Elle a les cheveux courts.
- Elle est adorable.

Évaluez-vous !

À LA FIN DE L'UNITÉ 3, VOUS SAVEZ...	APPLIQUEZ !
☐ **utiliser *c'est / il-elle est*.**	› Complétez avec *c'est* ou *il/elle est*. .... médecin. .... mon père.
☐ **présenter et décrire une famille.**	› Présentez un membre de votre famille.
☐ **dire ce que vous aimez.**	› Dites deux sports.
☐ **dire ce que vous n'aimez pas.**	› Dites deux activités.
☐ **utiliser *est-ce que / qu'est-ce que*.**	› Complétez avec *est-ce que* ou *qu'est-ce que*. .... tu aimes le rap ? .... tu aimes ?
☐ **caractériser une personne.**	› Écrivez une phrase avec *timide* et *adorable*. ....
☐ **décrire une personne.**	› Décrivez votre ami(e). ....

Préparation au DELF A1

I COMPRÉHENSION DE L'ORAL

Exercice 1. Comprendre un message sur un répondeur

055 **Lisez les questions, écoutez deux fois le document et répondez.**

1. Comment s'appelle le frère de Marie ? ....
2. Quel âge a le frère de Marie ? ....
3. Quelle est la profession du frère de Marie ? Cochez (✔).

a.  b.  c. 

4. Quel jour est le concert ? ....

II COMPRÉHENSION DES ÉCRITS

Exercice 1. Comprendre des instructions simples dans un message court

Lisez l'e-mail et répondez aux questions.

expéditeur : brahim37@gmail.com **destinataire :** christophe-ayard@gmail.fr **objet :** Soirée

Salut, c'est Brahim.

Je t'invite à manger dans un restaurant italien mercredi, avec mon cousin Julien et mon ami espagnol Marco.

Je termine mon travail à 18 heures. Rendez-vous à 19 heures au restaurant ?

Et après le restaurant, je t'invite à danser !

Bises,

Brahim

1. Qui vous invite ? Cochez (✔). ☐ Brahim ☐ Christophe ☐ Marco
2. Vous êtes invité dans quel restaurant ? ....
3. Quelle est la nationalité de Marco ? ....
4. Quelle activité propose votre ami après le restaurant ? Cochez (✔).

a.  b.  c. 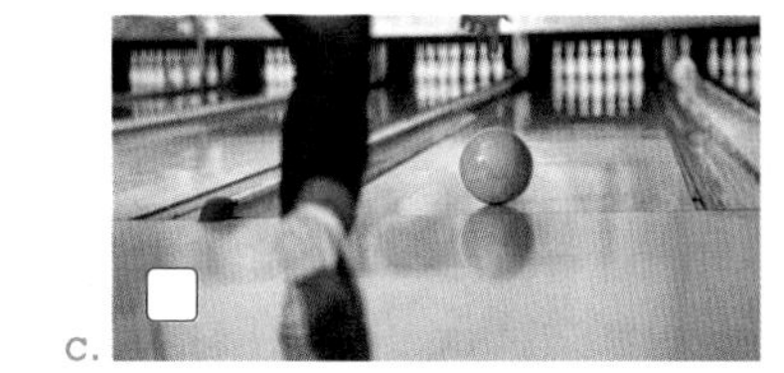

III PRODUCTION ORALE

Exercice 1. L'entretien dirigé

Vous vous présentez. Répondez aux questions.

→ Quel âge avez-vous ?
→ Où habitez-vous ?
→ Quelle est votre nationalité ?
→ Quel est votre sport préféré ?
→ Quel est votre numéro de téléphone ?
→ Avez-vous des frères et des sœurs ?

IV PRODUCTION ÉCRITE

Exercice 1. Compléter un formulaire

Vous vous inscrivez à un club de sport en France. Complétez le formulaire d'inscription.

https://www.sport-inscription/fr-FR/

SPORT

Formulaire d'inscription

Nom ....

Prénom ....

Date de naissance .... / .... / ....

Pays ....

Adresse ....
....

Numéro de téléphone ....

E-mail ....

Sport 1 ....

Sport 2 ....

valider

Organisez une sortie !

VOUS ALLEZ APPRENDRE À :

› vous informer sur un lieu
› indiquer un chemin
› proposer une sortie

VOUS ALLEZ UTILISER :

› les présentatifs *c'est* (3) et *il y a*
› les adverbes de lieu *ici* et *là*
› les prépositions *à côté de* et *loin de*
› les prépositions *en*, *à*, *au*, *aux*
› l'interrogation avec *où*
› l'impératif (1)
› les pronoms toniques *moi*, *toi*, *elle*, *lui*, *nous*, *vous*, *elles*, *eux*
› l'interrogation avec *quand*
› les indicateurs de temps (1) *le matin*, *l'après-midi*, *entre... et*, *à* + heure
› les verbes *habiter* (2), *aller*, *faire*, *venir*, *pouvoir* et *vouloir* au présent

TECHNIQUES POUR...

› faire une carte postale sonore de sa ville
› réaliser un itinéraire dans une ville

CULTURE(S) VIDÉO
Un week-end à Bruxelles  14

S'informer sur un lieu

COMPRENDRE

DOC. 1

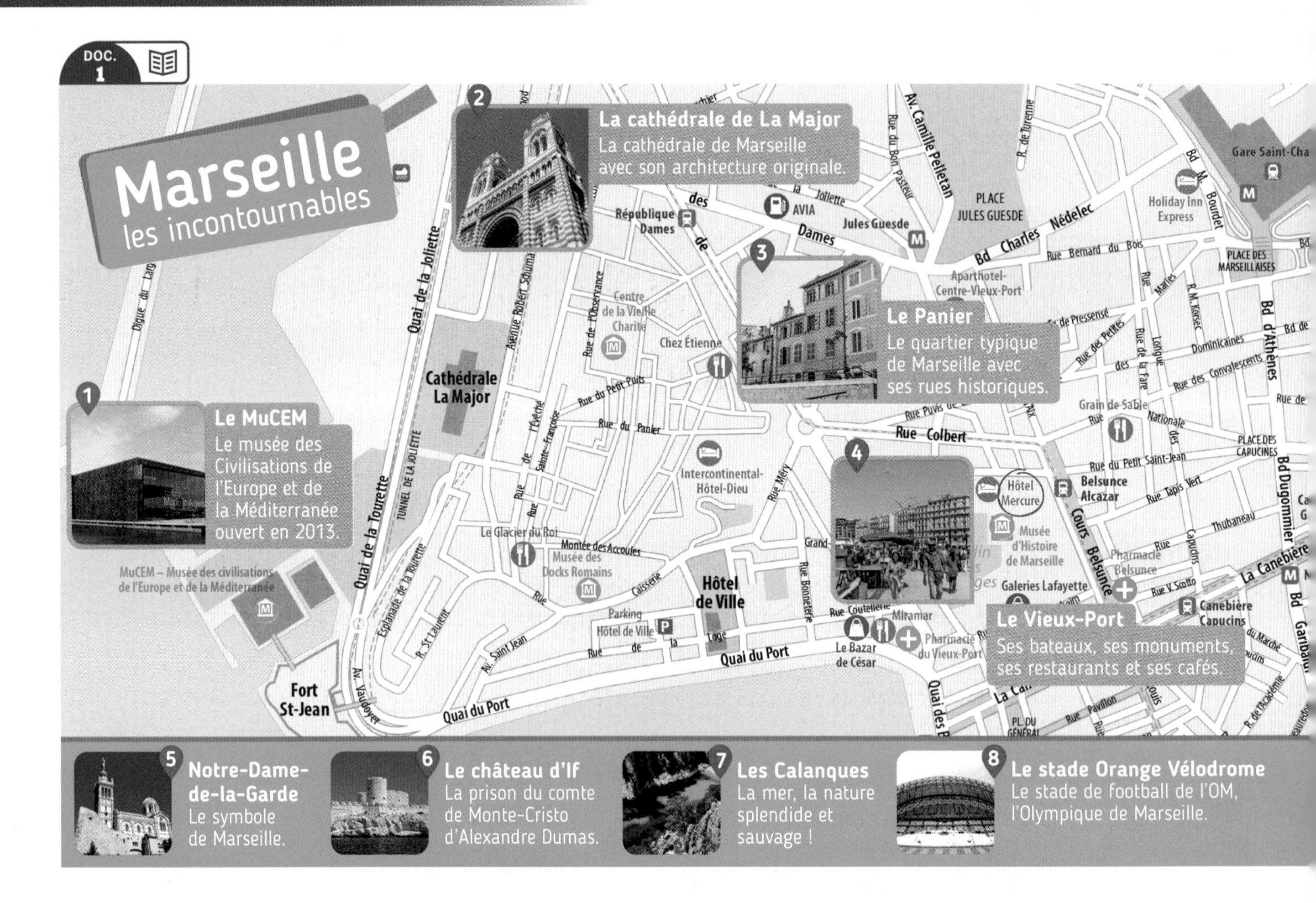

1 a. Repérez la ville de Marseille sur une carte de France.

b. Observez le dépliant touristique de Marseille (Doc. 1). Quels sont les 8 lieux incontournables ?

c. Trouvez et entourez : un parking, un hôtel, un restaurant, l'hôtel de ville, une station-service, la gare, une station de métro, une station de tramway.

Ex. : L'hôtel *Mercure*

d. Repérez sur le plan (Doc. 1) un lieu :

pour manger • à visiter • pour acheter de l'aspirine • pour acheter un souvenir • pour se reposer

Ex. : pour manger : le restaurant *Chez Étienne*

2 À deux Dans une ville, quels lieux vous aimez ? Quels lieux vous n'aimez pas ? Échangez.

Ex. : J'aime les jardins. Je n'aime pas les gares.

3 Écoutez la conversation (Doc. 2). Répondez *vrai* ou *faux*.

Ex. : a. Faux : Ils habitent en Espagne.

a. Gerardo et Macarena habitent au Mexique.
b. Gerardo et Macarena sont à Marseille pour le week-end.
c. La propriétaire montre l'appartement sur le plan.
d. Gerardo et Macarena sont en voiture.

4 a. Réécoutez (Doc. 2). Barrez l'information fausse.

1. Le MuCEM est **loin de** • **à côté de** l'appartement.
2. Les Calanques sont **loin de** • **à côté de** l'appartement.
3. On va au MuCEM **en bus** • **à pied**.
4. On va au château d'If **en bus** • **en bateau**.
5. **Au sud** • **À l'ouest**, il y a le Vieux-Port.

b. À deux Comparez vos réponses.

Culture(s)

Marseille est la **2e ville de France** après Paris.
Il y a environ 870 000 habitants : les Marseillaises et les Marseillais.

5 **À deux** **a. Complétez avec *le*, *la*, *l'* ou *les*.**

1. le Mexique
2. .... Espagne
3. .... Pays-Bas
4. .... France

b. Complétez avec *au*, *en* (x 2) ou *aux*.

1. J'habite au Mexique.
2. Nous habitons .... Espagne.
3. Vous habitez .... Pays-Bas.
4. Ils habitent .... France.

c. Reliez.

le → **au** •   • féminin
les → **aux** •   • masculin
l'/la → **en** •   • pluriel

6 **À deux** **Regardez la vidéo. Faites comme Juan.**

J'habite au Mexique, à Mexico. J'habite la Condesa, à l'est du parc Chapultepec. Dans ma ville, il y a le centre historique (Zócaló), le quartier Coyoacán, des musées, des parcs... Et vous ? ▶ 15

AGIR

7 **En petit groupe** **Présentez un lieu à visiter.**

a. **Choisissez** une ville.
b. Repérez un hôtel sur un plan.
c. Situez un lieu intéressant à côté de l'hôtel.
d. Indiquez comment visiter ce lieu.

Ex. : À côté de l'hôtel *Central*, au nord, il y a un parc. C'est à 2 minutes à pied.

8 **En petit groupe** **Présentez les lieux incontournables de votre ville.**

a. **Décidez** de deux ou trois lieux importants de votre ville.
b. Situez les lieux sur un plan.
c. Faites ou trouvez une photo des lieux (optionnel).
d. **Présentez** les lieux
e. Affichez vos propositions dans la classe et partagez.

Ex. : Le Vieux-Port : ses bateaux, ses monuments, ses restaurants et cafés.

Partagez vos propositions sur le groupe de la classe.

Grammaire

Les présentatifs *c'est* et *il y a* pour présenter un lieu

C'est l'appartement. **Il y a** le Vieux-Port.

Les adverbes *ici*, *là* et les prépositions *à côté de*, *loin de* pour situer un lieu

Ici, c'est l'appartement ! **Là**, c'est le quartier du Panier.
Les Calanques sont **loin de** l'appartement !
À côté de la cathédrale de la Major, le musée.

! le port → **à côté du** / **loin du** port

Les prépositions *en*, *à*, *au* et *aux* pour dire le pays où on habite

Pays masculin : **le** Mexique	J'habite **au** Mexique.
Pays féminin : la France	Tu habites en France.
Pays avec une voyelle : l'Espagne	Nous habitons en Espagne.
Pays pluriel : les États-Unis	Elle habite aux États-Unis.

! **à** Cuba, **à** Madagascar, **à** Malte, **à** Chypre, **à** Singapour

Vocabulaire

Les lieux de la ville (1) 

Les achats : un magasin • un marché • un supermarché
L'administration : le consulat • la mairie (l'hôtel de ville)
Les loisirs : un café • un hôtel • un jardin (un parc) • un restaurant • un stade
Les monuments : une cathédrale (une église) • un musée
La santé : une pharmacie
Les transports : l'arrêt de bus • la gare • le port • un parking • une station de métro • une station de tramway • une station-service

Les points cardinaux 

au nord
à l'ouest  à l'est
au sud

Les déplacements 

à pied	en métro
à vélo	en train
en bateau	en tramway
en bus	en voiture

Phonétique

Le groupe rythmique

On prononce un groupe de mots comme un seul mot. C'est le groupe rythmique.
– J'habite au Mexique. [ʒabitomɛksik]
– Vous êtes espagnols ? [vuzɛtɛspaɲɔl]
– J'habite à Toulon. Dans ma ville, il n'y a pas le métro, il y a le tramway.
[ʒabitatulɔ̃ / dɑ̃mavil / ilnjapaləmetro / iljalətramwɛ]

› Entraînez-vous p. 56-57

Indiquer un chemin

COMPRENDRE

DOC. 1

DOC. 2

LES FÊTES
LATINO MEXICAINES
LE PROGRAMME

11 h 00 Atelier de cuisine mexicaine : élaboration de tortillas. Place Valle de Bravo.

15 h 00 Atelier Mexique (en famille) : fabrication de piñatas pour les 6/12 ans. Place Frédéric Mistral.

17 h 00 Cours de danse et musique salsa avec le groupe Jovenes Clasicos del Son. Place Aimé Gassier.

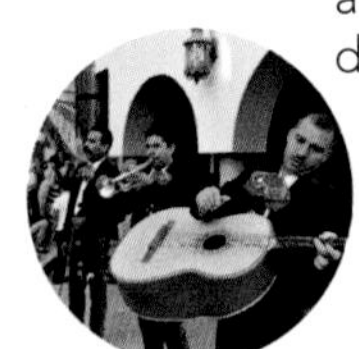

21 h 00 Concert avec Mariachi Jalisco Place Manuel.

1 Observez (Doc. 1).

a. Cochez (✓) la bonne réponse.

1. C'est une affiche pour
- ☐ une école de danse.
- ☐ un film.
- ☐ un festival.

2. C'est
- ☐ en France.
- ☐ au Mexique.
- ☐ en Espagne.

b. Situez Barcelonnette sur une carte.

Ex. : Barcelonnette est à côté de l'Italie.

2 Lisez le programme (Doc. 2). Choisissez une activité par personne.

Ex. : b. Stéphane : cours de danse et musique salsa

a. Caroline est avec ses enfants.
b. Stéphane aime danser.
c. Sylvain adore faire la cuisine.
d. Marie préfère la musique.

3 Observez le plan (Doc. 3).

a. Situez les quatre places du programme sur le plan.

Ex. : La place Aimé Gassier, au sud.

b. À deux Associez les lieux suivants aux quatre places.

3 hôtels • 1 parking • la mairie • la poste • l'office de tourisme • un cinéma • le marché • une école

Ex. : À côté de la place Valle de Bravo, il y a la mairie.

c. Classez les lieux de l'activité 3b dans les rubriques suivantes.

L'administration • L'éducation • Les loisirs • Les services • Les transports

Ex. : Les loisirs : un cinéma

d. Repérez d'autres lieux sur le plan et complétez votre classement.

Culture(s)

En France, en général, **les rues, les places, les avenues** portent le nom de personnes ou de lieux célèbres.

Ex. : la place Frédéric Mistral (écrivain provençal, 19e siècle)

4 À deux Expliquez où vous habitez. Qu'est-ce qu'il y a à côté ?

Ex. : J'habite avenue Paul-Appell. À côté de la maison, il y a une école et un cinéma. Et vous ?

DOC. 3

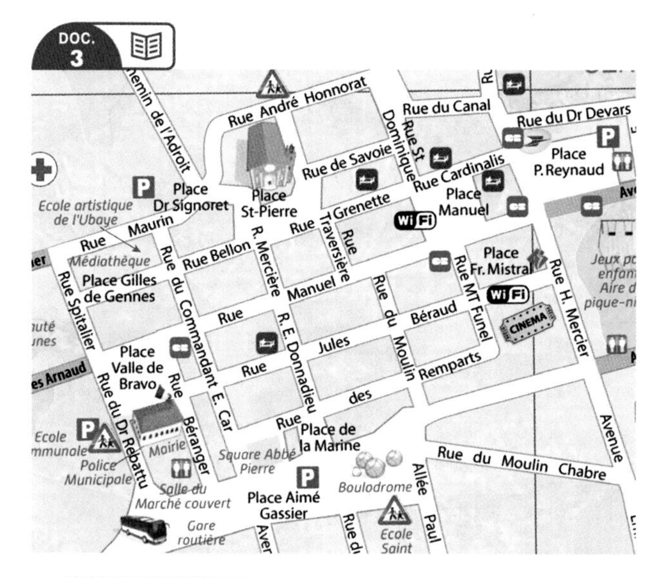

DOC. 4 062-063

5 Écoutez la conversation (Doc. 4).
Entourez la bonne réponse.

a. Le touriste demande **son chemin • l'heure • le programme**.

b. Le touriste cherche **la rue Maurin • la rue Manuel • la rue Bellon**.

c. L'homme indique la direction de **la place Gilles de Gennes • la place de la Marine • la place Manuel**.

d. Le touriste va **au concert • à l'atelier cuisine • au cours de danse et musique salsa**.

6 Réécoutez (Doc. 4).

a. Notez les cinq questions du touriste.

Ex. : *Do you speak english?*

b. Reliez.

1. Tournez à gauche.
2. Continuez sur 200 mètres.
3. Allez tout droit.
4. C'est au bout de la rue.
5. C'est la 2e rue à droite.

c. À deux Tracez l'itinéraire du touriste.

7 À deux Observez. a. Dans quelle phrase on indique un itinéraire ?

1. Allez tout droit. 2. Vous allez au concert ?

b. Soulignez la bonne réponse.

Pour indiquer un itinéraire, on peut supprimer : **le verbe • le pronom personnel sujet**.

c. Quel est le temps du verbe utilisé ?

AGIR

8 Proposez un itinéraire dans votre ville.

a. **À deux Choisissez** deux lieux de votre ville.

b. Vous êtes à l'école de français. Trouvez un itinéraire pour aller dans les lieux.

c. **En groupe Expliquez** l'itinéraire à la classe.

Grammaire

L'interrogation avec *où* pour demander un chemin, une direction

Où est la rue Manuel ? • Elle est **où** ?

L'impératif (1) pour indiquer un chemin, une direction

Formation : verbe au présent sans le pronom personnel sujet.

! L'impératif existe seulement à la 2e personne du singulier *(tu)* et aux 1re et 2e personne du pluriel *(nous et vous)*.

Aller	Continuer	Tourner
Va tout droit !	**Continue** sur 200 mètres !	**Tourne** à gauche !
Allons !	Continu**ons** !	Tourn**ons** !
Allez !	Continu**ez** !	Tourn**ez** à gauche !

Le verbe *aller* au présent

Je **vais**	
Tu **vas**	au concert (**le** concert).
Il/Elle **va**	à l'atelier (**l'**atelier).
Nous **allons**	à la poste (**la** poste).
Vous **allez**	aux toilettes (**les** toilettes).
Ils/Elles **vont**	

Vocabulaire

Les lieux de la ville (2) 064

L'administration : la poste • la police

L'éducation : la crèche • l'école • le collège • le lycée

Les loisirs : le boulodrome • le cinéma • les jeux pour enfants

La santé : l'hôpital

Les services : l'office de tourisme • le distributeur de billets (la banque) • les toilettes

Les transports : la gare routière

Les types de rues : le chemin • l'allée • la rue • l'avenue • le boulevard • la place

L'itinéraire, la direction  065

aller • continuer • tourner

à droite ↱ • à gauche ↰ • tout droit ↑ •

au bout • ici • c'est par là

la première (1re) rue • la deuxième (2e) rue •

la troisième (3e) rue

Phonétique  066  17

Les sons [y] et [u]

- **Le son [y]** est aigu, tendu, arrondi.
  La langue est en avant.
  – La r**u**e. Le s**u**d. S**u**per !
- **Le son [u]** est grave, tendu, arrondi.
  La langue est en arrière.
  – Au b**ou**t ! C'est **où** ? T**ou**t droit.

› Entraînez-vous p. 56-57

Proposer une sortie

COMPRENDRE

DOC. 1

DOC. 3

DOC. 2

1 Observez (Doc. 1).

a. Entourez la bonne réponse.

C'est un site pour **réserver un hôtel** • **organiser des sorties** • **trouver une école à Paris**.

b. Lisez (Doc. 1). Répondez *vrai* ou *faux*.

Le site propose :
1. des visites de musées.
2. des billets de train.
3. des activités pour les enfants.
4. des hôtels.
5. des adresses de restaurants.

2 À deux Lisez la liste des liens de sortiraparis.com (Doc. 2). Associez les liens aux rubriques de la page d'accueil du site (Doc. 1).

Ex. a. Soirées et bars : 7
b. Culture
c. Loisirs
d. Bons plans

3 En petit groupe Vous sortez, qu'est-ce que vous aimez faire ? Dites trois activités. Un(e) camarade présente les sorties du groupe à la classe.

Culture

Nuit Blanche est une manifestation gratuite pour la création contemporaine.
La ville de Paris organise des activités toute la nuit et les musées sont ouverts le premier samedi du mois d'octobre.
→ **Et dans votre ville, est-ce qu'il y a des manifestations culturelles gratuites ?**

4 Lisez le SMS (Doc. 3). Qu'est-ce que Marc propose à Betty ?

5 Écoutez la conversation (Doc. 4). Répondez.
a. Qui parle à qui ?
b. À quel moment Betty est libre ? Pourquoi ?
c. Où est le rendez-vous ?
d. Quel est le programme ?

6 À deux Reliez. (Plusieurs réponses possibles.)

a. « Tu viens avec nous au cinéma ? » → 1. Proposer une sortie
b. « Demain soir, je ne peux pas. »
c. « C'est où ? »
d. « À quelle heure ? »
e. « Je viens à 13 heures. »
f. « Si tu veux, on fait un brunch. »
g. « D'accord. »

1. Proposer une sortie
2. Accepter l'invitation
3. Refuser l'invitation
4. Organiser le rendez-vous

Culture(s)

En France, on dit l'heure de 0 à 23.
Ex. : Il est 14 h 30.
→ Et dans votre pays ?

7 En petit groupe Regardez la vidéo d'Angelica. Répondez à sa question.

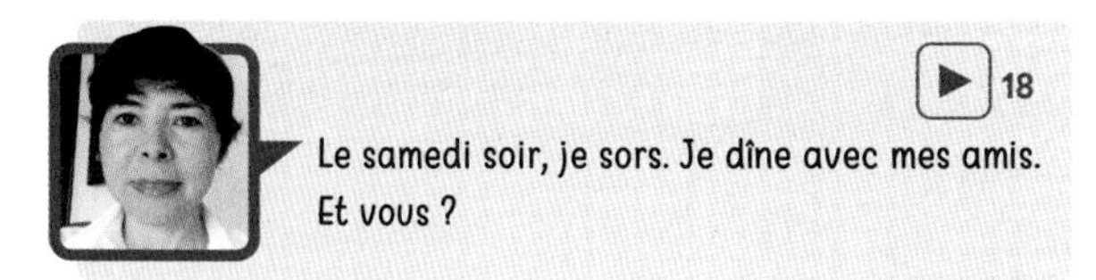

AGIR

8 À deux Présentez des activités culturelles de votre ville.
a. **Décidez** cinq activités.
b. Notez les lieux et les horaires.
c. Affichez vos propositions en classe.
d. **En groupe** Votez pour vos propositions préférées.

 Partagez la liste sur le groupe de la classe.

9 En petit groupe Proposez une sortie culturelle.
a. **Décidez** une idee de sortie.
b. Enregistrez un message vocal pour proposer la sortie à deux camarades de la classe.
c. Échangez vos téléphones.
d. À votre tour, vous répondez au message.
Si vous n'êtes pas libre, proposez une autre date.

Grammaire

Les pronoms toniques

	Singulier	Pluriel
1er personne	je → **moi**	nous → **nous**
2e personne	tu → **toi**	vous → **vous**
3e personne	il → **lui** elle → **elle**	ils → **eux** elles → **elles**

Moi, je fais mon jogging le matin.

L'interrogation avec *quand*
– **Quand** ? – Samedi soir.

Les indicateurs de temps (1)
Le matin, moi, je fais mon jogging.
L'après-midi, je suis libre.
Je termine le travail **à** 20 h.
Le brunch, c'est **entre** 11 h **et** 15 h.

Les verbes *pouvoir*, *vouloir*, *faire* et *venir* au présent

Pouvoir	Vouloir
Je **peux**	Je **veux**
Tu peux	Tu veux
Il/Elle peut	Il/Elle veut
Nous **pouvons**	Nous **voulons**
Vous pouvez	Vous voulez
Ils/Elles **peuvent**	Ils/Elles **veulent**
Faire	**Venir**
Je **fais**	Je **viens**
Tu fais	Tu viens
Il/Elle fait	Il/Elle vient
Nous **faisons**	Nous **venons**
Vous **faites**	Vous venez
Ils/Elles **font**	Ils/Elles **viennent**

Vocabulaire

Les loisirs (2) 
L'art : la danse • la peinture • la photo • la sculpture • un atelier • une exposition
Les spectacles : une animation • un film • la réalité virtuelle

Les sorties 
boire un verre • un brunch • dîner • une terrasse • un bar • faire une balade / une promenade • sortir • une sortie gratuite = 0 €

L'heure 

	L'heure formelle	L'heure informelle
12 h 15	douze heures quinze	midi et quart
12 h 30	douze heures trente	midi et demie
12 h 45	douze heures quarante-cinq	une heure moins le quart
13 h	treize heures	une heure

! 00 h 00 = minuit 12 h 00 = midi

Entraînez-vous p. 56-57

LEÇON 15

Techniques pour...

... faire une carte postale sonore de votre ville

ÉCOUTER

DOC. 1 072

1 [Découverte] En petit groupe Écoutez (Doc. 1).

a. Qu'est-ce que vous entendez ? Cochez (✓).

1. Les sons
   - ☐ **a.** des objets.
   - ☐ **b.** de la nature.
   - ☐ **c.** des personnes.
2. Les voix
   - ☐ **a.** des personnes dans la rue.
   - ☐ **b.** de la journaliste.
3. ☐ La musique

b. À deux Comparez vos réponses.

2 [Analyse] À deux Réécoutez (Doc. 1). Qu'est-ce que vous entendez ? Entourez.

a. Les cloches d'une l'église

b. Des personnes au supermarché

c. Des enfants à côté du manège

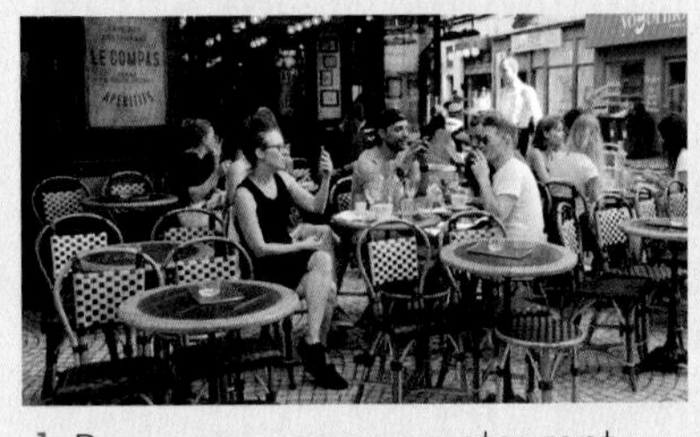

d. Des personnes au restaurant

e. Des enfants avec leurs parents devant l'école

f. Des personnes dans le métro

3 Réécoutez (Doc. 1). Numérotez les sons dans l'ordre pour faire le scénario de la carte postale sonore.

PARLER

4 Faites une carte postale sonore de votre ville.

a. À deux Choisissez des lieux dans votre ville.

b. Décidez des sons et de l'ordre des sons (bruits, voix, musiques...).

c. Organisez la promenade.

d. Faites les enregistrements.

e. En groupe Écoutez les cartes postales sonores. Devinez les sons et racontez le scénario.

POUR faire une carte postale sonore de votre ville :

- **Préparer le scénario**
  Choisir les lieux de la promenade
  Organiser l'itinéraire
  Enregistrer les sons des lieux
- **Nommer la carte**
  Préciser le lieu et le moment

... réaliser un itinéraire dans une ville

LIRE

DOC. 2

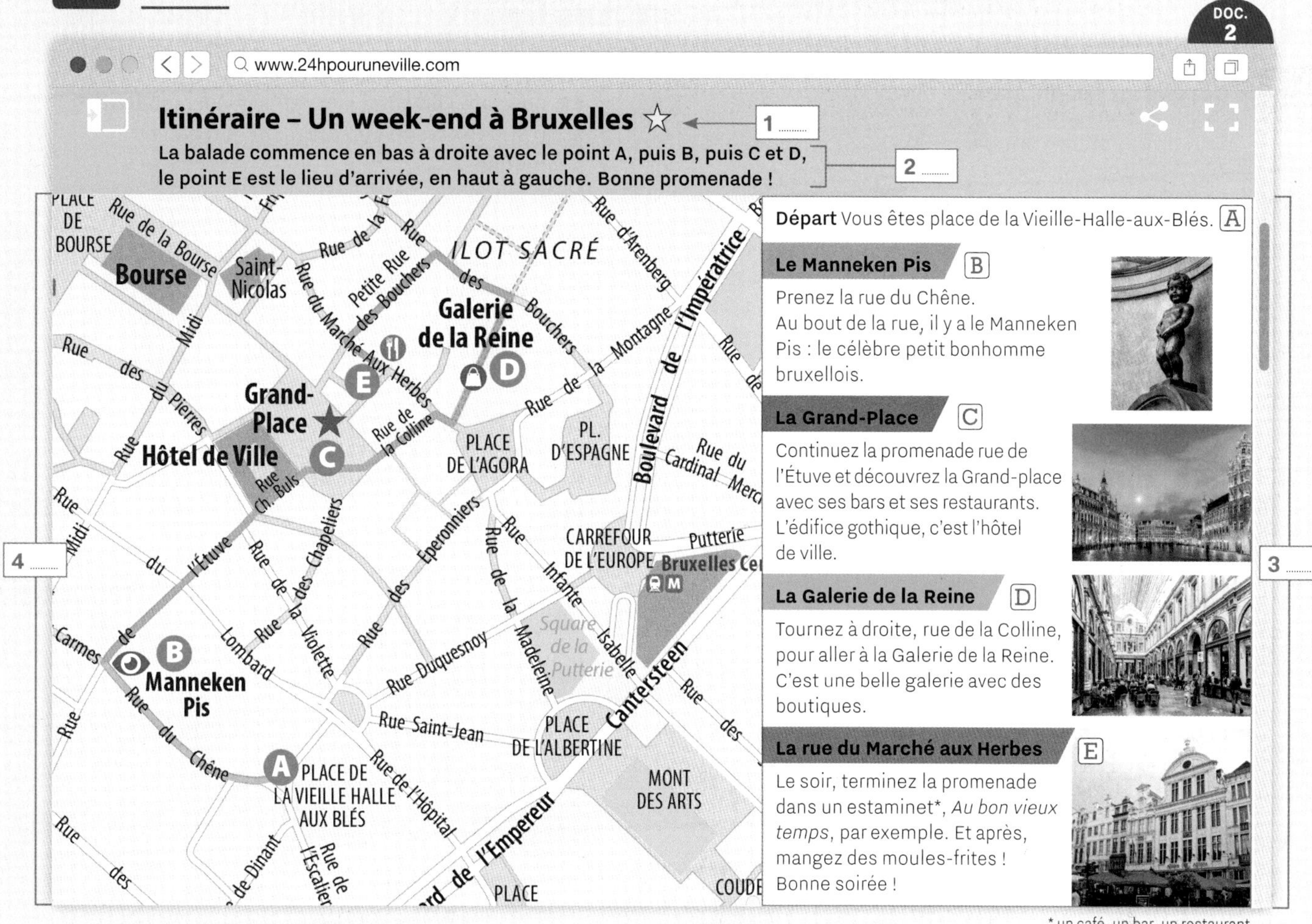

* un café, un bar, un restaurant

5 [Découverte] Observez la page du site www.24hpouruneville.com (Doc. 2). Que propose le site ?

6 Lisez les paragraphes A à E. (Doc. 2). Reliez les activités aux lieux de la visite (plusieurs réponses sont possibles).

1. Faire du shopping
2. Manger
3. Boire un verre
4. Visitez

a. Le Manneken Pis
b. La Grand-Place
c. La Galerie de la Reine
d. La rue du Marché aux Herbes

7 Relisez les paragraphes A à E (Doc. 2). Mettez les expressions dans l'ordre de la promenade.

a. Continuez la promenade
b. Terminez la promenade dans un estaminet
c. Prenez la rue du Chêne.
d. Tournez à droite

8 À deux [Analyse] Associez les intitulés aux parties du site.

a. Choisir un lieu de départ et d'arrivée b. Tracer l'itinéraire c. Trouver un titre d. Expliquer l'itinéraire

POUR réaliser un itinéraire dans une ville

- Choisir un point de départ et un point d'arrivée de A à X
- Indiquer l'ordre de la visite
  Vous êtes place de la Vieille-Halle-Aux-Blés
  Prenez la rue du Chêne. / Continuez...
  Tournez... pour aller à...
- Tracer l'itinéraire sur un plan
- Donner un titre à son programme
  Un week-end à Bruxelles

ÉCRIRE

9 En groupe Réalisez un itinéraire dans une ville.

a. Choisissez des lieux à visiter.

b. Écrivez un texte pour présenter et situer les lieux.

c. Comparez les itinéraires de la classe.

Partagez votre itinéraire sur le groupe de la classe.

S'entraîner

Leçon 12

Les déplacements

1 Complétez les phrases.

Ex. : Il va au stade ..... à ..... vélo ....

a. Je vais au supermarché ....

b. Je vais à l'école ....

c. Je vais à l'hôtel de ville ....

d. Je vais au musée .... ?

e. Je vais en Italie ....

Les prépositions *en*, *à*, *au*, *aux*

2 Entourez la bonne préposition.

Ex. : Elizabeth habite en • (au) • aux • à Pérou.

a. Roger habite **en** • **au** • **aux** • **à** Canada.
b. Carla habite **en** • **au** • **aux** • **à** Italie.
c. Ando habite **en** • **au** • **aux** • **à** Madagascar.
d. Kumiko habite **en** • **au** • **aux** • **à** Japon.
e. Samuel habite **en** • **au** • **aux** • **à** Nigéria.
f. Filip habite **en** • **au** • **aux** • **à** Pays-Bas.

Les présentatifs *c'est – il y a* et les adverbes *ici – là*

3 a. 073 **Écoutez la description de la place de la République et repérez les lieux.**

b. À deux **Décrivez la place Victor-Hugo. Utilisez les mots *il y a* • *c'est* • *ici* • *là*.**

Le groupe rythmique

4 a. 074 **Écoutez les phrases. Indiquez le nombre de groupes rythmiques.**

Il y a .... groupes rythmiques.

b. Prononcez les phrases avec le bon rythme.

Leçon 13

Les lieux de la ville (2)

5 Barrez l'intrus.

Ex. : un café • un hôtel • un ~~parking~~ • un restaurant

a. un supermarché • un magasin • un hôpital • un marché
b. un stade • un parc • un jardin • un consulat
c. une rue • un chemin • une pharmacie • une avenue
d. un arrêt de bus • une station de métro • un distributeur de billets • une gare
e. une école • un lycée • une banque • un collège
f. le boulevard • la police • la mairie • la poste

L'itinéraire, la direction

6 Regardez le trajet sur le plan. Complétez le dialogue avec *au bout* • *première* • *à gauche* • *continuez* • *ici* • *tournez* • *droit* • *à droite*.

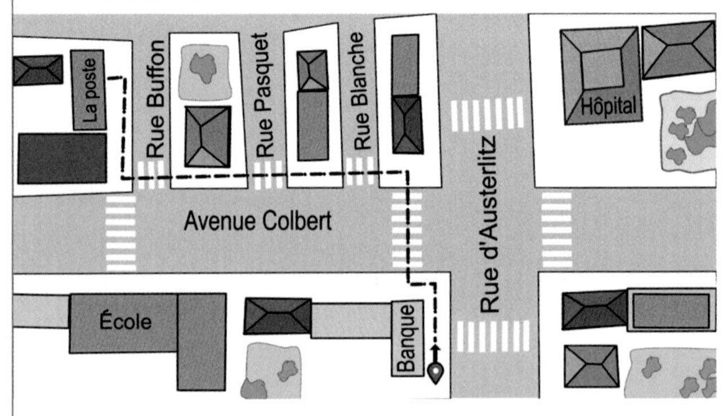

– Je cherche la poste de la rue Buffon. C'est loin ?
– Non, c'est à côté ! .... , vous êtes rue d'Austerlitz. Allez tout ....
À la banque, vous tournez .... , dans l'avenue Colbert. Traversez la rue.
La .... rue, c'est la rue Blanche.
Vous ne .... pas ! Vous .... 100 mètres. La rue Buffon, c'est la troisième rue .... La poste est .... de la rue.
– Merci beaucoup !

Le verbe *aller* au présent

7 Conjuguez le verbe *aller* au présent.

Ex. : M. Gérard va à l'opéra.

a. Tu .... au concert samedi soir ?
b. Le dimanche, nous .... au parc.
c. Vous .... tout droit.
d. Irina et Myriam .... en Espagne demain.
e. Je .... au cinéma à 20 heures.
f. Sa sœur .... au marché.
g. Arthur et Thomas .... au restaurant.
h. Nous .... à la pharmacie.

Le verbe *aller* + *au*, *à l'*, *à la*, *aux*

8 À deux Faites cinq phrases avec les mots suivants.

Ex. : Il va à la banque.

L'impératif

9 Conjuguez les verbes à l'impératif.

Ex. : Tourner à droite (vous) → Tournez à droite.

a. Aller au bout de la rue (vous) → ....

b. Continuer tout droit (tu) → ....

c. Chercher la rue des Écoles (nous) → ....

d. Aller à la place de la Mairie (tu) → ....

e. Tourner à gauche (nous) → ....

f. Continuer sur 500 mètres (vous) → ....

Les sons [y] et [u]

10 075 Écoutez les mots. Vous entendez le son [y] ou le son [u] ? Cochez (✓).

Ex. salut

	Ex.	a.	b.	c.	d.	e.	f.
[y]	✓						
[u]							

Leçon 14

Les pronoms toniques (2)

11 Soulignez le bon pronom tonique.

Ex. Elle va au cinéma. **Moi • Elle • Nous**, nous allons au théâtre.

a. Je suis rue Blanche. **Moi • Toi • Eux**, tu es où ?

b. Il continue tout droit. **Moi • Elle • Lui**, elle tourne à droite.

c. Elles tournent à droite. **Moi • Toi • Eux**, je continue tout droit.

d. Vous allez à la gare à pied. **Elle • Vous • Lui**, il va à la gare en bus.

e. Nous cherchons un bar. **Toi • Elles • Eux**, elles cherchent un café.

f. Tu vas à droite. **Nous • Elles • Eux**, ils vont tout droit.

L'heure

12 Entourez l'heure correspondante.

Ex. : Elles viennent à six heures.
19 h 00 • 16 h 00 • 18 h 00

a. Nous travaillons à neuf heures moins le quart.
8 h 45 • 9 h 15 • 8 h 15

b. Je suis libre à midi. 00 h 00 • 10 h 00 • 12 h 00

c. Rendez-vous à sept heures et demie.
7 h 00 • 19 h 30 • 17 h 30

d. Ils vont au cinéma à quatre heures.
16 h 00 • 14 h 00 • 05 h 00

e. Je me couche à minuit.
22 h 00 • 00 h 00 • 02 h 00

f. Leur train est à dix heures et quart.
10 h 15 • 10 h 25 • 10 h 04

Les indicateurs de temps

13 076 Écoutez et complétez.

Ex. : La semaine, je me lève à sept heures et demie.

a. ...., je vais au musée.

b. ...., je vais au restaurant avec mes parents.

c. .... trois .... quatre heures, je fais mon jogging.

d. Je bois un verre avec mes amis .... dix-neuf heures.

e. ...., je me repose ou je vais au cinéma.

Proposer une sortie

14 a. À deux Mettez les huit phrases du dialogue dans l'ordre.

☐ – Oui, dimanche, je suis libre. C'est où ?

☐ – Allô Margaux. C'est Léo. Samedi, on fait un brunch à Belleville. Tu viens avec nous ?

☐ – Ah... Et dimanche, tu es libre ? Je vais voir une expo.

1 – Allô ?

8 – Ok. À dimanche quinze heures ! Bises.

☐ – D'accord. Rendez-vous devant le métro à trois heures ?

☐ – Au musée Rodin, à côté du métro Varenne.

☐ – Non, le samedi matin, je ne peux pas. Je travaille.

b. 077 Écoutez le dialogue pour vérifier. Jouez le dialogue à deux.

Parcours digital — Retrouvez les activités avec sur inspire1.parcoursdigital.fr et plus de 150 activités inédites.

Faites le point

Expressions utiles

POUR S'INFORMER SUR UN LIEU

- Qu'est-ce qu'il y a à visiter à côté de l'appartement ?
- C'est où ?
- Il y a un métro ? Un bus ?

POUR DÉCRIRE UN LIEU

- Dans ma ville, il y a un parc.
- À côté de l'école, il y a un musée.
- Ici, c'est l'appartement.
- Là, au sud, il y a le Vieux-Port.
- Et à côté, le MuCEM.

POUR DEMANDER UN CHEMIN, UNE DIRECTION

- Où est la rue Manuel, s'il vous plaît ?
- Je cherche la rue Manuel. Elle est où ?
- C'est loin ?

POUR ACCEPTER LE LIEU ET L'HEURE DU RENDEZ-VOUS

- D'accord !
- OK, je viens à 13 heures.

POUR INDIQUER UN CHEMIN, UNE DIRECTION

- Tournez à gauche, là, rue Donnadieu.
- Continuez tout droit !
- C'est à 200 mètres.
- C'est la deuxième rue, à droite.
- C'est par là !
- C'est au bout !
- Allez tout droit !
- C'est à côté !

POUR PROPOSER UNE SORTIE

- Tu viens avec nous au cinéma ?
- Vous êtes libres dimanche ?
- Si tu veux, on fait un brunch et, après, on va au cinéma.

POUR REFUSER UNE INVITATION ET DIRE POURQUOI

- Demain soir, je ne peux pas.
- Je termine le travail à 20 heures.

POUR FIXER UN RENDEZ-VOUS

- Je viens à 13 heures.
- Une heure, c'est bien.

Évaluez-vous !

À LA FIN DE L'UNITÉ 4, VOUS SAVEZ...	APPLIQUEZ !
☐ décrire un lieu.	› Entourez la bonne réponse. *C'est* • *Il est* Paris. *Il a* • *Il y a* un musée.
☐ vous informer sur un lieu.	› Où est située votre école de français ?
☐ utiliser les prépositions de lieu.	› Complétez avec *au*, *de la*, *du* ou *à l'*. J'habite à côté .... poste. Tu habites .... Mexique ? C'est loin .... métro. Je suis .... école.
☐ indiquer un chemin, une direction.	› Complétez avec *tournez*, *par là*, *allez* ou *tout droit*. .... tout droit. Continuez .... à droite. C'est ....
☐ proposer une sortie.	› Soulignez les bonnes questions. *Tu viens demain ?* *Vous êtes libres dimanche ?* *C'est par où ?* *Tu vas bien ?*
☐ dire l'heure.	› À quelle heure vous finissez le cours ?
☐ accepter / refuser une invitation.	› Reliez. Je ne peux pas. • Pourquoi pas. • D'accord. • • Accepter • Refuser

Parlez de votre quotidien

VOUS ALLEZ APPRENDRE À :

- décrire votre quotidien
- faire les courses
- acheter des vêtements

VOUS ALLEZ UTILISER :

- les indicateurs de temps (2) *de... à*, *jusqu'à*, *quand*
- la fréquence : *jamais (ne), parfois, souvent, toujours*
- *faire du*, *de la*, *des*
- les indicateurs chronologiques *d'abord*, *et*, *après*
- les adjectifs numéraux (1, 2, 100, ...)
- les articles partitifs *du*, *de la*, *de l'*
- l'interrogation avec *combien*
- le futur proche (1)
- les adjectifs démonstratifs *ce, cet, cette, ces*
- les prépositions de lieu *devant*, *derrière*, *sur*, *sous*, *entre*
- la place des adjectifs
- les verbes pronominaux au présent
- les verbes *dormir*, *finir*, *prendre* et *essayer* au présent

TECHNIQUES POUR...

- écrire une carte postale
- écrire une petite annonce pour vendre un vêtement

CULTURE(S) VIDÉO

Le Paris des grands magasins  19

Décrire son quotidien

COMPRENDRE

DOC. 1

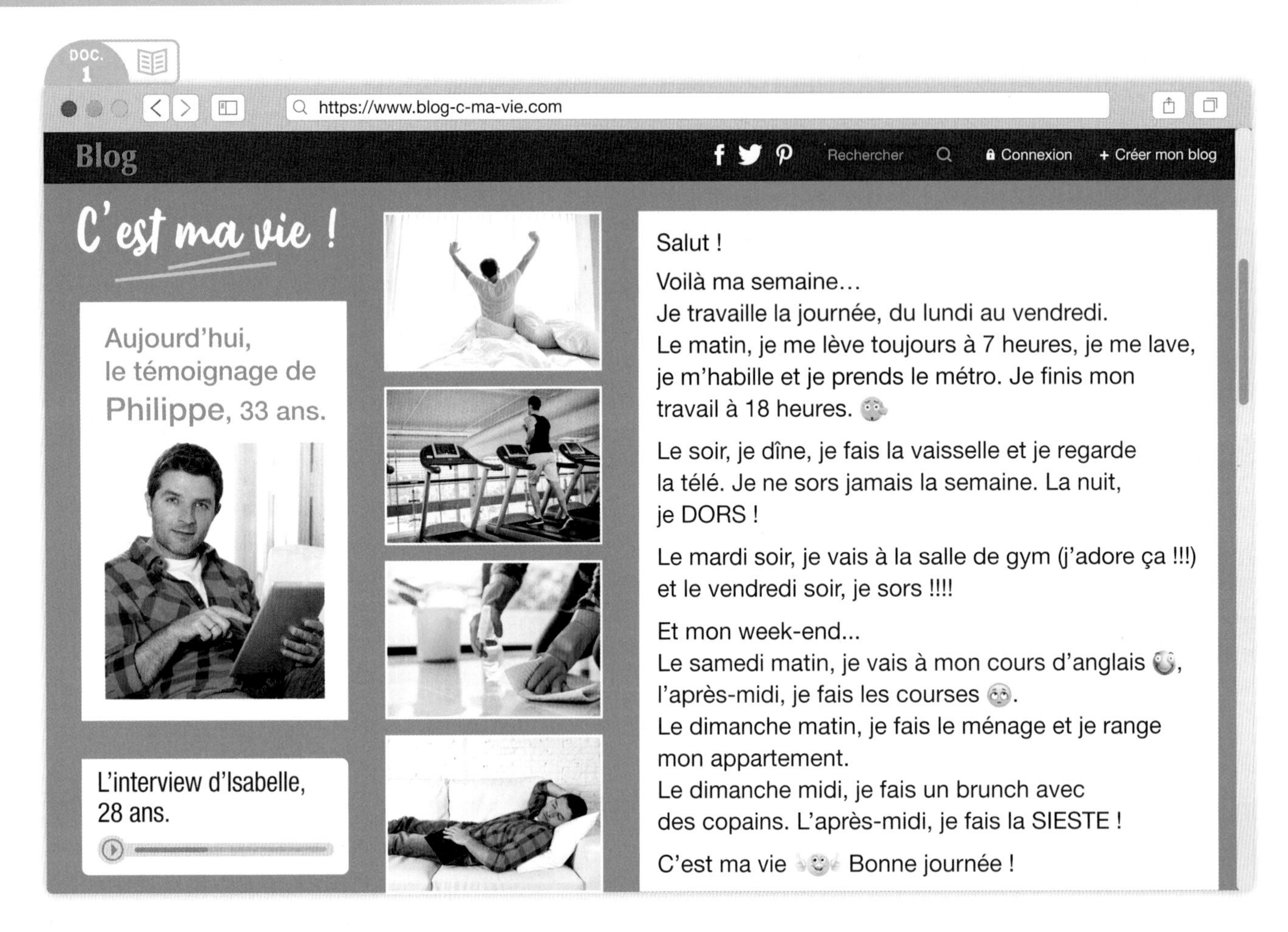

Salut !

Voilà ma semaine...
Je travaille la journée, du lundi au vendredi.
Le matin, je me lève toujours à 7 heures, je me lave, je m'habille et je prends le métro. Je finis mon travail à 18 heures.

Le soir, je dîne, je fais la vaisselle et je regarde la télé. Je ne sors jamais la semaine. La nuit, je DORS !

Le mardi soir, je vais à la salle de gym (j'adore ça !!!) et le vendredi soir, je sors !!!!

Et mon week-end...
Le samedi matin, je vais à mon cours d'anglais, l'après-midi, je fais les courses.
Le dimanche matin, je fais le ménage et je range mon appartement.
Le dimanche midi, je fais un brunch avec des copains. L'après-midi, je fais la SIESTE !

C'est ma vie Bonne journée !

1 Observez et lisez (Doc. 1).

a. **Identifiez le type de document. Relevez ses caractéristiques (ponctuation, majuscules, émoticônes).**

b. **Dites qui témoigne.**

2 Relisez (Doc. 1).

a. **Dites quel est le thème.**

b. **Relevez et classez les activités de Philippe.**
la semaine • Le week-end.
Ex. : La semaine : Le matin, je me lève toujours à 7 heures.

c. **Précisez les moments de la journée (le matin • le midi • l'après-midi • le soir • la nuit).**

3 En petit groupe Mimez une activité du quotidien. Vos camarades devinent l'activité.

DOC. 2 078

4 Écoutez l'interview d'Isabelle (Doc. 2). Répondez.

a. Elle parle de quoi ?
b. Elle travaille quand et où ?

5 À deux Réécoutez (Doc. 2).

a. **Relevez les activités d'Isabelle.**
Ex. : Je me couche.

b. **Repérez les verbes conjugués comme *je me couche*.**
Ex. : je me douche

6 **À deux** **a. Complétez avec *vous*, *nous*, *se* ou *me*.**
Je ... couche. • Elle ... couche. • Nous ... couchons. • Vous ... couchez.

b. Dites comment s'appelle ce type de verbe.

7 **À deux** **Réécoutez (Doc. 2).**

a. Relevez les horaires des activités d'Isabelle.
Ex. : À 7 heures, Isabelle travaille.

b. Entourez la bonne réponse.
1. **de 7 heures à 19 heures** indique : une durée • un moment précis.
2. **à 7 heures** indique : **une durée** • **un moment précis**.
3. **jusqu'à 7 heures** indique : **une durée** • **un moment précis**.

Culture(s)

- Les Français travaillent du lundi au vendredi, de 9 heures à 18 heures. La durée légale du travail est de **35 heures par semaine**.
- 10 millions de personnes travaillent le soir, la nuit, le samedi ou le dimanche.

→ **Et dans votre pays ?**

8 **En groupe** **Regardez la vidéo d'Aïcha. À votre tour, racontez vos activités le matin et le soir.**

20

Le matin, je me lève, je déjeune et je m'habille ! Le soir, je regarde un film et je me couche à 23 heures.

AGIR

9 **Décrivez votre quotidien dans un témoignage.**
a. Listez vos activités du quotidien, de la semaine et du week-end.
b. Écrivez votre témoignage.
c. Illustrez votre texte avec des photos (optionnel).
d. Partagez vos textes avec la classe.

Postez le témoignage sur le groupe de la classe.

10 Racontez **une journée idéale.**
a. Listez les activités de votre journée idéale.
b. Situez ces activités dans le temps.
c. **En petit groupe** Présentez votre journée idéale à la classe.

Enregistrez votre témoignage sur un smartphone.

Grammaire

Les indicateurs de temps (2) pour situer dans le temps
Je travaille **jusqu'à** 7 heures.
Je dors **de** 8 heures **à** midi.
Quand nous nous couchons, le soir, elle commence son travail !

! **le midi** = **de** midi **à** 14 h 00

***Ne... jamais, parfois, souvent* et *toujours* pour indiquer la fréquence**
Je **ne** sors **jamais** la semaine. **(-)**
Je vais **parfois** chez des amis. **(+)**
Je fais **souvent** une sieste jusqu'à 17 h, 18 h. **(++)**
Le matin, je me lève **toujours** à 7 heures. **(+++)**

***Faire du, de la, des* pour décrire une activité**

Masculin	Je fais **du** sport.
Féminin	Je fais de la danse.
Pluriel	Je fais des abdos.

***D'abord, et, après* pour exprimer la chronologie**
D'abord, je me repose. Je me lave **et** je m'habille.
Après, je rentre chez moi.

Les verbes pronominaux au présent pour décrire son quotidien

Se coucher	
Je **me** couche	Nous **nous** couchons
Tu **te** couches	Vous **vous** couchez
Il/Elle **se** couche	Ils/Elles **se** couchent

Les verbes *dormir* et *finir* au présent

Dormir	Finir
Je **dors**	Je **finis**
Tu dors	Tu finis
Il/Elle dort	Il/Elle finit
Nous **dormons**	Nous **finissons**
Vous dormez	Vous finissez
Ils/Elles dorment	Ils/Elles finissent

Vocabulaire

Les activités quotidiennes  079
se lever • se laver • se doucher • s'habiller • travailler • se reposer • faire la sieste • rentrer chez soi • se coucher • dormir • faire les courses • faire la lessive • faire le ménage • faire la vaisselle • ranger

Les moments de la journée et de la semaine 080
- la journée, la nuit
- la semaine = **du** lundi **au** vendredi
- le week-end = le samedi et le dimanche

Les repas  081
le petit déjeuner • le déjeuner • le dîner

> **Entraînez-vous** **p. 68-69**

Faire les courses

COMPRENDRE

DOC. 1

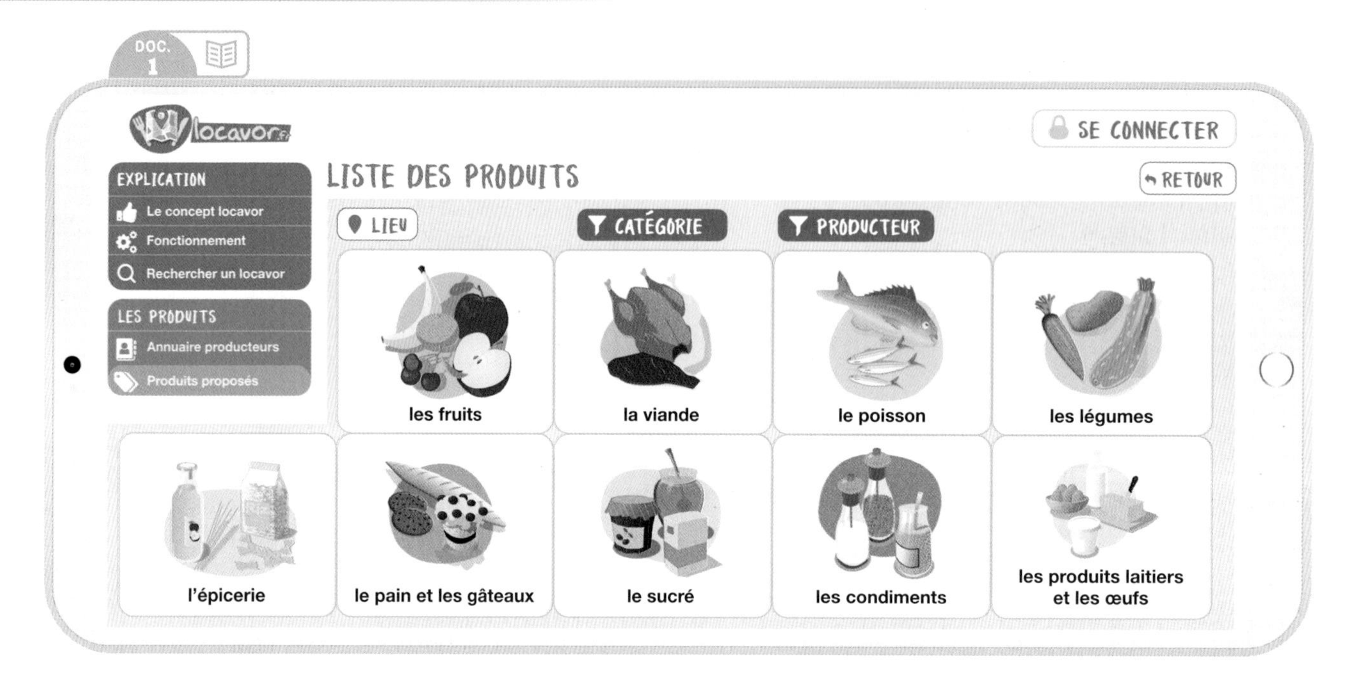

1 Observez le site de courses en ligne (Doc. 1).

a. Classez les produits dans les catégories de Locavor.

Ex. : du sel : les condiments.

b. Reliez les catégories du site aux commerces.

1. les produits laitiers et les œufs	a. la boulangerie-pâtisserie
2. la viande	b. la fromagerie
3. le poisson	c. le primeur (x 2)
4. les légumes	d. la boucherie-charcuterie
5. le pain et les gâteaux	e. la poissonnerie
6. les fruits	

2 a. 082 **Écoutez et répétez la liste des fruits et des légumes.**

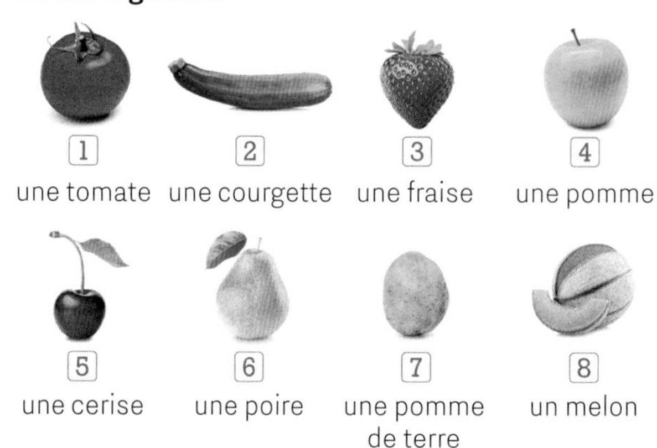

b. À deux Classez.

Les fruits : **Ex. :** une fraise • Les légumes : ...

c. En groupe Complétez la liste.

3 Observez les photos. Associez des aliments (Doc. 1 et activité 2) à un contenant.

Ex. : le paquet : les pâtes, ...

la bouteille • le paquet • la boîte • la barquette • le pot

DOC. 2 083

4 Écoutez le dialogue (Doc. 2). Répondez.

a. Que font les personnes ?
b. Qu'est-ce qu'elles préparent ?

5 Réécoutez (Doc. 2).

a. **Faites la liste des produits. Précisez les quantités.**

b. **Reliez les produits aux prix.**

1. les fraises — a. 9 € le kg
2. les cerises — b. 2,50 € la barquette
3. les melons — c. 6 € les trois

c. **À deux** Comparez **vos réponses.**

d. **Classez dans la catégorie 1 ou 2.**

deux melons • de la salade • du melon • une salade
1. indique une quantité déterminée :
Ex. : deux melons, ...
2. indique une quantité indéterminée : ...

6 En groupe Regardez la vidéo de Nina et répondez.

J'achète les fruits et les légumes au marché. Au supermarché, j'achète des pâtes, de la viande et du lait. Et vous, quand vous faites les courses, qu'est-ce que vous achetez ? Où ? ▶ 21

7 À deux Observez. Entourez la bonne réponse.

« Qu'est-ce qu'on va faire samedi pour le dîner ? »
Pour exprimer **le passé** • **le présent** • **le futur**, on utilise le verbe **aller** • **faire** au présent + verbe à l'infinitif.

AGIR

8 Organisez un pique-nique.

a. **En petit groupe** Décidez un lieu et une date.
b. Déterminez le nombre de personnes.
c. Décidez un budget maximum.
d. **En petit groupe** Faites la liste des produits nécessaires avec la quantité exacte.
e. Écrivez votre liste de courses.
f. Affichez vos listes dans la classe.
g. **En groupe** Répartissez-vous les courses (optionnel).
h. Faites vos courses.
i. Partez pique-niquer ! Bon appétit !

Faites les courses sur un site de vente en ligne francophone (terroirsquebec, mangebelge, LeShop.ch...).

Grammaire

Les adjectifs numéraux pour indiquer une quantité déterminée
2 melons • **500** grammes (500 g) • **1** kilo (1 kg)

Les articles partitifs pour indiquer une quantité indéterminée

Masculin	Féminin	Pluriel
du melon	**de la** salade	**des** pâtes

! **de l'**ail (l'ail)

L'interrogation avec *combien*
Formation : Combien + verbe
Combien coûte un melon ?

Le futur proche pour exprimer une action future
Formation : verbe **aller** au présent + verbe à **l'infinitif**
Je **vais commander**.
Forme négative :
sujet + **ne** + verbe **aller** + **pas** + verbe à l'infinitif
Je **ne vais pas cuisiner**.

Le verbe *prendre* au présent

Je **prends**	Nous **prenons**
Tu **prends**	Vous **prenez**
Il/Elle **prend**	Ils/Elles **prennent**

Vocabulaire

Les commerces 084
le primeur • la fromagerie • la boulangerie-pâtisserie • la boucherie-charcuterie • la poissonnerie

Les aliments (1) 085
- **Les fruits (1) :** une banane • une cerise • une fraise • un melon • une poire • une pomme
- **Les légumes (1) :** une carotte • une courgette • une pomme de terre • une salade • une tomate • un oignon • de l'ail
- **Les produits laitiers et les œufs :** le beurre • le lait • la crème • un œuf
- **La viande :** un steak
- **Le poisson :** le thon • le saumon
- **Les condiments :** le sel • le poivre • la moutarde
- **Le sucré :** le sucre • la confiture

Les contenants 086
une barquette • une boîte • une bouteille • un paquet • un pot

Le prix 087
3,20 € la barquette • 6 € les trois • 9 € le kilo (9 €/kg)

Phonétique

Les sons [O] et [ɔ̃] 088 ▶ 22

- Le son [O] est oral, l'air passe par la bouche.
  – le kilo • la pomme • d'accord • la tomate • Locavor
- Le son [ɔ̃] est nasal. L'air passe par le nez (et par la bouche). On ne prononce pas le *n*.
  – le melon • le thon • elles sont • nous voudrions • non

> Entraînez-vous p. 68-69

LEÇON 18

Acheter des vêtements

COMPRENDRE

DOC. 1 089

1 **Observez la photo (Doc. 1). Faites des hypothèses.**

2 **Écoutez la conversation avec la vendeuse et ses clients (Doc. 1).**

a. **Vérifiez vos hypothèses.**

b. **À deux** **Entourez les vêtements et les accessoires du dialogue.**

1. un costume

2. un imperméable

3. des bottes

4. un pantalon

5. une ceinture

6. un pull

7. des tennis

8. un top

9. un manteau

10. un foulard

11. un blouson

12. une jupe

13. des sandales

14. des chaussettes

15. des chaussures

c. **Précisez la taille des vêtements et la pointure des chaussures de Cécile.**

d. **Faites la liste des achats de Cécile.**

e. **Relevez les couleurs et les mots pour décrire les vêtements et les accessoires.**

3 a. **À deux** **Observez et soulignez les adjectifs.**

une jupe bleue • des vêtements magnifiques • de belles chaussures • ce petit top • un pantalon décontracté

b. **Cochez (✓) la bonne réponse.**

L'adjectif est :

- ☐ **avant** le nom.
- ☐ **après** le nom.
- ☐ **avant** ou **après** le nom.

4 **En groupe** Décrivez **les vêtements d'un(e) camarade. La classe devine qui c'est.**

Culture(s)

- En France, pour les vêtements, on utilise des lettres. **La taille S**, c'est 36, **la taille M**, c'est 38/40 et **la taille L**, c'est 42/44.
- Pour les chaussures, on utilise des chiffres pour dire **la pointure** : 36, 37, 38, 39...

→ **Et dans votre pays ?**

5 **À deux** **Réécoutez (Doc. 1). Localisez les vêtements et les accessoires du dialogue et complétez le plan du magasin avec les mots de la liste.**

les bottes • les chapeaux • les manteaux • les jupes • les blousons • les pantalons.

6 **En petit groupe** **Décrivez la classe. Localisez les différents objets.**

Ex. : Derrière la table, il y a le tableau.
Sur la table, il y a un cahier et des stylos.

AGIR

7 **En groupe** Organisez **un défilé de mode dans la classe.**

a. Choisissez les personnes, hommes et femmes.
b. Nommez un ou une photographe (optionnel) et un présentateur ou une présentatrice pour commenter les vêtements.
c. Proposez des vêtements et des accessoires pour le défilé.
d. Décidez des vêtements des personnes et de l'ordre de passage.
e. Choisissez un jour et faites le défilé dans la classe.
f. Prenez des notes sur les vêtements et les accessoires ou des photos.

8 **En groupe** Racontez **le défilé.**

a. Décrivez les personnes du défilé. Aidez-vous des notes (ou des photos).
b. Affichez les descriptions dans la classe.

Partagez les photos du défilé sur le groupe de la classe.

Grammaire

Les adjectifs démonstratifs pour désigner un objet

masculin singulier	féminin singulier	pluriel
ce top **cet** imperméable	cette jupe	ces sandales

***Devant*, *derrière*, *sur*, *sous* et *entre* pour localiser un objet**

sur

sous

devant

derrière

entre

La place des adjectifs

En général, l'adjectif se place après le nom.
Une robe **magnifique**
Les adjectifs ***beau/belle***, ***grand/grande*** et ***petit/petite*** se placent avant le nom.
Une **belle** robe

Le verbe *essayer* au présent

J'**essaie** (J'**essaye**)	Nous **essayons**
Tu essa**ies** (Tu essa**yes**)	Vous essay**ez**
Il/Elle essa**ie** (Il/Elle essa**ye**)	Ils/Elles essa**ient** (Ils/Elles essa**yent**)

Vocabulaire

Les vêtements (2)  090

un top • une jupe • un short • un jean • un manteau • un blouson

Les accessoires (2)  091

un foulard • une ceinture

Les chaussures  092

des baskets • des tennis • des chaussures à talons • des sandales • des bottes

Les caractéristiques des vêtements 093

magnifique • décontracté(e) • confortable • parfait(e)

Les magasins 094

un(e) client(e) • un vendeur /une vendeuse • une boutique • un grand magasin • un centre commercial

Les couleurs  095

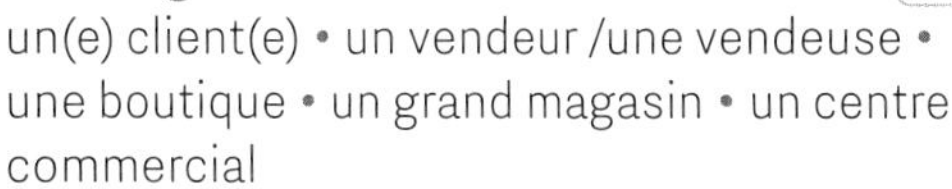

bleu • vert • orange • jaune • beige • rose • rouge • gris • blanc • noir

Phonétique

Les sons [i] et [E]  

- Le **son [i]** est tendu, aigu, souriant. La bouche est fermée.
  – Mid**i**. Je m'hab**i**lle. **I**l hab**i**te à Par**i**s.
- Le **son [E]** est relâché, aigu, souriant. La bouche est ouverte.
  – Le déj**eu**n**er**. Je me l**è**ve. Ch**ez** moi. Dîn**er**. S'habill**er**.

> Entraînez-vous p. 68-69

Techniques pour...

... écrire une carte postale

LIRE

DOC. 1

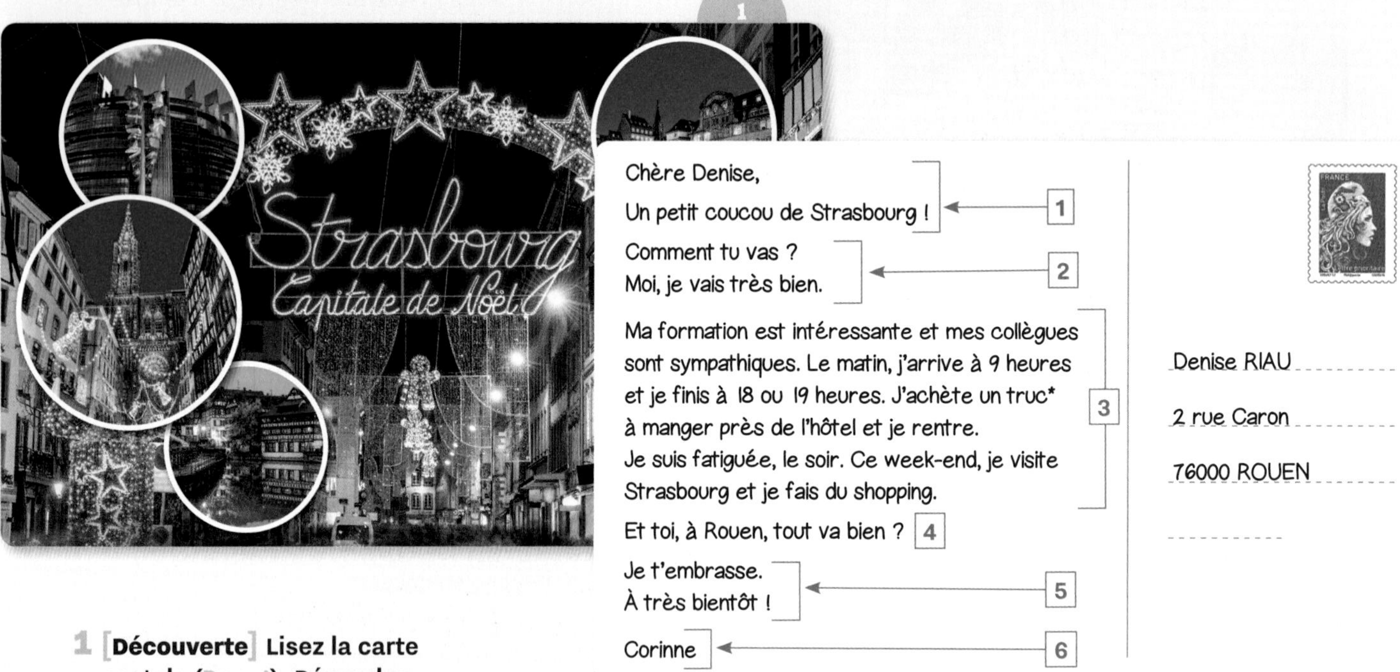

Chère Denise,
Un petit coucou de Strasbourg ! [1]
Comment tu vas ?
Moi, je vais très bien. [2]
Ma formation est intéressante et mes collègues sont sympathiques. Le matin, j'arrive à 9 heures et je finis à 18 ou 19 heures. J'achète un truc* à manger près de l'hôtel et je rentre.
Je suis fatiguée, le soir. Ce week-end, je visite Strasbourg et je fais du shopping. [3]
Et toi, à Rouen, tout va bien ? [4]
Je t'embrasse.
À très bientôt ! [5]
Corinne [6]

Denise RIAU
2 rue Caron
76000 ROUEN

* une chose

1 [Découverte] Lisez la carte postale (Doc. 1). Répondez.

a. Qui écrit ? À qui ?
b. Pourquoi ?
c. Quelle est leur relation ?

2 [Analyse] Relisez (Doc. 1).

a. **À deux** Choisissez **un titre pour les six parties de la carte postale et complétez.**

Saluer • Raconter une histoire • Demander des nouvelles • Donner des nouvelles de sa vie • Décrire une photo • Poser des questions sur la vie de son ami(e) • Inviter à une fête • Dire au revoir • Signer • Proposer un travail

b. **Entourez les expressions de l'amitié.**

Ex. : Chère Denise.

ÉCRIRE

3 Écrivez une carte postale à un ou une ami(e) francophone.

POUR écrire une carte postale

Saluer	Tutoyer	Dire au revoir
Coucou !	*Tu vas bien ?*	*À bientôt !*
Salut !	*Comment tu vas ?*	*Bises*
Chère + prénom	*Et toi ?*	*Je t'embrasse.*

... écrire une petite annonce pour vendre un vêtement

LIRE

DOC. 2

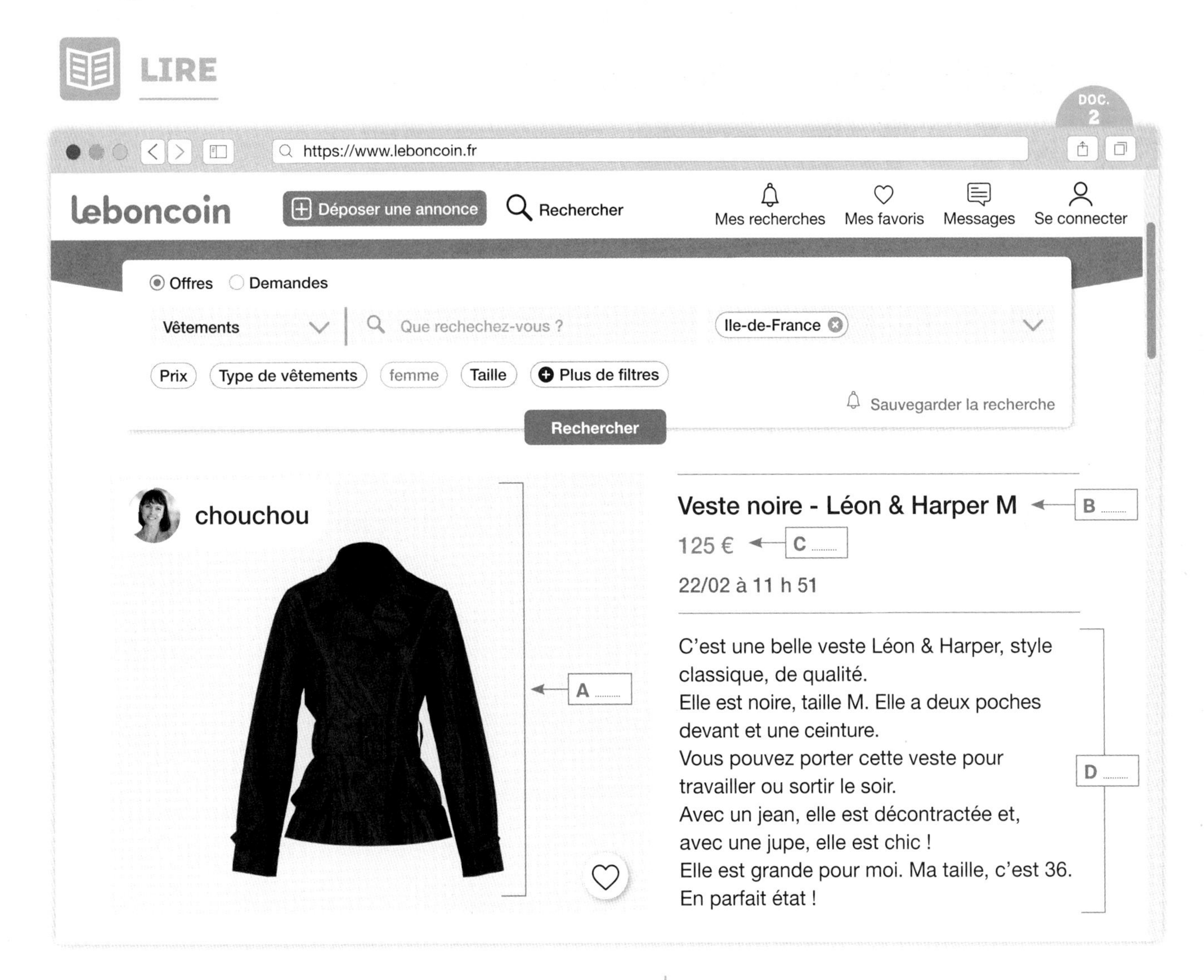

4 [**Découverte**] **Observez le site leboncoin.fr (Doc. 2). Soulignez la bonne réponse.**
C'est : **le site d'une boutique de vêtements • un site pour vendre et acheter des vêtements d'occasion • le site d'un supermarché.**

5 a. Lisez l'annonce (Doc. 2). Répondez.
1. Qui est le vendeur ?
2. Qu'est-ce qu'il vend ? Précisez (taille, couleur, forme).

b. À deux Comparez vos réponses.

6 [**Analyse**] **Relisez (Doc. 2). Associez les parties A à D aux intitulés.**
1. la description de l'objet
2. la photo de l'objet
3. le prix
4. le nom de l'objet

POUR écrire une annonce :
- **Décrire le vêtement**
  Elle a deux poches devant et une ceinture.
  Elle est noire, taille M.
- **Mettre en valeur des caractéristiques**
  C'est une belle veste, de qualité. En parfait état !

ÉCRIRE

7 À deux Vendez un vêtement ou un accessoire.
a. Choisissez un vêtement ou un accessoire.
b. Rédigez l'annonce.
c. Partagez vos annonces avec la classe.

 **Vendez sur leboncoin.fr.**

Leçon 16

Les activités quotidiennes

1 97 **Écoutez. Cochez (✓) les actions de Béatrice.**

  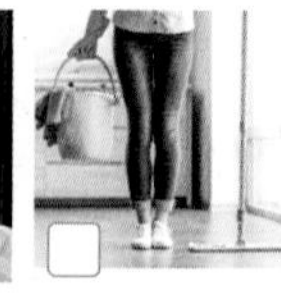 

a. b. c. d.

e. f. g. h.

Faire du, de la, de l', des

2 Entourez la bonne réponse.

Ex. : Elle fait (du) · de la · de l' · des volley.

a. Tu fais **du** · **de la** · **de l'** · **des** danse ?
b. Il fait **du** · **de la** · **de l'** · **des** abdos ?
c. Elles font **du** · **de la** · **de l'** · **des** sculpture.
d. Vous faites **du** · **de la** · **de l'** · **des** tennis.
e. Nous faisons **du** · **de la** · **de l'** · **des** peinture.
f. Je fais **du** · **de la** · **de l'** · **des** équitation.

Les verbes pronominaux au présent / *D'abord, et, après*

3 À deux Conjuguez les verbes au présent. Écrivez des phrases avec *d'abord* et *après*. Attention à l'ordre des actions !

Ex. : (tu) se doucher / s'habiller
→ D'abord, tu te douches. Après, tu t'habilles.

a. (vous) se lever / manger → ……
b. (ils) se laver / faire le ménage → ……
c. (nous) travailler / se reposer → ……
d. (je) se coucher / dîner → ……
e. (elle) faire du sport / se doucher → ……

Les indicateurs de temps (2)

4 Complétez avec *à*, *jusqu'à*, *de... à*, *quand*, *le*, *la*, *l'*.

Ex. : Nous faisons les courses de 11 heures à midi.

a. Je me repose …… après-midi, …… mon fils est à l'école.
b. Je commence …… 11 heures et je travaille …… 18 heures.
c. …… semaine, ils se lèvent …… 7 heures.
d. …… week-end, Emma dort …… midi.
e. …… j'écoute de la musique …… dimanche, je me repose.
f. Ma fille fait la sieste …… 14 …… 15 heures.

Leçon 17

Les commerces

5 098 **Écoutez. Associez les six phrases aux commerces.**

Ex. : L'épicerie : N° 5

a. La fromagerie : N° ……
b. Le primeur : N° ……
c. La boucherie : N° ……
d. La boulangerie : N° ……
e. La poissonnerie : N° ……

Le futur proche

6 Reliez.

a. Tu	1. vont faire les courses.
b. Nous	2. allez aimer ma recette.
c. Ils	3. vais lire un livre de cuisine.
d. Vous	4. vas acheter du poulet.
e. Elle	5. allons prendre une pizza.
f. Je	6. va aller au marché.

Les articles partitifs

7 Complétez avec *du*, *de l'* ou *de la*.

Ex. : Je voudrais du sel et de la moutarde.

a. Nous prenons …… pain et …… confiture.
b. Je voudrais …… crème et …… beurre.
c. Ils prennent …… fromage et …… lait.
d. Vous prenez …… salade et …… poisson.
e. Je voudrais …… ail et …… viande.
f. Elles prennent …… thon et …… pizza.

Faire les courses / Demander et indiquer le prix

8 À deux Choisissez un produit et demandez poliment le prix. Votre camarade vous répond. Inversez les rôles.

Ex. : Fraises / 2 barquettes = 5 euros
– Je voudrais des fraises, s'il vous plaît. Elles sont à combien ?
– 5 euros les 2 barquettes.

a. Lait / 6 bouteilles = 8 euros
b. Fromage / 100 grammes = 2,50 euros
c. Poire / 1 = 30 centimes
d. Pâtes / 1 paquet = 1,20 euro
e. Viande / 1 kilo = 30 euros
f. Confiture / 2 pots = 5 euros

Le verbe *prendre* au présent

9 Conjuguez le verbe *prendre* au présent.

Ex. : Elle prend des fruits.

a. Vous .... du pain à la boulangerie ?
b. Elles .... des tomates au marché.
c. Je .... de la viande à la boucherie.
d. Le matin, il .... deux cafés.
e. Nous .... trois salades à 1 euro.
f. Tu .... un kilo de bananes ?

Les sons [O] et [ɔ̃]

10 099 **Écoutez. Combien de fois entendez-vous le son [ɔ̃] ?**

Ex. : Mes cousins vont au Japon.

Ex.	a.	b.	c.	d.	e.
2					

Leçon 18

Les vêtements, les accessoires et les couleurs

11 Écrivez le nom des vêtements, des accessoires et les couleurs.

Ex. : un tee-shirt vert

a ....

b ....

c ....

d ....

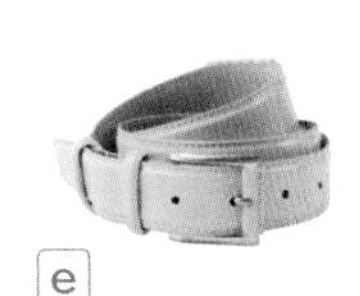

e ....

f ....

Les adjectifs démonstratifs

12 Soulignez le bon adjectif démonstratif.

Ex. : Ce · Cet · Cette · Ces vendeuse est sympa.

a. **Ce · Cet · Cette · Ces** sandales sont belles.
b. Je n'aime pas **ce · cet · cette · ces** chemise.
c. Elle aime bien **ce · cet · cette · ces** boutique.
d. Je prends **ce · cet · cette · ces** imperméable.
e. Elles sont bien **ce · cet · cette · ces** bottes bleues !
f. **Ce · Cet · Cette · Ces** jean noir coûte cent euros.
g. Regardez **ce · cet · cette · ces** tops jaunes !
h. **Ce · Cet · Cette · Ces** bijou est magnifique.

La place de l'adjectif

13 À deux Placez correctement les adjectifs.

Ex. : (décontractée) C'est une soirée décontractée.

a. (belle) Ici, sur cette .... photo ...., c'est mon amie Emma.
b. (sympa) C'est une .... fille ....
c. (petite) Emma habite dans une .... ville .... : Chinon.
d. (italien) À côté, c'est Fabio, son .... copain ....
e. (noir) J'aime bien son .... manteau .... Il est très élégant.
f. (préféré) Leur .... artiste ...., c'est le chanteur M.

Le verbe *essayer* au présent

14 Conjuguez le verbe *essayer* au présent

Ex. : J'essaie un costume.

a. Tu .... des bottes.
b. Il/Elle .... un pull.
c. Nous .... des pantalons.
d. Vous .... un imperméable.
e. Ils/Elles .... des tennis.

Les sons [i] et [E]

15 100 **Les mots sont identiques (=) ou différents (≠) ? Écoutez et cochez (✓).**

Ex. : des îles / des ailes

	Ex.	a.	b.	c.	d.	e.	f.
=							
≠	✓						

Retrouvez les activités avec sur inspire1.parcoursdigital.fr et plus de 150 activités inédites.

Faites le point

Expressions utiles

PARLER DE SES ACTIVITÉS / DÉCRIRE SON QUOTIDIEN / SITUER DANS LE TEMPS

- Je travaille la journée, du lundi au vendredi.
- Le matin, je me lève toujours à 7 heures.
- Je me lave et je m'habille.
- Je travaille jusqu'à 7 heures du matin.
- Je travaille de 7 heures à 19 heures.
- Je rentre chez moi.
- À midi, je déjeune.
- L'après-midi, je fais les courses.
- Quand nous nous couchons, le soir, elle commence son travail !
- Le mardi soir, je vais à la salle de gym.
- Je fais de la muscu et des abdos.
- Je ne sors jamais la semaine.
- Les jours de repos, c'est tranquille.
- Je fais le ménage et je range mon appartement.
- Je fais la vaisselle.

FAIRE LES COURSES

- Je commande.
- Je voudrais des tomates.
- Prends deux melons !

DEMANDER / DONNER LE PRIX / RÉAGIR AU PRIX

- Combien coûte un melon ?
- Et les cerises, là, elles sont à combien ?
- 9 € le kilo • 2,50 € la barquette.
- Il y a une promotion : c'est 6 € les trois !
- C'est cher !

ACHETER DES VÊTEMENTS

- Bonjour, je peux vous renseigner ?
- Excusez-moi ! Je peux essayer cette jupe ?
  - Quelle est votre taille ? – 38.
  - Quelle est votre pointure ? – 39
  - Vous avez des chapeaux ? – Suivez-moi !

CARACTÉRISER UN VÊTEMENT, UN ACCESSOIRE

- Ils ont des vêtements magnifiques et de belles chaussures.

SITUER DES OBJETS DANS L'ESPACE

- Où sont les bottes ?
- Elles sont sous les vêtements.
- Devant, il y a les pantalons. Derrière la caisse, il y a les tops, les chemises, les blousons et les jeans.

Évaluez-vous !

À LA FIN DE L'UNITÉ 5, VOUS SAVEZ...	APPLIQUEZ !
☐ **décrire votre quotidien.**	› À quelle heure vous vous levez le mardi ?
☐ **parler de vos activités.**	› Qu'est-ce que vous faites le dimanche après-midi ?
☐ **utiliser *à*, *jusqu'à*.**	› Complétez la phrase. Je commence .... 8 h 30 et je travaille .... 18 heures.
☐ **reconnaître des fruits et des légumes.**	› Donnez le nom de trois fruits et de trois légumes.
☐ **faire les courses.**	› Demandez poliment des tomates.
☐ **demander le prix.**	› Complétez la phrase. .... un melon ?
☐ **acheter un vêtement.**	› Dites votre taille pour les vêtements.
☐ **caractériser des vêtements.**	› Décrivez vos vêtements aujourd'hui.
☐ **conjuguer les verbes en *-ayer*.**	› Conjuguez le verbe *essayer* avec *je* et *elles*.

Préparation au DELF A1

I COMPRÉHENSION DES ÉCRITS

Exercice 2. Suivre des instructions simples

Lisez le texte et répondez aux questions.

Marc
1 heure

Salut les amis !
Je cherche le chien de ma sœur. C'est un labrador. Il est petit et il a des poils blonds. Aidez-moi à retrouver Oscar ! Ma sœur habite au 32 rue des Lilas.
À partir de la gare, prenez à droite dans la rue des Roses, puis à droite dans la rue des Lilas. C'est la deuxième maison sur la droite, en face de la mairie.
Merci !
Marc

1. Quel animal est Oscar ? Cochez (✔).

a. ☐ b. ☐ c. ☐

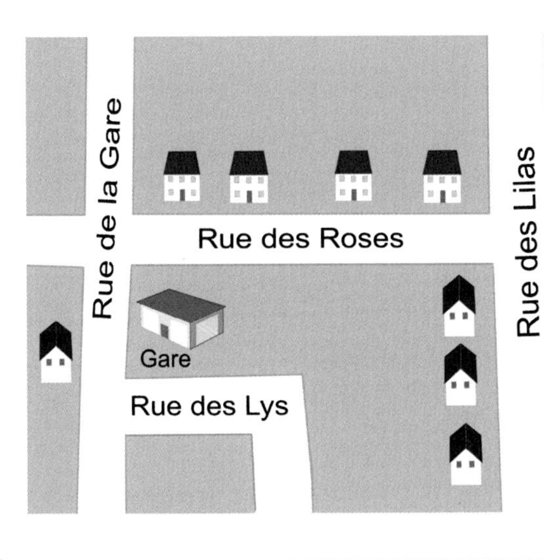

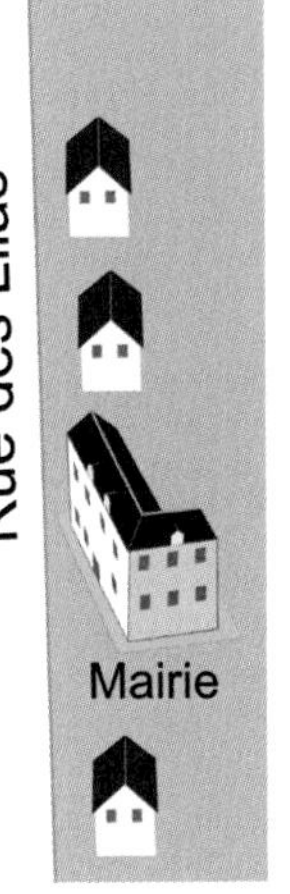

2. À qui est Oscar ?

....

3. De quelle taille est Oscar ? Cochez (✔).
☐ petit ☐ grand

4. Quelle est l'adresse de la sœur de Marc ?

....

5. Vous trouvez Oscar. Tracez sur le plan le trajet pour aller de la gare chez la sœur de Marc. Indiquez avec une croix (✘) la maison.

II COMPRÉHENSION DE L'ORAL

Exercice 2. Comprendre une annonce

101 **Lisez les questions, écoutez deux fois le document et répondez.**

1. L'animateur radio parle de quel spectacle ? Cochez (✔).

a. ☐

b. ☐

c. ☐

2. Le spectacle est pour quel public ? Cochez (✔).
☐ les enfants ☐ les adolescents ☐ les adultes

3. Le spectacle est quel jour ? ....

4. Comment pouvez-vous gagner des places ? Cochez (✔).
☐ téléphoner ☐ envoyer un message ☐ envoyer un e-mail

III PRODUCTION ORALE

Exercice 2. L'échange d'informations

Lisez les mots. Posez des questions avec ces mots.

voiture | danse | téléphone | ville | matin | dîner

soir | restaurant | peinture | film | week-end | ami

IV PRODUCTION ÉCRITE

Exercice 2. Rédiger un message simple

Lisez le sujet et rédigez le message.

Vous invitez un ami français à venir en week-end chez vous. Vous écrivez un e-mail : vous parlez de votre ville et des activités à faire dans votre ville (40 mots minimum).

expéditeur : ....
destinataire : ....
objet : Invitation

Date : ....

Salut ....
Je t'invite ....
....
....
Dans ma ville, il y a ....
....
....
À bientôt,
....

Partagez vos expériences !

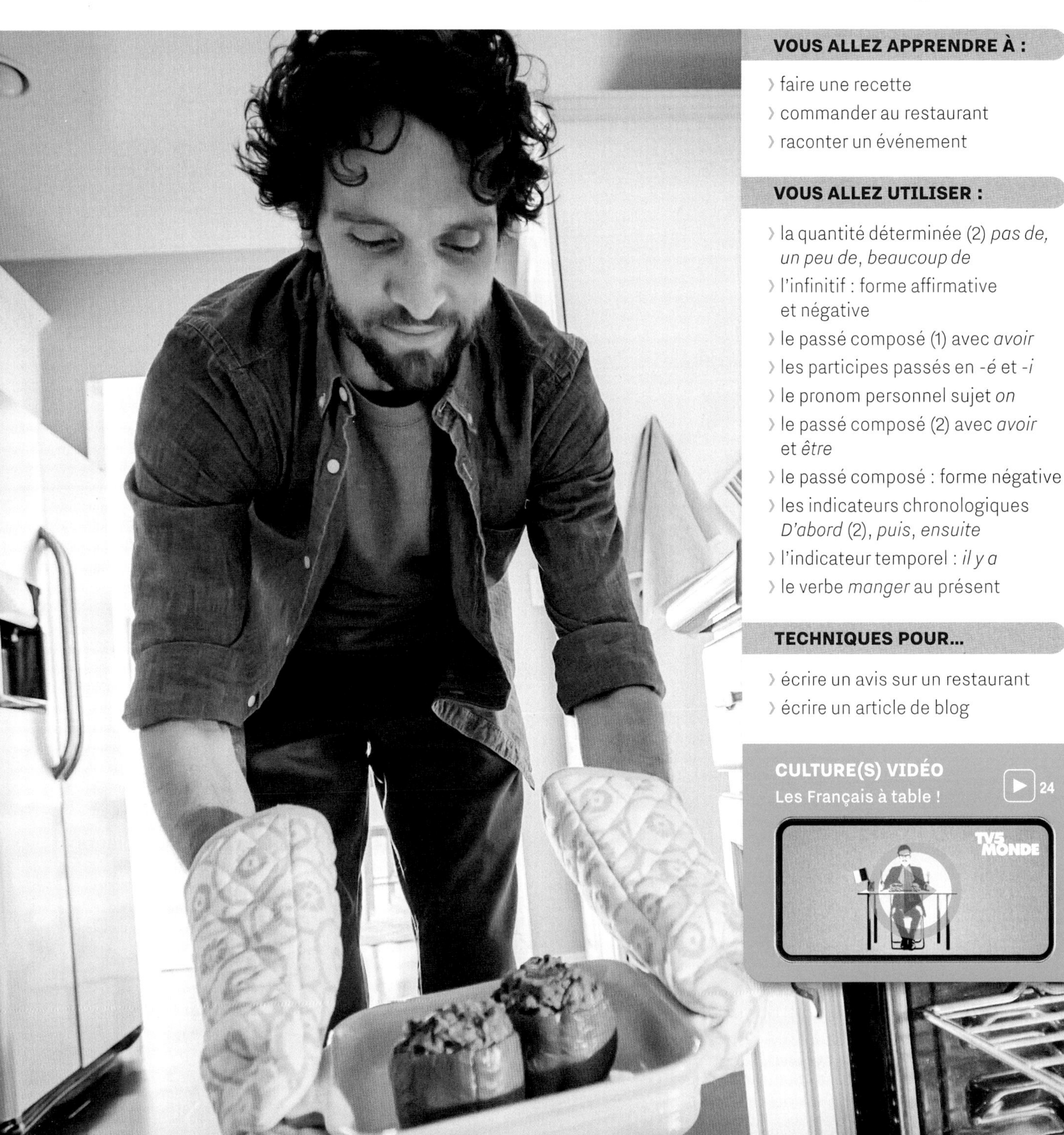

VOUS ALLEZ APPRENDRE À :

- faire une recette
- commander au restaurant
- raconter un événement

VOUS ALLEZ UTILISER :

- la quantité déterminée (2) *pas de, un peu de, beaucoup de*
- l'infinitif : forme affirmative et négative
- le passé composé (1) avec *avoir*
- les participes passés en *-é* et *-i*
- le pronom personnel sujet *on*
- le passé composé (2) avec *avoir* et *être*
- le passé composé : forme négative
- les indicateurs chronologiques *D'abord* (2), *puis*, *ensuite*
- l'indicateur temporel : *il y a*
- le verbe *manger* au présent

TECHNIQUES POUR...

- écrire un avis sur un restaurant
- écrire un article de blog

CULTURE(S) VIDÉO
Les Français à table ! ▶ 24

TV5 MONDE

Faire une recette

COMPRENDRE

DOC. 1 🎧 102

DOC. 2

https://www.marmiton.org

La recette de la ratatouille

Temps	Personnes	Niveau moyen	Coût moyen
1 h 20	4		

Ingrédients

- 350 g d'aubergines
- 350 g de courgettes

- 350 g de poivrons rouges et verts
- 350 g d'oignons
- 500 g de tomates
- 3 gousses d'ail
- 6 cuillères à soupe d'huile d'olive

- 1 brin de thym
- 1 feuille de laurier
- un peu de poivre
- un peu de sel

Ustensiles

1 poêle

1 casserole ou 1 cocotte

Préparation

Étape 1
Éplucher les courgettes et couper les tomates. Couper les aubergines, les courgettes, les poivrons et les oignons. Hacher l'ail.

Étape 2
Chauffer six cuillères à soupe d'huile d'olive dans une poêle ou une casserole. Faire revenir les oignons et les poivrons. Ne pas saisir : laisser cuire doucement.

Étape 3
Ajouter les tomates, l'ail, le thym et le laurier.

Étape 4
Ajouter les courgettes et les aubergines. Mélanger et laisser cuire 15 minutes.

Étape 5
Saler, poivrer.
Vous pouvez manger la ratatouille chaude ou froide.
Idée du chef : Délicieuse avec du bœuf haché ou des boulettes d'agneau !

1 a. **Observez le site Marmiton (Doc. 1). Pourquoi on utilise ce site ?**
b. **Écoutez (Doc. 1) et répétez.**
c. **À deux** **Quels ustensiles vous utilisez ?**
d. **En petit groupe** **Ajoutez deux ustensiles.** Échangez **avec la classe.**

2 **Observez la page du site Marmiton (Doc. 2). Répondez *vrai* ou *faux*.**
a. C'est la recette de la ratatouille.
b. C'est une recette pour deux personnes.
c. C'est une recette difficile.
d. Le site indique le prix des ingrédients.
e. Le site indique la quantité des ingrédients.

3 **À deux** a. **Lisez (Doc. 2) et classez les ingrédients dans les catégories.**
1. les légumes • 2. les herbes • 3. les condiments
b. **En petit groupe** **Ajoutez deux ingrédients par catégorie.** Échangez **avec la classe.**

4 **Relisez (Doc. 2).**
a. **Reliez les ingrédients aux quantités.**

1. les tomates	a. 3 gousses
2. le laurier	b. 350 grammes
3. l'huile	c. une feuille
4. le thym	d. un peu
5. les poivrons	e. 500 grammes
6. l'ail	f. 6 cuillères à soupe
7. le sel, le poivre	g. un brin

b. **Complétez avec : *beaucoup de, pas de* ou *un peu de*.**

Dans la ratatouille, il y a ..un peu de.. sel, ... légumes. Il n'y a .... carottes.

5 **En petit groupe** **Regardez la vidéo de Doris. Présentez une spécialité de votre pays. Donnez le nom de votre plat et les ingrédients.**

Le poulet Palava est une spécialité du Nigéria. Dans le poulet Palava, il y a du poulet avec des épinards, des tomates et de la purée de cacahuète. Nous mangeons cette spécialité le dimanche, avec ma famille. ▶ 25

6 a. **Relisez (Doc. 2). Légendez les dessins avec les étapes.**

1 **Ex. :** éplucher les courgettes

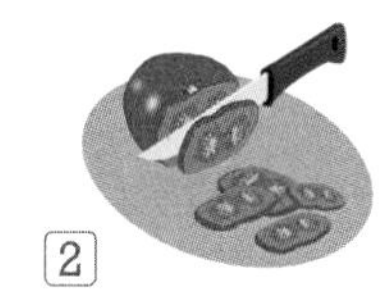

2 ....

3 ....

4 ....

5 ....

6 ....

b. **À deux** **Entourez la bonne réponse.**

Les verbes de la recette sont : **au présent** • **à l'infinitif** • **à l'impératif**.

Culture(s)

Les Français cuisinent en moyenne 50 minutes par jour et passent 2 h 11 à table (pour les trois repas).

→ **Et dans votre pays ?**

AGIR

7 **En petit groupe** **Écrivez une recette facile.**

a. Choisissez une recette.
b. Faites la liste des ustensiles nécessaires.
c. Indiquez les ingrédients et les quantités.
d. Précisez le nombre de personnes.
e. Décrivez les étapes.
f. Indiquez le temps nécessaire.
g. Regroupez vos recettes dans un cahier.

8 **En groupe** **Présentez vos recettes et trouvez les ingrédients communs.**

Partagez vos recettes sur marmiton.fr.

Grammaire

▶ **La quantité déterminée (2)**

pas **de** / un peu **de** / beaucoup **de** / 1 kilo (kg) **de**

0 ** ****

un peu **de** sel

▶ **L'infinitif pour écrire une recette**

- **Forme affirmative :** Couper les tomates.
- **Forme négative : ne pas** + infinitif

Ne pas saisir.

▶ **Le verbe *manger* au présent**

Je **mange**
Tu mang**es**
Il/Elle mange
Nous **mangeons**
Vous mang**ez**
Ils/Elles mang**ent**

Vocabulaire

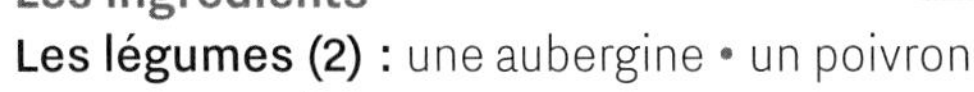

▶ **Les ingrédients** 103

Les légumes (2) : une aubergine • un poivron rouge • un poivron vert
La viande (2) : le bœuf • l'agneau
Les herbes : le thym • le laurier
Les condiments (2) : l'huile d'olive

▶ **Les ustensiles de cuisine** 104

une cuillère • une fourchette • un couteau • une poêle • une casserole • une cocotte • un moule • un saladier • une passoire

▶ **Les appareils électroménagers** 105

un four • une cuisinière

▶ **Les étapes culinaires** 106

éplucher • couper • ajouter • mélanger
chauffer • faire cuire • faire revenir • saisir

▶ **La quantité** 107

un kilo • un gramme • une cuillère

Phonétique

▶ **Le son [j]**

La bouche est souriante, la pointe de la langue en bas.
– aïe • **y**oga

• **Écoutez et observez.**

– **ouil/ouille** → la ratat**ouille**
– **ail/aille** → de l'**ail** • je trav**aille**
ill/ille → la cuill**è**re • la f**ille**
– **euille** → une f**euille**
– **ie** → un ingréd**ie**nt • du laur**ie**r • délic**ie**ux
– **y** → un **y**aourt

› Entraînez-vous › p. 82-83

Commander au restaurant

COMPRENDRE

DOC. 1

1 Observez (Doc. 1). Identifiez :

a. le nom du site.
b. les coordonnées : l'adresse, la ville, le numéro de téléphone, l'e-mail.
c. les activités proposées.
d. le nom du café. Pourquoi ce nom ?

2 a. Lisez (Doc. 1 et 2). Qu'est-ce que c'est ? Entourez la bonne réponse.
C'est **la carte du restaurant** • **le programme des concerts** • **la carte des cocktails** du café de l'Ancienne gare.

b. À deux Répondez *vrai* ou *faux*. Justifiez.
1. Il y a une formule spéciale le midi.
2. Il y a trois plats.
3. Il y a un dessert.
4. Il y a deux entrées.
5. On paye en euro (€).
6. On peut déjeuner à 14 h 30.
7. On peut dîner à 21 h 30.

c. Dites quel(s) plat(s) peut manger un végétarien.

d. Repérez :
1. un plat de viande.
2. un plat de poisson.
3. un plat « vegan ».

DOC. 2

MIDI ET SOIR

L'ARDOISE!

DE LA SEMAINE N°21 - DU 20.05 AU 24.05

MIDI SMART L'ENTRÉE DU JOUR + LE PLAT (P1,P2,P3 OU P4) + LE DESSERT / **27.50 CHF**

VEGAN | VEGETARIEN

LES PLATS *OFFRE VALABLE DANS LA LIMITE DES STOCK DISPONIBLES

☑ (végétarien) **P1 SALADE CAPRESE / 19.50 CHF**
BOL DE SALADE AGRÉMENTÉ DE BILLES DE MOZZARELLA, PESTO MAISON ET TOMATES CHERRY

☑ (vegan) ☑ (végétarien) **P2 NOUILLES SAUTÉES ASPERGES & AVOCATS / 21.50 CHF**
NOUILLES DE RIZ SAUTÉES AVEC DES ASPERGES, AVOCATS ET MÉLANGE DE GRAINES TORRÉFIÉES

P3 SALADE DE POULARDE COLUMBO / 24.50 CHF
BOL DE SALADE AGRÉMENTÉ DE POULARDE RÔTIE TRANCHÉE, D'ANANAS, RAISINS SECS, ASPERGES ET UNE VINAIGRETTE AU CURRY COLUMBO

P4 FILET DE CABILLAUD ET CRÈME D'ÉCREVISSES / 25.50 CHF
FILET DE CABILLAUD POÊLÉ ACCOMPAGNÉ DE RIZ NATURE, AUBERGINE AU GINGEMBRE ET UNE SAUCE AU BEURRE D'ÉCREVISSES

LE DESSERT

☑ (végétarien) **D1 NECTARINE POCHÉE, GLACE VANILLE ET COULIS CHOCOLAT / 7.50 CHF**
COUPE GLACÉE DE NECTARINE POCHÉE DANS UN SIROP

* La monnaie suisse est le CHF = le franc suisse. 1 CHF = 0,90 €.

3 **En petit groupe** **Regardez la vidéo d'Adam et répondez.**

Moi, du lundi au vendredi, le midi, je mange un sandwich avec mes collègues et le soir, je dîne chez moi : un plat et un dessert. Et vous ?

▶ 27

4 **Écoutez le dialogue (Doc. 3). Répondez.**

a. Où sont les personnes ?
b. Combien de clients parlent ?
c. Est-ce qu'ils ont réservé ?

5 **Réécoutez (Doc. 3). Soulignez sur l'ardoise (Doc. 2) les choix des clients.**

6 **À deux** **Réécoutez (Doc. 3). Classez les phrases du serveur et des clients.**

Ex. : a. Vous avez choisi ? : 1.
1. le serveur • 2. le client ou la cliente
a. Vous avez choisi ? • b. Vous avez réservé ? • c. On pourrait avoir la carte, s'il vous plaît ? • d. Quelles boissons vous avez ? • e. Vous avez fini ? • f. L'addition, s'il vous plaît ! • g. Je reviens dans deux minutes. • h. Je voudrais juste une salade caprese.

7 **À deux** a. **Reliez.**

1. Vous avez réservé ?	a. verbe au **présent**
2. Nous avons fini.	b. verbe au **passé composé**
3. Vous désirez un apéritif ?	

b. **Complétez avec *ai*, *avez* et donnez l'infinitif.**
1. J' .... réservé. 2. Vous .... fini ?

c. **Complétez la phrase.**
Pour former une phrase au ...., on utilise le verbe .... + le participe passé du verbe.

AGIR

8 **Réservez dans un restaurant français.**

a. **En groupe** Choisissez la date, le lieu, l'heure et un budget.
b. **En petit groupe** Faites une liste de restaurants.
c. **En groupe** Choisissez et réservez votre restaurant.

9 **Composez une ardoise de restaurant.**
En petit groupe

a. Choisissez un type de restaurant.
b. Proposez deux entrées, trois plats et un dessert. Donnez un nom à chaque plat, les ingrédients principaux (viande, poisson, légumes...) et le prix.
c. Proposez une formule.
d. **En groupe** Échangez vos ardoises. Choisissez votre ardoise préférée. Expliquez votre choix.

Grammaire

Le passé composé (1) pour raconter des événements passés

• **Formation** (majorité des verbes) :
avoir au présent + **participe passé** du verbe

Réserver
J'**ai** réservé
Tu **as** réservé
Il/Elle/On **a** réservé
Nous **avons** réservé
Vous **avez** réservé
Ils/Elles **ont** réservé

Finir
J'**ai** fini
Tu **as** fini
Il/Elle/On **a** fini
Nous **avons** fini
Vous **avez** fini
Ils/Elles **ont** fini

Les participes passés en *-é* et *-i*
• Verbes en **-er** : participe passé en **-é**
réserv**er** → réserv**é**
• Verbes en **-ir** : participe passé en **-i**
fin**ir** → fin**i**

Le pronom personnel sujet *on*
On = nous
On se conjugue à la 3e personne du singulier, comme *il* et *elle*.
On pourrait avoir la carte ?

Vocabulaire

Les mots du restaurant
• une table • le menu • la carte • l'ardoise • la formule • l'addition
• **Le menu :** l'entrée • le plat • le dessert
• **Les boissons :** la carafe d'eau • le pichet de vin • l'apéritif

Phonétique

Les sons [E] – [ɛ̃]
• **Le son** [E] est oral. L'air passe par la bouche.
– une entr**ée** • un d**e**ssert
• **Le son** [ɛ̃] est nasal. L'air passe par le nez (et par la bouche). On ne prononce pas le *n*.
– le v**in** • v**in**gt (20) • **un** (1) • bi**en** • je revi**ens**

• **Écoutez et répétez.**
è • in • è • in • è • in • è • in

› Entraînez-vous p. 82-83

LEÇON 22

Raconter un événement

COMPRENDRE

DOC. 1

≡ MENU

Le Parisien

S'ABONNER

Créteil : Il monte un scénario pour sa demande en mariage

Par **Nicolas Simon** Le 28 avril 2019 à 20h18

ANTOINE, 29 ans, a demandé en mariage sa fiancée, Julie, dans une salle de cinéma, il y a cinq mois.
À 18 heures, les spectateurs, les amis et la famille du couple sont arrivés. À 18 h 10, Julie est arrivée pour voir *Le Sens de la fête*. D'abord, le cinéma a montré deux bandes-annonces de film. Puis, il a lancé une bande-annonce « spéciale » avec des films de vacances d'Antoine et de Julie. Surprise, Julie a retrouvé ses amis et sa famille. Ensuite, Antoine est entré dans la salle, élégant avec son costume. Il a donné à Julie une jolie bague. Julie a pleuré. Les amis ont applaudi.
Antoine a déclaré à ses amis : « On se voit au mariage ! » Le cinéma n'a pas montré *Le Sens de la fête*... ■

Il y a cinq mois, Antoine a demandé Julie en mariage dans une salle de cinéma.
LP/ Nicolas Simon

1 Observez l'article (Doc. 1).

a. **Décrivez la photo.**

b. **Identifiez le nom du journal, la date de l'article et le titre.**

c. **À votre avis, de quoi parle l'article ?**

d. **Associez une photo à l'expression « demande en mariage ».**

1.

2.

2 Lisez (Doc. 1).

a. **À deux Identifiez le sujet et le lieu de l'événement.**

b. **Cochez (✓) le nombre de jours entre l'événement et la publication de l'article.**

Il y a
- ☐ 5 mois.
- ☐ 28 jours.
- ☐ 20 jours.

3 À deux Relisez (Doc. 1). Associez les photos aux événements.

Ex. : 1. Les amis du couple sont arrivés : b.
2. Il a donné à Julie une jolie bague.
3. Les amis ont applaudi.
4. Julie a pleuré.

a.

b.

c.

d.

DOC. 2 112

4 Écoutez le message vocal (Doc. 2). Répondez.

a. Qu'est-ce qu'Antoine a fait ?
b. Qu'est-ce qu'ils n'ont pas fait au cinéma ?
c. Quelle est la nouvelle information ?

5 **À deux** **Relisez (Doc. 1).**

a. **Soulignez les événements dans l'article. Entourez les moments.**

Ex. : Il y a cinq mois, Antoine a demandé Julie en mariage.

b. **Quels mots indiquent un moment précis ?**

c. **Quels mots indiquent l'ordre des événements ? Complétez la ligne du temps avec ces mots.**

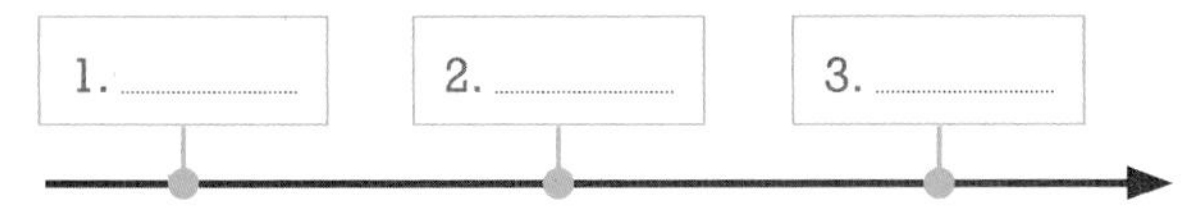

d. **Observez les participes passés. Expliquez les différences.**

· **Avec *avoir***
Julie a **retrouvé** ses amis.
Les amis ont **applaudi**.
Antoine a **déclaré** à ses amis.

· **Avec *être***
Les spectateurs sont **arrivés**.
Julie est **arrivée**.
Antoine est **entré** dans la salle.

6 **À deux** **Cette année, avez-vous participé à une cérémonie (une fête, un mariage…) ? Échangez et racontez.**

Culture(s)

- En France, le **mariage** est civil. Il se déroule à la mairie.
Il y a environ 235 000 mariages en France par an.
- Le **PACS** (pacte civil de solidarité) est une autre forme d'union civile.
Il y a environ 194 000 PACS par an en France.

→ **Et chez vous ? Où est-ce qu'on se marie ? Est-ce qu'il y a d'autres formes d'unions ?**

AGIR

7 **Racontez une surprise.**

a. Pensez à une vraie surprise et inventez une fausse surprise.
b. **À deux** Racontez vos surprises à votre camarade. Choisissez une vraie et une fausse surprise.
c. **En groupe** Présentez les deux surprises à la classe.
d. La classe devine la vraie surprise.

8 **À deux** **Écrivez un court article (80 mots) pour raconter un événement.**

a. Choisissez un sujet et les actions de l'histoire.
b. Racontez les actions avec leur chronologie.
c. Rédigez l'article.
d. Trouvez un titre.

En groupe Partagez votre article sur le groupe de la classe.

Grammaire

Le passé composé (2) pour raconter des événements passés

• **Formation :**
– **avoir** ou **être** au présent + **participe passé** du verbe
Julie **a retrouvé** ses amis.
Antoine **est entré** dans la salle.

On utilise ***être*** avec 11 verbes de « mouvement » : *arriver, partir, aller, venir, descendre, monter, entrer, sortir, passer, retourner, tomber* et les verbes : *devenir, naître, décéder, mourir, rester.*

– Avec ***être***, le participe passé s'accorde avec le sujet.
Julie est arrivée.
Les spectateurs sont arrivés.

• **Les participes passés**
Rappel :
Verbes en -**er** → -é : arriv**er** → arrivé
Verbes en -**ir** → -i : applaud**ir** → applaudi
! faire → fait

Le passé composé à la forme négative

• **Formation :**
ne/n' + **avoir** *ou* **être** + **pas** + **participe passé** du verbe
Le cinéma **n'a pas montré** *Le Sens de la fête*.

D'abord (2), *puis*, *ensuite* pour exprimer la chronologie

D'abord, le cinéma a montré deux bandes-annonces. **Puis**, il a lancé une bande-annonce « spéciale ». **Ensuite**, Antoine est entré.

Il y a pour indiquer un moment précis dans le passé

Il y a 5 mois, Antoine a demandé Julie en mariage dans une salle de cinéma.

Vocabulaire

Le mariage (113)
une demande en mariage • se marier
un fiancé / une fiancée • un couple • une bague

Le temps (114)
hier • aujourd'hui • demain

Le cinéma (115)
une bande-annonce • un film • la salle de cinéma • le scénario • le spectateur / la spectatrice

› Entraînez-vous p. 82-83

Techniques pour…

… écrire un avis sur un restaurant

LIRE

DOC. 1

L'Ardoise — lafourchette by TheFork, a TripAdvisor company — **9,3**/10 — 46662 avis

5 Rue Marceau 37000 Tours France

FRANÇAIS | BISTROT

Prix moyen 35 euros

Benoît P.
FIN GOURMET (6 avis)
10/10

25/10/19

Cuisine simple et traditionnelle préparée avec des ingrédients d'excellente qualité. → 1 ……
Ce soir, nous avons mangé le dos de cabillaud et, en dessert, le millefeuille à la vanille de Tahiti. → 2 ……
Le lieu est agréable et l'accueil est chaleureux. → 3 ……
Une belle surprise ! Bravo ! Je recommande. → 4 ……

Dos de cabillaud

Millefeuille à la vanille de Tahiti

1 [Découverte] **Observez l'application (Doc. 1). Répondez.**

a. Quel est son nom ?
b. À quoi sert-elle ?
c. Qui a écrit ? Pour qui ?

2 a. Lisez (Doc. 1). Identifiez :

a. le nom du restaurant.
b. l'adresse.
c. le prix moyen pour un menu.
d. la note générale.
e. le type de restaurant.

b. Lisez le commentaire de Benoît (Doc. 1). Répondez.
Est-ce qu'il est positif ou négatif ? Justifiez (note et remarques).

3 [Analyse] **À deux Légendez les quatre parties avec :**
l'appréciation générale • le conseil • les exemples de plats • le lieu et les personnes.

ÉCRIRE

4 Donnez votre avis sur un restaurant.

a. Trouvez un restaurant de votre ville que vous connaissez.

b. Dites ce que vous avez mangé et donnez vos impressions/appréciations.

c. Écrivez un avis. Mettez une note sur 10.

POUR écrire un avis sur un restaurant

- **Caractériser le type de cuisine, le lieu et l'accueil**
  Cuisine simple et traditionnelle.
  Le lieu est agréable et l'accueil est chaleureux.
- **Dire ce qu'on a mangé**
  Nous avons mangé le dos de cabillaud.
- **Donner une appréciation générale**
  Bravo !
- **Conseiller**
  Je recommande.

... écrire un article de blog

LIRE

DOC. 2

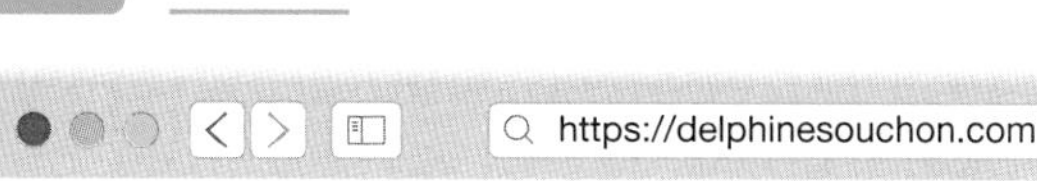
https://delphinesouchon.com

delphine souchon

BIEN-ÊTRE | SE NOURRIR | DÉCORER | VIE DE FAMILLE

ATELIER DE CUISINE À ESSAOUIRA

Aujourd'hui, je vous raconte un atelier de cuisine à Essaouira. ← 1 ....

La cuisine de Zohra, c'est un cours de cuisine marocaine traditionnelle : des tajines, du couscous, de la pâtisserie orientale et du thé à la menthe. Zohra reçoit les élèves dans un petit riad[1] de la médina[2]. Le cours est en français. — 2 ....

J'ai fait un thé parfait, avec de la menthe fraîche et sans sucre ! J'ai découpé les légumes pour faire une chakchouka. Puis, nous avons mangé nos plats. Un DÉLICE et une SUPER EXPÉRIENCE. ☺ — 3 ....

À FAIRE ABSOLUMENT !!! ☺ ← 4 ....

500 dirhams[3] par personne (soit 46 €) l'atelier de 10 h 30 à 15 heures.
La cuisine de Zohra est dans la médina, rue Sidi Ali Ben Daoud. — 5 ....

1 une maison traditionnelle marocaine – 2 la vieille ville – 3 la monnaie marocaine

5 [Découverte] **À deux** **Observez la page d'accueil du blog de Delphine Souchon (Doc. 2).**

a. Identifiez les thèmes du blog de Delphine.
b. Décrivez les photos.
c. À votre avis, quel est le sujet de cet article ?

6 a. **Lisez l'article (Doc. 2). Entourez la bonne réponse.**

1. Elle décrit **le restaurant** · **le cours de cuisine**.
2. Elle raconte **ce qu'elle a fait** · **ce que les autres ont fait**.
3. Elle conseille · **ne conseille pas** ce cours de cuisine au Maroc.

b. **Relevez les noms des plats et les ingrédients.**

7 [Analyse] **Relisez l'article (Doc. 2). Légendez les parties du texte avec ces mots.**

a. Le prix, les horaires
b. L'objet de l'article
c. L'appréciation personnelle
d. La description de l'atelier
e. Le récit de Delphine

POUR écrire un article de blog

- **Présenter le sujet de l'article**
Aujourd'hui, je vous raconte un atelier de cuisine à Essaouira.
- **Caractériser le sujet de l'article**
La cuisine de Zohra, *c'est un cours de cuisine marocaine traditionnelle.*
- **Raconter son expérience**
J'ai fait un thé parfait.
- **Donner son avis**
Une SUPER EXPÉRIENCE !
- **Donner les informations pratiques**
500 dirhams par personne (soit 46 €) l'atelier de 10 h 30 à 15 heures.

ÉCRIRE

8 **Écrivez un article.**

a. **Racontez une expérience (un voyage, une sortie, une fête...).**
b. **À deux** **Lisez l'article de votre camarade.**
c. **Identifiez les différentes parties.**
d. Expliquez **les nouveaux mots.**

Partagez votre article sur le groupe de la classe.

S'entraîner

Leçon 20

Les ustensiles de cuisine

1 Complétez avec un mot de la liste.
saladier • cuillère • casserole • poêle • ~~cocotte~~ • moule • couteau
Ex. : Je fais cuire les légumes dans une cocotte.
a. Je coupe la viande avec un ....
b. Je mélange la salade et les tomates dans un ....
c. J'ajoute l'huile d'olive avec une ....
d. Je fais cuire un gâteau dans un ....
e. Je fais cuire les pâtes dans une ....
f. Je fais revenir les oignons dans une ....

Les ingrédients

2 Mettez les lettres dans l'ordre.
Ex. : La (t c u g e o r t e) est un légume délicieux.
→ La courgette est un légume délicieux.
a. Le (m a o s n u) .... est un bon poisson.
b. L' (e a n g a u) .... est ma viande préférée.
c. Ajouter une cuillère d' (u l h i e) ....
d. Hacher deux (n o i p o v r s) .... verts.
e. On fait revenir les légumes dans le (e b e r u r) ....
f. Couper un (i g n n o o) .... et une tomate.

Les étapes culinaires

3 Barrez l'intrus.
Ex. : Dans une casserole : chauffer • ~~éplucher~~ • faire revenir
a. Avec un couteau : **peler** • **hacher** • **ajouter**
b. Dans un four : **chauffer** • **mélanger** • **faire cuire**
c. Dans un saladier : **ajouter** • **faire revenir** • **mélanger**
d. Avec une cuillère : **couper** • **ajouter** • **mélanger**
e. Dans une poêle : **faire revenir** • **chauffer** • **éplucher**
f. Dans une cocotte : **faire cuire** • **chauffer** • **hacher**

L'infinitif et l'infinitif négatif

4 116 **Écoutez et transformez à l'infinitif (forme affirmative ou négative).**
Ex. : Couper les aubergines en deux.
a. .... l'huile d'olive.
b. .... les pommes de terre.
c. .... les légumes.
d. .... les tomates.
e. .... l'ail.
f. .... le four.

La quantité déterminée

5 Complétez la recette avec *pas de (d')*, *un peu de (d')*, *beaucoup de (d')*.
Ex. : Hachez (+) un peu d'ail.
a. Coupez (++++) .... légumes.
b. Mélangez avec (+) .... huile d'olive.
c. Ajoutez (+) .... sel et (+) .... poivre.
d. N'ajoutez (0) .... épices.

Le son [j]

6 117 **Combien de fois entendez-vous le son [j] ? Cochez (✓).**
Ex. : Je préfère le yaourt à l'orange. ☑ 1 ☐ 2 ☐ 3
a. ☐ 1 ☐ 2 ☐ 3
b. ☐ 1 ☐ 2 ☐ 3
c. ☐ 1 ☐ 2 ☐ 3
d. ☐ 1 ☐ 2 ☐ 3

Leçon 21

Les mots du restaurant

7 Entourez le bon mot.
— Bonjour et bienvenue, vous désirez un **apéritif** • **dessert** ?
— Oui, un **verre** • **menu** de vin, merci.
— D'accord. Nous avons deux **ardoises** • **formules** : une à 19 euros et une à 29 euros.
— La formule à 29 euros, qu'est-ce que c'est ?
— C'est la formule complète : **entrée** • **carafe**, plat du jour et dessert.
— Et le plat du jour, qu'est-ce que c'est ?
— Aujourd'hui, c'est le **pichet** • **saumon**.
— Très bien. J'adore le poisson. Je voudrais aussi la **carte** • **table** des vins, s'il vous plaît.

Le passé composé avec *avoir*

8 Conjuguez les verbes au passé composé (avec *avoir*).
Ex. : Il (conseiller) a conseillé la formule à 19 euros.
a. Tu (préférer) .... quelle boisson ?
b. Vous (réserver) .... une table ?
c. Je (choisir) .... le dessert du jour.
d. Nous (payer) .... l'addition.
e. Elles (finir) .... leur apéritif.
f. On (déjeuner) .... au restaurant.

Le pronom *on*

9 Transformez les phrases avec le pronom *on*.

Ex. : Nous épluchons les pommes.
→ On épluche les pommes.

a. Nous réservons une table ? → ……………
b. Nous prenons une bouteille de vin. → ……………
c. Nous déjeunons chez moi ? → ……………
d. Nous mangeons de la viande. → ……………
e. Nous finissons le dessert. → ……………
f. Nous faisons revenir les oignons ? → ……………

Les sons [E] et [ɛ̃]

10 118 **Écoutez. Dans quel ordre entendez-vous le son [E] et le son [ɛ̃] ? Numérotez 1 et 2.**

Ex. : le pain – la paix

	Ex.	a.	b.	c.	d.	e.	f.
[E]	2						
[ɛ̃]	1						

Commander au restaurant

11 À deux Vous êtes au restaurant. L'étudiant(e) 1 est le serveur / la serveuse. L'étudiant(e) 2 est le client / la cliente. Jouez la scène.

Leçon 22

Le passé composé avec *être* ou *avoir*

12 Conjuguez les verbes au passé composé avec *être* ou *avoir*.

Ex. : Il (dîner) a dîné avec ses amis.

a. Il (réserver) …………… une table dans un restaurant.
b. Il (sortir) …………… du restaurant à 22 heures.
c. Il (rentrer) …………… chez lui.
d. Il (arriver) …………… à 20 heures.
e. Il (demander) …………… l'addition au serveur.
f. Il (commander) …………… des formules.

La passé composé / L'accord avec l'auxiliaire *être*

13 Accordez les participes passés si nécessaire.

Ex. : Clo et Adrien, vous êtes sortis hier soir ?

a. Philippe et moi, nous sommes allé…… au cinéma.
b. Mes amies sont rentré…… chez elles à minuit.
c. Madame, est-ce que vous êtes marié…… ?
d. Le couple et leurs invités sont entré…… dans la mairie.
e. Patrick, tu es arrivé…… à quelle heure ?
f. Aujourd'hui, ma copine est resté…… chez elle.

Les indicateurs de temps *il y a*, *hier*, *à* + heure

14 À deux Étudiant 1 : Posez la question. Étudiant 2 : Indiquez le moment précis dans le passé. Inversez les rôles.

Ex. : – Ton fils est arrivé à quelle heure ?
– Il est arrivé à 9 h 25. (9 h 25)

a. – Pierre est parti quand ?
– Il …………… (10 minutes)
b. – Tes parents sont sortis à quelle heure ?
– Ils …………… (18 h 00)
c. – Marie est arrivée quand ?
– Elle …………… (hier)
d. – Le mariage a commencé à quelle heure ?
– Il …………… (11 h 30)
e. – Vous êtes rentrés quand ?
– Nous …………… (hier)
f. – Tu es allé(e) quand chez le dentiste ?
– Je …………… (3 mois)

Le mariage

15 a. Complétez avec un mot de la liste.

fiancée • couple • se marier • ~~demande en mariage~~ • bague

D'abord, pour la demande en mariage (photo n° 3), l'homme offre une …………… (photo n° ……) à sa …………… (photo n° ……). Après, ils annoncent la nouvelle à la famille : ils veulent …………… (photo n° ……) ! Ensuite, le …………… (photo n° ……) et les familles préparent le mariage. Puis, le jour de la cérémonie, ils font une grande fête.

b. Associez les photos aux phrases.

1

2

3

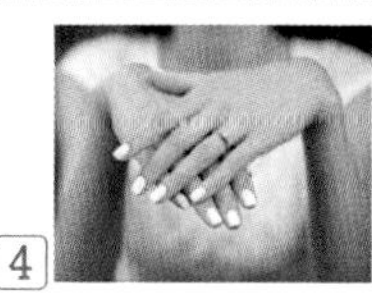
4

5

Retrouvez les activités avec sur inspire1.parcoursdigital.fr et plus de 150 activités inédites.

Faites le point

Expressions utiles

PARLER D'UN PLAT

- Vous pouvez manger la ratatouille chaude ou froide.
- Délicieuse avec du bœuf haché ou des boulettes d'agneau.

ÉCHANGER AU RESTAURANT

- Vous avez réservé ?
- J'ai réservé au nom de Luxton.
- Je vous conseille la formule.

POSER DES QUESTIONS SUR LE MENU

- On pourrait avoir la carte, s'il vous plaît ?
- Le midi smart, c'est bien le plat du jour plus le dessert ?
- Aujourd'hui, l'entrée du jour, c'est guacamole et chips de maïs.

COMMANDER UN PLAT

- La formule à 27,50 francs ! Avec le plat 4.
- Moi, je voudrais juste une salade caprese.

PARLER DES BOISSONS

- Quelles boissons vous avez ?
- De l'eau ! Une carafe d'eau.
- Une bouteille de vin ?
- Non, un pichet de 25 cl.
- Et du vin blanc ? Ça te dit ?

DEMANDER L'ADDITION

- Nous avons fini. L'addition, s'il vous plaît !

RACONTER UN ÉVÉNEMENT AU PASSÉ

- Hier, j'ai emmené Julie au cinéma du Palais.
- Il y a cinq mois, Antoine a demandé Julie en mariage.
- Il a donné à Julie une jolie bague.
- Julie a pleuré.
- Les amis ont applaudi.
- Nous n'avons pas regardé le film au programme.

Évaluez-vous !

À LA FIN DE L'UNITÉ 6, VOUS SAVEZ...	APPLIQUEZ !
☐ **reconnaître des ustensiles de cuisine.**	› Citez un ustensile pour couper, un ustensile pour mélanger, un ustensile pour faire cuire.
☐ **exprimer des quantités.**	› Complétez librement. une cuillère de .... • un peu de .... • 500 grammes de ....
☐ **commander au restaurant.**	› Commandez un plat et demandez l'addition.
☐ **utiliser le passé composé.**	› Conjuguez le verbe *finir* au passé composé.
	› Dites les verbes qu'on utilise avec l'auxiliaire *être* au passé composé.
☐ **raconter un événement au passé.**	› Qu'est-ce que vous avez fait hier ? Racontez.
☐ **indiquer la chronologie dans le passé.**	› Complétez les phrases. ...., j'ai travaillé. ...., je suis allé au cinéma.
☐ **indiquer un moment précis dans le passé.**	› Choisissez. *Il y a* • *Hier* deux ans, je suis allé au Maroc.

Donnez votre avis !

VOUS ALLEZ APPRENDRE À :

› conseiller
› proposer un projet
› raconter un voyage

VOUS ALLEZ UTILISER :

› l'impératif (2) : forme négative
› l'impératif (3) des verbes pronominaux
› les verbes *devoir* et *pouvoir* + infinitif
› *il faut, il ne faut pas* + infinitif
› l'expression de la durée : *depuis*
› *avoir mal à* + partie du corps
› l'expression du but : *pour* + infinitif
› l'expression de la cause : *pourquoi / parce que*
› le futur proche (2) des verbes pronominaux
› l'indicateur du futur *dans*
› la négation (3) : *ne... rien*
› l'indicateur de temps *en*
› l'imparfait (*c'était*)
› le passé composé (3) des verbes pronominaux
› les participes passés en *-u*, *-i*, *-is*, *-ert*
› les verbes *devoir* et *connaître* au présent

TECHNIQUES POUR...

› laisser un message vocal
› écrire un avis sur une plateforme de voyages

CULTURE(S) VIDÉO
Un potager de champion

LEÇON 24 Conseiller

COMPRENDRE

DOC. 1

Le mal de dos

8 conseils pour éviter le mal de dos !

Pour travailler devant l'ordinateur

Ne placez pas l'écran sur le côté.

Placez l'écran face à vous.

Pour faire vos courses

Ne portez pas vos sacs d'une seule main.

Portez un sac dans chaque main.

Pour ramasser un objet

Ne vous penchez pas.

Accroupissez-vous le dos droit.

Pour mettre vos chaussures

Ne restez pas debout.

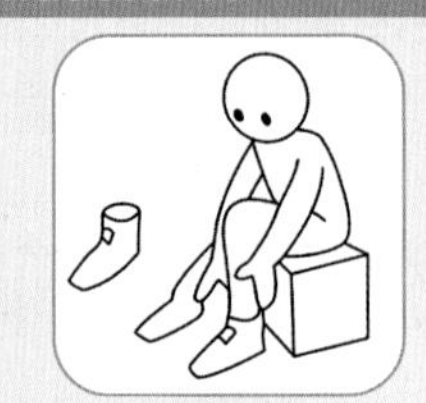

Asseyez-vous.

1 Observez l'affiche (Doc. 1).

a. Repérez le titre.

b. Entourez la bonne réponse.

- C'est l'affiche **d'une pharmacie** • **de l'Assurance maladie** • **du ministère de la Santé**.
- Cette affiche donne **des conseils** • **des contacts** • **des directions**.

2 À deux Lisez (Doc. 1).

a. Relevez et classez les informations :
à faire • à ne pas faire.
Ex. : À faire : placez l'écran de l'ordinateur face à vous.

b. Cochez (✓) la bonne réponse.
Pour donner des conseils, on utilise
☐ l'infinitif ☐ le passé composé ☐ l'impératif.

c. Observez et reliez.

Placez l'écran... •	• une affirmation
Ne vous penchez pas. •	• une négation
Ne portez pas... •	
Accroupissez-vous... •	

d. Trouvez l'infinitif des verbes. Soulignez les verbes pronominaux.

3 En petit groupe Complétez le dessin avec les mots de la liste.
la tête • la main • le pied • la jambe • le dos

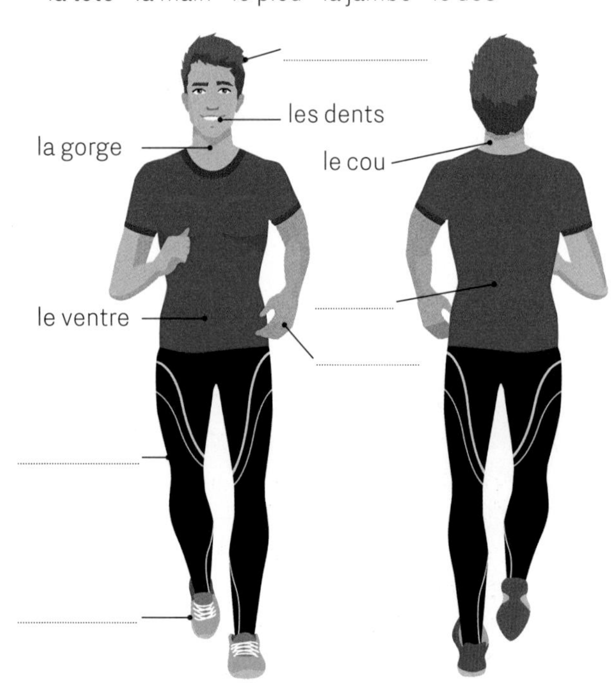

4 a. Écoutez la conversation (Doc. 2). Répondez.
Qui parle ? Où a lieu la conversation ? Quel est le problème ?

b. Réécoutez (Doc. 2). Répondez *vrai* ou *faux*. Justifiez.
Ex. : 1. Faux : il tousse depuis deux, trois jours.
1. M. Thauvin tousse depuis une semaine.
2. Il a mal au dos.
3. Il doit arrêter de fumer.
4. Il connaît un tabacologue.
5. Il doit consulter un pneumologue.
6. Le docteur conseille du paracétamol et du sirop.
7. Le docteur donne des conseils à M. Thauvin.

5 À deux Réécoutez (Doc. 2).

a. En petit groupe Relevez et classez les mots et les expressions de la santé dans les trois catégories.
les professions • les médicaments • les symptômes

b. Citez d'autres professions de la santé.

c. Notez trois conseils du médecin.

d. Complétez la phrase.
On utilise *pouvoir*, *devoir*, *il faut* + verbe à .... pour donner des conseils.

6 En petit groupe Regardez la vidéo d'Antonio. Mimez une douleur et dites où vous avez mal.

Aïe ! J'ai mal à la tête !

Culture(s)

En général, en France, on doit présenter sa **carte Vitale** chez le médecin.
→ **Et dans votre pays ?**

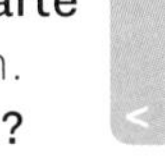

AGIR

7 Donnez des conseils de santé.
a. **En groupe** Listez des problèmes de santé.
b. **À deux Choisissez** un symptôme.
c. Proposez trois conseils pour éviter la douleur.
d. **À deux** Écrivez vos conseils.
e. Illustrez vos conseils avec des dessins ou des photos (optionnel).
f. Choisissez un titre.
g. **En groupe** Partagez vos conseils avec la classe.

Grammaire

L'impératif (2) pour donner des conseils

Forme affirmative	Forme négative ne/n' + verbe + pas
Placez.	**Ne** placez **pas**.

L'impératif (3) des verbes pronominaux

Forme affirmative	Forme négative
Accroupis-toi !	Ne t'accroupis pas !
Accroupissez-vous !	Ne vous accroupissez pas !

***Devoir* et *pouvoir* + infinitif pour donner des conseils**
Vous **devez arrêter**.
Vous **pouvez consulter** un tabacologue.

***Il faut / Il ne faut pas* + infinitif pour donner des conseils**
Il faut **arrêter** de fumer.
Il ne faut pas **prendre** d'antibiotiques.

***Depuis* pour indiquer une durée**
J'ai mal à la gorge **depuis** deux, trois jours.

Avoir mal au, à la, à l', aux
J'ai mal **au** dos.
J'ai mal **à la** gorge.
J'ai mal **à l'**oreille.
J'ai mal **aux** dents.

Le verbe *devoir* au présent
Je **dois**
Tu dois
Il/Elle/On doit
Nous **devons**
Vous devez
Ils/Elles **doivent**

Le verbe *connaître* au présent
Je connais
Tu connais
Il/Elle/On connaît
Nous **connaissons**
Vous connaissez
Ils/Elles connaissent

Vocabulaire

Les parties du corps 120
la tête • les yeux • la bouche • les dents • le cou • la gorge • la main • le bras • le pied • la jambe • le ventre • le dos

Les professions (3) : la santé 121
Rappel (leçon 16) : un infirmier / une infirmière
un/une docteur(e) = un/une médecin • un/une dentiste • un pharmacien/une pharmacienne • un/une pneumologue • un/une tabacologue

Les symptômes  122
la douleur (j'ai mal...) • la fièvre • la toux

Les maladies 123
la laryngite • la rhinite • le rhume • la grippe

Le traitement  124
une ordonnance • un médicament • un antibiotique • le paracétamol • le sirop

Entraînez-vous p. 94-95

Proposer un projet

COMPRENDRE

Réunion d'information pour l'ouverture du nouveau jardin partagé d'Amouroux

Jeudi 5 octobre à 18h30 au 36 rue Bernard Mulé à Toulouse

> Vous avez un projet de jardin collectif ?
L'association **Partageons nos jardins** organise une réunion d'information pour vous !

Les jardins partagés sont utiles :
- pour partager du temps entre voisins
- pour embellir votre immeuble, votre quartier
- pour avoir une autoproduction de nourriture
- pour respecter l'environnement.

> Vous êtes d'accord avec ces objectifs ? Vous voulez créer un jardin collectif ?
Nous vous aidons dans votre projet.

Dans un mois, nous allons ouvrir le jardin partagé d'Amouroux dans le quartier de la Roseraie.

Pour vous inscrire,
venez à la réunion d'information !

1 Observez le tract (Doc. 1). Identifiez :
a. le nom de l'association.
b. la date et le lieu de la réunion.

2 a. Lisez (Doc. 1). Répondez.
1. Quel est le but de la réunion ? Pour qui est-elle ?
2. Le jardin d'Amouroux ouvre quand ?

b. À deux Relisez (Doc. 1). Relevez les quatre objectifs d'un jardin partagé. Classez-les :
- économique : **Ex. :** pour avoir une autoproduction de nourriture
- social : ...
- esthétique : ...
- écologique : ...

c. À deux Soulignez la bonne réponse.
On utilise **dans** • **pour** • **avec** + verbe à l'infinitif pour exprimer un objectif (un but).

3 En petit groupe Proposez deux autres objectifs d'un jardin collectif. Partagez avec la classe.

Culture(s)

- Le concept des « jardins partagés » est né en France en 1997.
- Les Français aiment le jardinage : il y a **17 millions de jardiniers** !
- Des jardins naissent dans les grandes villes sur les toits des immeubles, dans les cours, sur les trottoirs... On parle de **la végétalisation des villes**.

→ Et dans votre pays ?

4 125 **a. Écoutez le dialogue (Doc. 2). Répondez.**
Qui parle ? De quoi ? Quels sont leurs projets ?

b. Réécoutez (Doc. 2).
Entourez les bonnes réponses. Justifiez.
1. Une parcelle individuelle est pour **une** • **deux** personne(s).
2. Lucas **connaît** • **ne connaît pas** le jardinage.
3. Lucas préfère une parcelle **collective** • **individuelle**.
4. Stéphane veut choisir ses **plantations** • **parcelles**.
5. Stéphane va planter **des tomates** • **des carottes**.
6. Le compost est un engrais **naturel** • **chimique**.

5 À deux Observez les phrases. Choisissez et complétez.
– Non, je préfère une parcelle collective.
– Pourquoi ?
– Parce que je ne connais rien au jardinage !
• Pour demander la cause, on utilise ……………
• Pour répondre et indiquer la cause, on utilise ……………

6 À deux Observez les phrases.

a. Indiquez l'infinitif du verbe.
« Je vais m'inscrire. »
« Tu vas t'inscrire. »

b. Ces phrases expriment le passé, le présent ou le futur ?

c. Mettez dans l'ordre.
1. je • me • doucher • vais
2. vas • te • tu • doucher

7 En petit groupe Regardez la vidéo de Ying et répondez.

Le week-end prochain, je vais visiter le jardin de Monet à Giverny parce que j'adore Monet. Et vous ? Qu'est-ce que vous allez faire le week-end prochain ? ▶ 31

AGIR

8 En petit groupe Proposez un projet pour votre quartier.
a. **Choisissez** un projet pour votre quartier.
b. Listez les objectifs du projet.
c. **Décidez** la date de la réunion d'information.
d. **En petit groupe** Écrivez un tract pour une réunion d'information sur votre projet.
Proposez un titre, deux ou trois questions, une liste d'objectifs, la date et le lieu de la réunion.
Vous pouvez illustrer votre tract (optionnel).
e. **Expliquez** vos projets à la classe.

 Postez votre tract sur le groupe de la classe.

Grammaire

◗ *Pour* + verbe à l'infinitif pour exprimer le but
Les jardins partagés sont utiles **pour partager** du temps entre voisins.

◗ *Pourquoi* et *parce que* pour exprimer la cause
– **Pourquoi** ?
– **Parce que** je ne connais rien au jardinage !

◗ Le futur proche (2) des verbes pronominaux pour parler d'un projet

S'inscrire
Je vais m'**inscrire**
Tu vas t'**inscrire**
Il/Elle/On va s'**inscrire**
Nous **allons** nous **inscrire**
Vous **allez** vous **inscrire**
Ils/Elles **vont** s'**inscrire**

◗ *Dans* pour situer dans le futur
dans trois jours • **dans** une semaine • **dans** un mois

◗ La négation (3) : *ne... rien*
Je **ne** connais **rien** au jardinage.
Rappel :
ne... pas • **ne... jamais**

Vocabulaire

◗ Les indicateurs du futur  126
jeudi prochain • demain

◗ Le projet  127
un objectif • un but

◗ Le jardin 128
le jardin partagé • le jardin collectif • le jardinage • la parcelle • le compost • un engrais naturel • planter des tomates • des plantations • une autoproduction

◗ L'environnement  129
respecter • embellir • des légumes bio

Phonétique

 130  32

◗ Les sons [a] et [ɑ̃]
• Le **son [a]** est oral. L'air passe par la bouche.
– **la** tom**a**te • le j**a**rdin**a**ge • le j**a**rdin p**a**rt**a**gé
• Le **son [ɑ̃]** est nasal. L'air passe par le nez (et par la bouche). On ne prononce pas le *n*.
– dans • planter • demander • l'engrais • l'environnement

• Écoutez et répétez.
a • an • a • an • a • an • a • an

› Entraînez-vous p. 94-95

Raconter un voyage

COMPRENDRE

DOC. 1

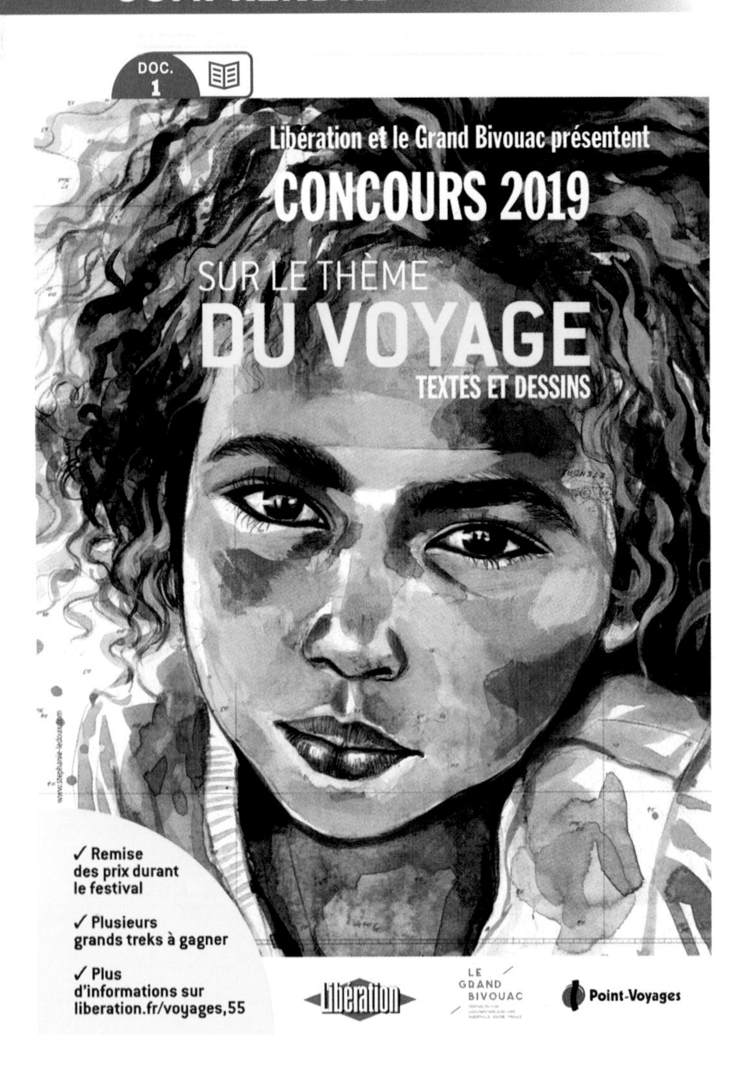

1 Lisez (Doc. 1). Cochez (✓) la bonne réponse.

☐ a. C'est une publicité pour un livre.
☐ b. C'est l'affiche d'un jeu sur l'écriture et le dessin.
☐ c. C'est une publicité pour une agence de voyages.

2 Relisez (Doc. 1). Répondez.

a. Qui sont les sponsors ?
b. Quel est le thème ?
c. Quelles informations manquent pour participer au concours ?
d. Où est-ce qu'on peut trouver ces informations ?
e. Qu'est-ce qu'on gagne ?

3 En groupe Est-ce que vous aimez voyager ? Dites pourquoi.

4 Lisez le texte de Sophie (Doc. 2).

a. Répondez.
Sophie est allée où ? Quand ? Pourquoi ?

b. Légendez les dessins de Sophie avec les activités du texte.

c. Relevez les deux commentaires de Sophie sur le parc Yoyogi et sur son repas.

5 À deux Relisez (Doc. 2).

a. Relevez les passés composés. Trouvez les infinitifs et complétez.

Participes passés :
- en -é(e) [e] : **Ex. :** J'ai arrêté → arrêter
- en -u(e) [y] : ....
- en -is [i] : ....
- en -i [i] : ....
- en -ert [ɛʀ] : ....

DOC. 2

Mon voyage au Japon

En 2018, j'ai arrêté mon travail et j'ai décidé de visiter un pays loin de l'Europe pour faire de la randonnée.

La marche, c'est ma passion. J'ai choisi le Japon.

Le vol a duré douze heures. Je ne me suis pas reposée dans l'avion. À l'aéroport, j'ai pris le monorail, puis le train et je suis descendue à Shibuya. C'est un quartier animé de Tokyo.

1. J'ai pris le monorail.

J'ai laissé ma valise à l'hôtel et je suis allée au parc Yoyogi. C'était magique ! J'ai pris beaucoup de photos. J'ai vu un mariage traditionnel.

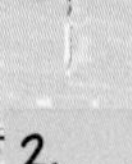
2. ....

b. Répondez *vrai* ou *faux*. Justifiez.

1. Le participe passé des verbes en *-er* est toujours en *-é*.
2. Le participe passé des verbes en *-ir* est toujours en *-i* ou *-is*.

AGIR

6 **En petit groupe** **Présentez un pays.**

a. **Choisissez** un pays visité sans le nommer.
b. **Racontez** vos activités.
c. Vos camarades devinent le pays.

7 **Racontez un voyage.**

a. **Choisissez** un voyage réalisé ou imaginaire.
b. Précisez la date et le lieu, dites ce que vous avez fait, les lieux visités. **Exprimez votre appréciation.**
c. Illustrez avec une photo ou un dessin (optionnel).
d. **À deux** **Comparez** votre texte avec votre camarade.
e. Affichez et lisez votre voyage.

 Envoyez votre texte sur le groupe de la classe.

Grammaire

▸ *En* + année ou mois pour situer une action dans le passé

En 2018, j'ai arrêté mon travail.

▸ L'imparfait pour donner une appréciation dans le passé

C'**était** magique !
C'**était** délicieux !

▸ Le passé composé (3) des verbes pronominaux

Formation :
sujet + **ne/n'** + **pronom** + *être* + **pas** + participe passé
Je **ne me suis pas** reposée.

▸ Les participes passés en *-u*, *-i*, *-is*, *-ert*

• **en -u**
Descendre → Je suis descend**u**e à Shibuya.
Voir → J'ai v**u** un mariage traditionnel.
Boire → J'ai b**u** du thé vert.

• **en -i / -is**
Choisir → J'ai chois**i** le Japon.
Dormir → J'ai dorm**i** douze heures.
Prendre → J'ai pr**is** beaucoup de photos.

• **en -ert**
Découvrir → J'ai découv**ert** un *izakaya*.

Vocabulaire

▸ Les voyages 131
l'aéroport
un vol
une valise
un taxi
le monorail
quitter

▸ Les appréciations 
moderne
traditionnel/traditionnelle
magique
délicieux/délicieuse
animé/animée

▸ Les loisirs (2) 133
un trek
une randonnée
la marche

▸ Les jeux 
un concours
un prix

Phonétique

135 ▶ 33

▸ La continuité : l'élision, les liaisons et les enchaînements

En français, on ne s'arrête pas entre les mots. Prononcez comme un seul mot.

Ex. : leçon 24
• J'ai_mal_à_la_gorge. → *j'ai-ma-là-la-gorge*
• Vous avez des antibiotiques ?
• une_infirmière
un_infirmier

• Prononcez ces phrases. Écoutez pour vérifier.

a. J'ai mal à la tête. b. Elle a mal aux dents.
c. Ils ont mal au dos.

› Entraînez-vous p. 94-95

Techniques pour...

... laisser un message vocal

ÉCOUTER

DOC. 1 136

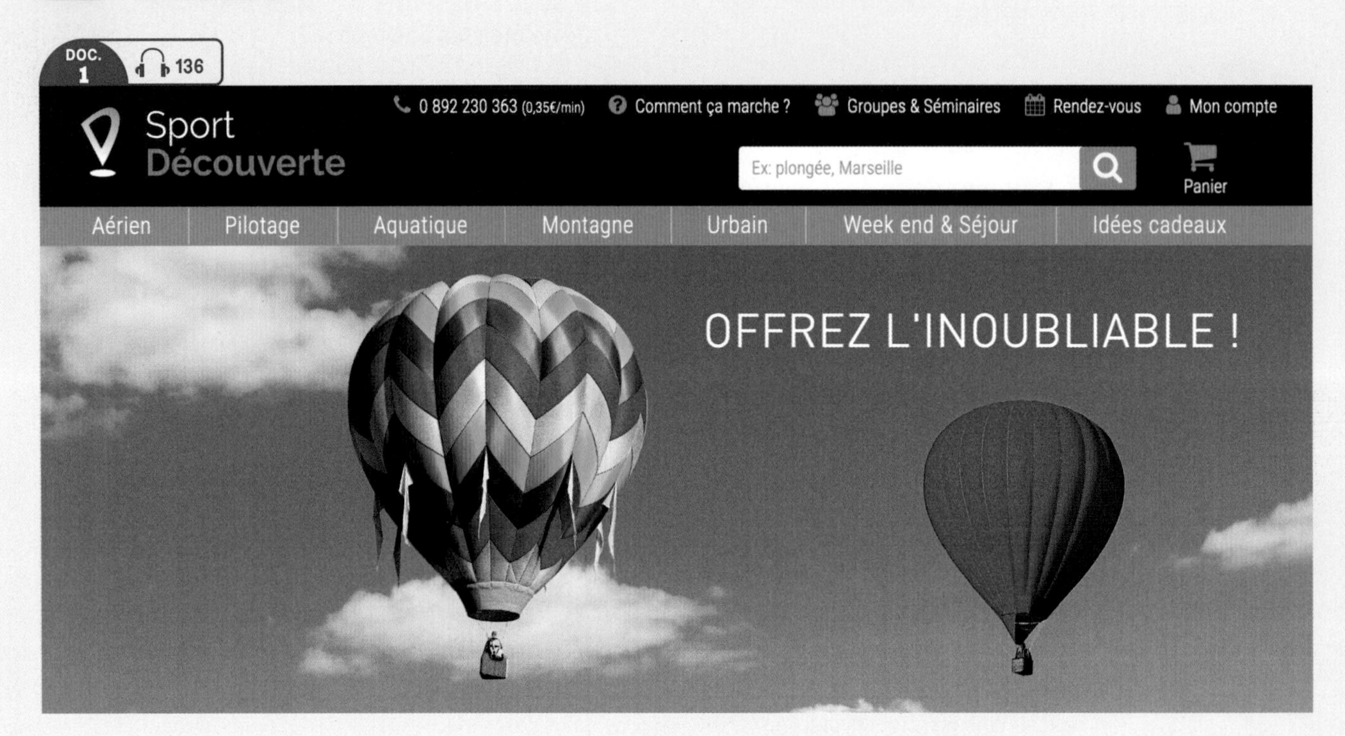

1 [Découverte] Écoutez (Doc. 1). Cochez (✓) la bonne réponse.

- ☐ a. C'est une publicité à la radio.
- ☐ b. C'est un message téléphonique.
- ☐ c. C'est une conversation entre deux amis.

2 Répondez *vrai* ou *faux*. Justifiez.

a. Redouane veut réserver un hôtel en Auvergne.
b. Redouane part seul.
c. Une personne a un handicap.
d. Redouane et ses amis veulent découvrir les volcans d'Auvergne.
e. Le numéro de téléphone est le 07 34 12 68 51.

3 À deux [Analyse] Réécoutez. Mettez les parties du message dans l'ordre.

a. Donner son numéro de téléphone • b. Demander des informations • c. Saluer • d. Dire l'activité qu'on veut faire • e. Remercier et dire au revoir

Ex. : 1 : c • 2 : ...... • 3 : ...... • 4 : ...... • 5 : ......

POUR laisser un message vocal

- **Saluer et se présenter**
Bonjour, je m'appelle Redouane Fontes.
- **Dire son projet**
Je souhaite faire un vol en montgolfière **pour** *découvrir les volcans.*
- **Poser une question**
Est-ce qu'une personne en fauteuil roulant peut faire le voyage ?
- **Remercier et dire au revoir**
Merci, bonne journée !

PARLER

4 Laissez un message vocal.

a. Choisissez une sortie pour le week-end prochain.

b. Proposez la sortie à un(e) camarade sur son répondeur.

c. Enregistrez-vous.

... écrire un avis sur une plateforme de voyages

LIRE

DOC. 2

https://www.tripadvisor.fr

Visite de Montréal à vélo

 53 avis

Christelle2525
Liège-Belgique • **18** avis et **8** like

Avis écrit le 15 juillet 2019

Superbe promenade avec Jonas à Montréal !

Nous avons fait une superbe promenade à vélo dans la ville et dans la nature. Nous nous sommes arrêtés pour visiter des lieux typiques, nous avons fait une pause pique-nique très agréable.
Notre guide Jonas est sympa. Il a donné des explications intéressantes.
C'était parfait ! À faire absolument !

Utile   Partager

Hugo4ever
Genève-Suisse • **45** avis et **38** like

Avis écrit le 23 juillet 2019

Sortie décevante !

Nous n'avons pas visité le mont Royal comme prévu au programme. Nous ne nous sommes pas arrêtés pour manger !
Ella, notre guide, n'a pas raconté l'histoire de la ville.
Nous n'avons rien appris sur Montréal.
C'était nul ! Il ne faut pas faire cette activité !

Utile   Partager

5 **[Découverte] a. Observez le site touristique (Doc.2). Répondez.**

1. Il y a combien d'avis ?
2. On parle de quelle ville ?

b. Identifiez.

1. Le nom des auteurs, leur pays.
2. La date des posts.
3. Le niveau de satisfaction des personnes.
4. Les conseils.

6 **À deux** **[Analyse] Lisez (Doc. 2). Retrouvez les parties suivantes dans les messages.**

a. Le commentaire général
b. Le conseil
c. Le titre
d. Le récit des activités
e. La description du guide

POUR écrire un avis positif ou négatif sur une plateforme de voyages

- Faire un résumé de l'expérience
Superbe promenade avec Jonas !
*Sortie **décevante** !*
- Raconter et donner des détails
Nous nous sommes arrêtés pour visiter des lieux typiques.
Nous ne nous sommes pas arrêtés pour manger !!
- Donner une appréciation
C'était parfait ! C'était nul !
- Conseiller
***Il ne faut pas** faire cette activité !*
***À faire** absolument !*

ÉCRIRE

7 **Écrivez un avis positif ou négatif.**

a. Choisissez une activité touristique réalisée ou imaginaire.

b. Racontez, donnez vos appréciations et conseillez vos lecteurs.

Postez votre avis sur une plateforme de voyages.

S'entraîner

Leçon 24

L'impératif (2)

1 Transformez les phrases à l'impératif (forme affirmative ou négative).

Ex. : Ne pas se pencher. → (vous) Ne vous penchez pas.

a. Placer l'écran face à vous. → (vous) ……
b. Ne pas porter deux sacs d'une seule main.
→ (tu) ……
c. S'accroupir. → (tu) ……
d. S'asseoir le dos droit. → (vous) ……
e. Ne pas se pencher pour mettre ses chaussures.
→ (tu) ……
f. Écouter les conseils du médecin. → (tu) ……

Les verbes *pouvoir* et *devoir*

2 Choisissez *pouvoir* ou *devoir* et conjuguez les verbes au présent.

Ex. : Je dois faire du sport. C'est bon pour la santé.

a. Je …… aller à la piscine, elle est ouverte.
b. On …… voir le médecin quand nous voulons.
c. Nous …… placer l'écran face à nous. C'est important !
d. Vous …… arrêter de fumer maintenant !
e. Tu …… venir ce soir ?
f. Ils …… dormir la nuit.

Conseiller

3 À deux Donnez des conseils. Variez les formes : *il (ne) faut (pas)*, *devoir* et l'impératif.

Ex. : Fumer. → Il ne faut pas fumer.

a. Faire du sport.
b. Oublier la carte Vitale.
c. Aller chez le médecin.
d. Prendre des antibiotiques pour un rhume.
e. Dormir sept heures par nuit.
f. Manger du sucre.

Avoir mal au, à la, à l', aux

4 Complétez les phrases.

Ex. :  Elle a mal à l'oreille.

a.  Il a mal …… .

b.  Il a mal …… .

c.  Elle a mal …… .

Leçon 25

Le futur proche (2) des verbes pronominaux

5 Conjuguez les verbes au futur proche.

Ex. : Tous les jours, je me couche à 22 heures, mais demain, je vais me coucher à minuit.

a. En septembre, on **s'inscrit** pour le jardinage mais, cette année, on …… en juillet.
b. Charlotte **se promène** avec ses amis mais, pendant les vacances, elle …… avec sa famille.
c. Tous les week-ends, Pierre **se repose** chez lui mais, ce week-end, il …… à la campagne.
d. Étienne et Louise **se lèvent** à 7 heures mais, la semaine prochaine, ils …… à 9 heures.
e. Nous **nous douchons** le matin mais, le mois prochain, nous …… le soir.
f. Je **me prépare** avant le petit déjeuner, mais ce matin, j'ai faim, je …… après le petit déjeuner.

Les indicateurs du futur

6 Entourez la bonne réponse.

Ex. : Il va planter des salades demain • (dans) • prochain un mois.

a. Nous allons à une réunion de quartier **demain • dans • prochain**.
b. C'est la saison des tomates le mois **demain • dans • prochain**.
c. **Demain • Dans • Prochain** six mois, un immense jardin bio va ouvrir à Paris.
d. **Demain • Dans • Prochain**, Édith va s'inscrire pour faire du jardinage.
e. **Demain • Dans • Prochain** trois mois, la ville de Nancy va proposer des jardins partagés.
f. Samedi **demain • dans • prochain**, la mairie organise une présentation sur les légumes bio.

La négation *ne... pas, ne... jamais, ne... rien*

7 Transformez les phrases avec la négation.

Ex. : Nous avons le temps de jardiner. *(ne... jamais)*
→ Nous n'avons jamais le temps de jardiner.

a. Il comprend. *(ne... rien)* → ……
b. J'aime la viande. *(ne... pas)* → ……
c. Elle va au jardin collectif. *(ne... jamais)* → ……
d. Tu manges le matin. *(ne... rien)* → ……
e. Vous vous promenez à la campagne. *(ne... jamais)*
→ ……
f. Nous voulons jardiner. *(ne... pas)* → ……

La cause *pourquoi / parce que*

8 Complétez avec *pourquoi* ou *parce que*.

– JOURNALISTE : Bonjour. **Pourquoi** faites-vous du jardinage ?
– ALAIN : .... je suis végétarien.
– JOURNALISTE : .... êtes-vous végétarien ?
– ALAIN : .... c'est bon pour la santé.
– JOURNALISTE : Et .... vous n'allez pas dans un jardin collectif ?
– ALAIN : .... je sais jardiner, je préfère avoir une parcelle. .... vous posez ces questions ?
– JOURNALISTE : .... je fais un reportage.

La cause et le but

9 Associez.

a. N'achetons pas de plastique
b. Je vais acheter des légumes
c. Elle va partir au Mexique
d. Il faut manger cinq fruits et légumes par jour
e. Nous n'avons pas de fraises
f. Plantons des arbres

1. parce que ce n'est pas la saison.
2. pour embellir la ville.
3. parce que c'est mauvais pour l'environnement.
4. pour un projet agricole.
5. parce que je suis végétarien.
6. pour être en bonne santé.

Les sons [ɑ] et [ɑ̃]

10 137 Écoutez. Vous entendez le son [a] ou le son [ɑ̃] ? Cochez (✓).

Ex. : un engrais

	Ex.	a.	b.	c.	d.	e.
[a]						
[ɑ̃]	✓					

Leçon 26

Les participes passés

11 Soulignez les passés composés et indiquez l'infinitif des verbes.

Ex. : Elle est descendue du bus. → descendre
a. Ils ont bien dormi.
b. Nous avons vu un film.
c. J'ai choisi un hôtel dans le centre-ville.
d. Vous avez pris le train ?
e. Elle a bu du thé vert.
f. Ils n'ont pas compris.

Le passé composé (3)

12 Conjuguez les verbes au passé composé.

Ex. : Beatriz (choisir) a choisi le train pour aller à Biarritz.
a. Elle (quitter) .... la maison à 7 heures.
b. Elle (prendre) .... une petite valise.
c. Ses amis (découvrir) .... une nouvelle région.
d. Ils (dormir) .... à l'hôtel.
e. Ils (boire) .... une bouteille de vin au dîner.

Le passé composé des verbes pronominaux

13 Complétez les conjugaisons des verbes pronominaux au passé composé.

Ex. : Ils se sont levés tôt pour prendre le train.
a. Vous .... habillés avec des vêtements simples.
b. Elle .... inscrite à un cours d'espagnol.
c. Je .... reposé sur un banc dans un parc.
d. Tu .... endormi dans le train.
e. Elles .... promenées dans la vieille ville.

Le passé composé des verbes pronominaux à la forme négative

14 Transformez les phrases au passé composé à la forme négative. Attention aux accords !

Ex. : En général, je me lève à 6 heures. → Lundi dernier, je ne me suis pas levé(e) à 6 heures.
a. Après la visite d'un musée, il se repose.
→ Hier, ...
b. Ils s'endorment à 23 heures quand ils voyagent.
→ Hier, ...
c. Elles se reposent le week-end.
→ Le week-end dernier, ...
d. Nous nous promenons après le dîner.
→ Hier soir, ...

La continuité : l'élision, la liaison et les enchaînements

15 a. À deux Lisez les phrases. Prononcez comme un seul mot.

1. C'est un grand infirmier !
2. C'est une grande infirmière !
3. J'ai mal à la jambe.
4. Vous avez mal aux yeux ?
5. Ils ont des antibiotiques.
6. Tu portes un sac ?

138 **b. Écoutez pour vérifier et répétez.**

Retrouvez les activités avec sur inspire1.parcoursdigital.fr et plus de 150 activités inédites.

Faites le point

Expressions utiles

DÉCRIRE SON ÉTAT, SA SANTÉ

- Je (ne) me sens pas bien.
- Je suis fatigué.
- Je ne suis pas en forme.
- Je tousse.
- J'ai mal à la gorge.

CONSULTER UN MÉDECIN

- Qu'est-ce qui vous arrive ?
- Montrez votre gorge !
- Asseyez-vous !
- Vous avez de la fièvre ? Depuis combien de temps ?
- Je vous fais une ordonnance pour la pharmacie.
- Vous pouvez prendre du paracétamol.
- Vous connaissez quelqu'un ? Non, personne.
- Voilà les coordonnées du docteur Lamouric.

DONNER DES CONSEILS

- Vous pouvez consulter un tabacologue.
- Vous devez arrêter !
- Il ne faut pas prendre d'antibiotiques.
- Vous pouvez prendre du paracétamol et du sirop.
- Ne vous penchez pas.
- Accroupissez-vous.

EXPLIQUER UN PROJET

- Dans un mois, nous allons ouvrir le jardin partagé.
- Les jardins partagés sont utiles pour embellir votre quartier.
- Je vais planter des tomates.
- Je préfère une parcelle collective parce que je ne connais rien au jardinage.

SITUER UNE ACTION DANS LE PASSÉ

- En 2018, j'ai arrêté mon travail.

RACONTER UN VOYAGE

- J'ai décidé de visiter un pays loin de l'Europe.
- Le vol a duré douze heures.
- Je ne me suis pas reposée.
- Je suis descendue à Shibuya.
- J'ai laissé ma valise à l'hôtel.
- Je suis allée au parc Yoyogi.
- J'ai découvert un *izakaya*.
- J'ai pris des *gyosa* et j'ai bu du thé vert.

DONNER UNE APPRÉCIATION SUR QUELQUE CHOSE DANS LE PASSÉ

- C'était magique !
- C'était délicieux !

Évaluez-vous !

À LA FIN DE L'UNITÉ 7, VOUS SAVEZ...	APPLIQUEZ !
☐ **décrire son état de santé.**	› Complétez avec *à la*, *au*, *aux* ou *à l'*. J'ai mal .... dents !
☐ **donner des conseils.**	› Donnez deux conseils à un ami qui a mal à la tête.
☐ **parler d'un projet.**	› Qu'est-ce que vous allez faire dimanche prochain ?
☐ **utilisez *depuis* et *dans*.**	› Complétez avec *depuis* ou *dans*. J'ai mal au ventre .... une semaine.
☐ **exprimer le but et la cause.**	› Complétez les phrases. J'étudie le français parce que .... Parler une langue étrangère est utile pour ....
☐ **situer une action dans le passé.**	› Choisissez : *depuis* • *en* • *dans*. .... 2015, je suis allée au Vietnam.
☐ **donner une appréciation dans le passé.**	› Donnez une appréciation : sur une activité ; sur un plat et sur un lieu.

Préparation au DELF A1

I COMPRÉHENSION DE L'ORAL

Exercice 3. Comprendre des instructions

139 **Lisez les questions, écoutez deux fois le document et répondez.**

1. Combien de fois par jour vous devez prendre du paracétamol ? ....
2. Vous devez prendre le sirop (2 réponses) ☐ le matin ☐ le midi ☐ le soir.
3. Vous devez prendre le sirop ☐ avant le repas ☐ après le repas.
4. Le médecin vous conseille de manger quel fruit ? Cochez (✔).

a. ☐ b. ☐ c. ☐

Exercice 4. Comprendre de courtes conversations entre 2 personnes

140 **Lisez les questions, écoutez deux fois le dialogue. Puis associez chaque dialogue à une photo. Notez sous chaque photo le numéro du dialogue correspondant. (Attention, il y a 6 photos mais seulement 5 dialogues.)**

a. dialogue numéro ....

b. dialogue numéro ....

c. dialogue numéro ....

d. dialogue numéro ....

e. dialogue numéro ....

f. dialogue numéro ....

II COMPRÉHENSION ÉCRITE

Exercice 3. Lire pour s'orienter (dans le temps)

Lisez le programme des activités du centre culturel et répondez aux questions.

1. Quelle est la date de la journée portes ouvertes ?

....

2. À quelle heure ouvre le centre culturel ?

....

3. À quelle heure ferme le centre culturel ?

....

JOURNÉE PORTES OUVERTES AU CENTRE CULTUREL

Le samedi 5 mai, de 9 heures à 19 heures

PROGRAMME DES ACTIVITÉS

9 heures : visite du centre culturel
10 heures : atelier lecture
11 heures : atelier peinture
12 heures : atelier photographie
15 heures : concert de musique classique

Plus d'informations sur notre site Internet : www.centreculturel.fr

4. Quelle activité peut-on faire à 11 heures ? Cochez (✔).

a. ☐

b. ☐

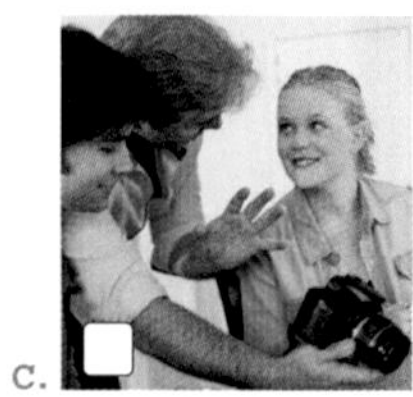
c. ☐

5. Quelle activité est organisée à 15 heures ? ....

Exercice 4. Lire pour s'informer

Lisez le faire-part de mariage et répondez aux questions.

1. Qui se marie ? .... et ....
2. Complétez les informations :
   a. Date du mariage : ....
   b. Heure du mariage : ....
   c. Lieu du mariage : ....
   d. Ville du mariage : ....
3. À quelle heure se déroule la fête à la salle des fêtes ? ....
4. On vous conseille de dormir où ? Cochez (✔).

a. ☐

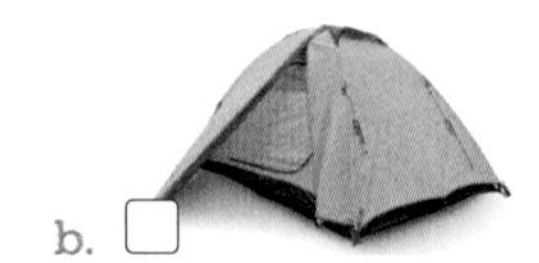
b. ☐

c. ☐

5. Vous devez répondre avant quelle date ? ....

Mariage de Julie et Paul

Julie et Paul vous invitent
à leur mariage, le samedi 15 juillet.
Rendez-vous à 15 heures,
à la mairie de Roissy.
La fête se poursuit le soir
à la salle des fêtes, à 19 heures.

**Pour dormir, nous vous conseillons l'hôtel « Au bon repos », à côté de la mairie.
Merci de confirmer par e-mail votre présence avant le 25 juin.**

Julie Drouet et Paul Vianey
06 61 89 85 62 – 06 52 98 54 53 52
julieetpaul@gmail.fr
blog de notre mariage :
www.mariagejulieetpaul.blogspot.fr

III PRODUCTION ORALE

Exercice 3. Le dialogue simulé

Lisez le sujet ci-contre.

Dans un magasin de vêtements

Vous êtes en France, dans un magasin de vêtements. Vous voulez acheter des vêtements. Vous parlez au vendeur. Vous posez des questions sur la taille, la couleur, le prix. Vous choisissez des vêtements et vous payez.

L'examinateur joue le rôle du vendeur.

1. Préparez les questions que vous poserez au vendeur.
   Questions sur la taille : – .... ?
   – .... ?
   Questions sur la couleur : – .... ?
   – .... ?
   Questions sur le prix : – .... ?
   – .... ?
2. Dites au vendeur les vêtements que vous avez choisis. *J'ai choisi* ....
3. Le prix des articles choisis est de 126 euros.
   Entourez les billets et pièces que vous allez donner au vendeur.

Informez-vous !

VOUS ALLEZ APPRENDRE À :

- expliquer un cursus
- décrire un travail
- vous loger

VOUS ALLEZ UTILISER :

- le passé récent
- Les verbes *connaître* (2) et *savoir*
- l'interrogation (récapitulatif) : avec l'intonation, l'inversion, les mots interrogatifs
- le futur proche (3) des verbes pronominaux : forme négative
- le pronom *y*
- le passé composé (4) du verbe *être*
- les comparatifs avec les adjectifs
- les adverbes d'intensité *très*, *trop*
- le verbe *répondre* au présent

TECHNIQUES POUR...

- écrire une annonce de location
- créer son profil professionnel

CULTURE(S) VIDÉO
Ma petite maison en bois ▶ 34

Expliquer son cursus

COMPRENDRE

DOC. 1

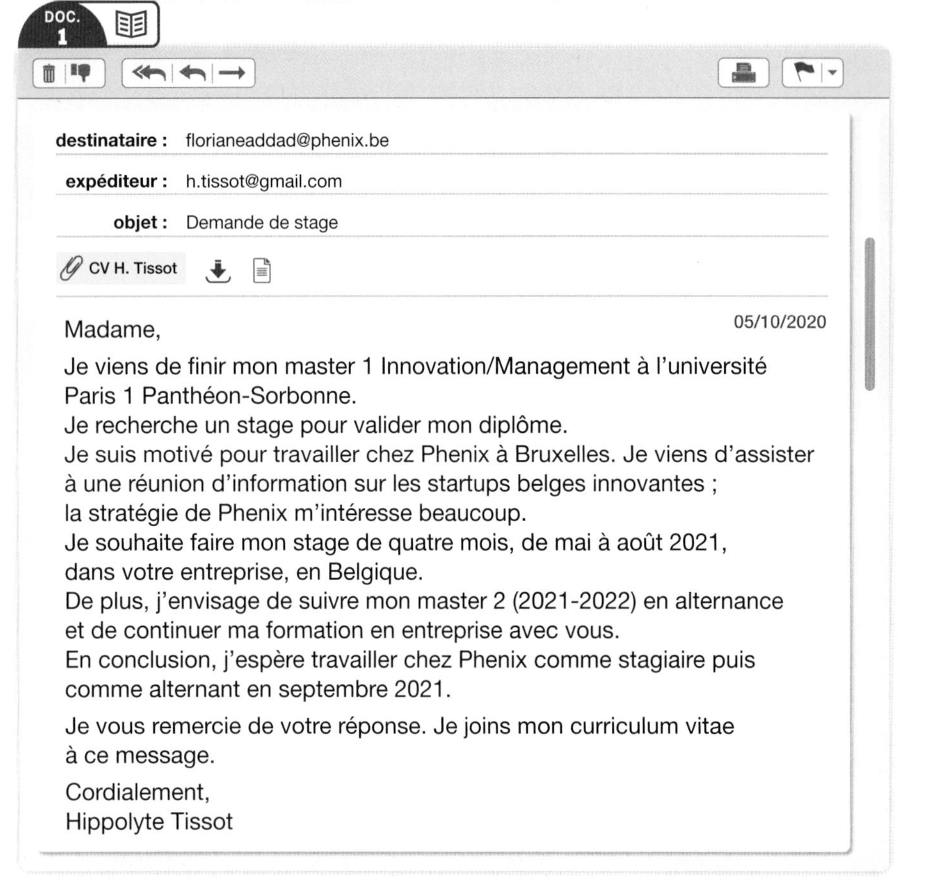

destinataire : florianeaddad@phenix.be
expéditeur : h.tissot@gmail.com
objet : Demande de stage
CV H. Tissot

05/10/2020

Madame,

Je viens de finir mon master 1 Innovation/Management à l'université Paris 1 Panthéon-Sorbonne.
Je recherche un stage pour valider mon diplôme.
Je suis motivé pour travailler chez Phenix à Bruxelles. Je viens d'assister à une réunion d'information sur les startups belges innovantes ; la stratégie de Phenix m'intéresse beaucoup.
Je souhaite faire mon stage de quatre mois, de mai à août 2021, dans votre entreprise, en Belgique.
De plus, j'envisage de suivre mon master 2 (2021-2022) en alternance et de continuer ma formation en entreprise avec vous.
En conclusion, j'espère travailler chez Phenix comme stagiaire puis comme alternant en septembre 2021.

Je vous remercie de votre réponse. Je joins mon curriculum vitae à ce message.

Cordialement,
Hippolyte Tissot

1 Observez l'e-mail (Doc. 1). Répondez.

a. Qui écrit ? À qui ? Pourquoi ?
b. Quel est le document joint ?

2 Lisez l'e-mail (Doc. 1).

a. Répondez *vrai* ou *faux*. Justifiez.

1. Hippolyte va finir son master 1.
2. Il va arrêter ses études.
3. Il a assisté à une réunion d'information.
4. Phenix est une startup belge.
5. Le stage va durer six mois.

b. Repérez les formules de l'e-mail formel.

Ex. : Madame

3 À deux Entourez la bonne réponse.

a. « Je viens de finir mon master » exprime **le passé** • **le présent** • **le futur**.
b. Pour former ce temps, on utilise :
le verbe *venir* **au passé** • **au présent** • **au futur** + *de* + verbe à l'infinitif.

4 En petit groupe
Est-ce que vous avez fait un stage dans votre cursus ? Racontez.
Est-ce que les formations en alternance existent dans votre pays ? Expliquez.

5 En petit groupe
Regardez la vidéo d'Angelica et répondez.

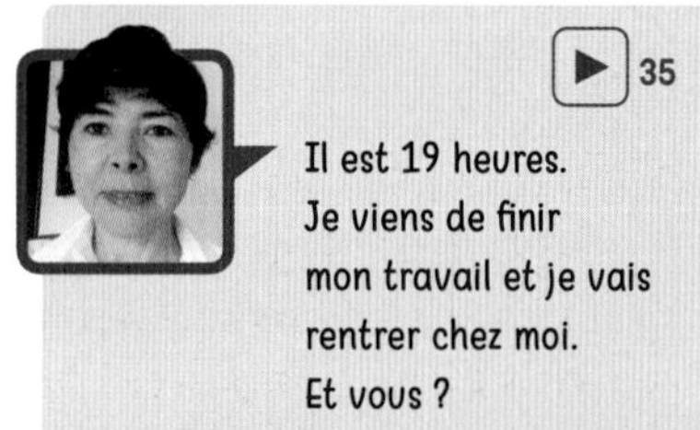

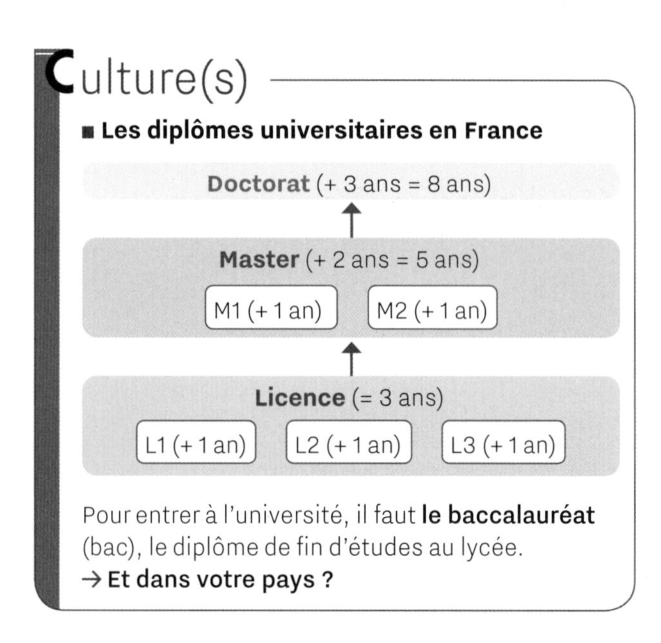

Culture(s)

Les diplômes universitaires en France

Doctorat (+ 3 ans = 8 ans)
↑
Master (+ 2 ans = 5 ans)
M1 (+ 1 an) | M2 (+ 1 an)
↑
Licence (= 3 ans)
L1 (+ 1 an) | L2 (+ 1 an) | L3 (+ 1 an)

Pour entrer à l'université, il faut **le baccalauréat** (bac), le diplôme de fin d'études au lycée.
→ **Et dans votre pays ?**

DOC. 2 141

6 Écoutez (Doc. 2).

a. Répondez.

Qui parle ? De quoi ? Pour quoi faire ?

b. Entourez la bonne réponse.

C'est **un examen** • **un entretien** • **une interview**.

7 Réécoutez (Doc. 1). Soulignez la bonne réponse. Justifiez.

a. Hippolyte a obtenu **une licence de gestion** • **une double licence droit/gestion**.
b. Maintenant, Hippolyte est en master de **droit** • **gestion** • **droit/gestion**.
c. L'entreprise Phenix favorise l'économie **de consommation** • **circulaire**.
d. Hippolyte **sait** • **ne sait pas** organiser des événements de communication.
e. Il est **responsable** • **membre** d'une association à l'université.

8 À deux Réécoutez (Doc. 2).

a. Relevez les sept questions de la responsable des relations humaines sur le parcours universitaire d'Hippolyte, l'entreprise Phenix et l'association d'Hippolyte.

Ex. : Alors, vous voulez faire votre stage de master chez nous, en Belgique ?

b. Classez les questions selon leur forme.

avec *quoi* • *quel* • *est-ce que* • *qu'est-ce que* • intonation • inversion

Ex. : *Quoi, quel* → Quel est votre cursus ?

AGIR

9 En petit groupe Expliquez votre cursus.

a. **Présentez** votre cursus scolaire ou universitaire : études, stages, formations.
b. **Choisissez** le parcours d'un membre du groupe. **Décidez** des critères (domaine d'études, lieu de formation, niveau...).
c. Écrivez le cursus choisi sur une feuille.
d. **En groupe** Échangez vos cursus avec les autres groupes.
e. Devinez quel est l'étudiant de ce cursus.

Grammaire

Le passé récent pour parler d'une action immédiate

Formation : Sujet + verbe *venir* au présent + **de** + **verbe à l'infinitif**

Je viens **de finir** mon master.

Les verbes *connaître* (2) et *savoir* au présent pour dire ses connaissances

• connaître + **nom** : Est-ce que vous connaissez notre **entreprise** ?

• savoir + verbe infinitif : Savez-vous **organiser** des actions de communication ?

L'interrogation pour poser des questions

• **Intonation : sujet + verbe + ?** (la voix monte)
Vous **voulez** faire votre stage de master chez nous ?

• **Inversion : verbe + sujet + ?** (la voix monte)
Savez-vous organiser des actions de communication ?

• **Les mots interrogatifs : comment** (U1), **quel** (U1 et U5), **qui** (U2), **est-ce que** (U2), **quand** (U3), **où** (U3), **combien** (U4)

! Qu'est-ce que = quoi
Qu'est-ce que vous étudiez ?
= Vous étudiez quoi ?

Le verbe *savoir* au présent

Je **sais**	Nous **savons**
Tu sais	Vous savez
Il/Elle/On sait	Ils/Elles savent

Le verbe *étudier* au présent

J'**étudie**	Nous étudions
Tu étudies	Vous étudiez
Il/Elle/On étudie	Ils/Elles étudient

Vocabulaire

Les études universitaires 

l'université = la faculté (la fac) • un cursus • un(e) étudiant(e) • la formation • le stage • un(e) stagiaire • l'alternance • un(e) alternant(e)

Les domaines 

le droit • la gestion • le management • l'économie (l'économie circulaire) • les langues • la santé • l'architecture • l'informatique • la chimie

Phonétique

Les sons [s] et [z]

• Le **son [s]** est tendu. Les cordes vocales ne vibrent pas.
– la licence • le master • le stage • une association

• Le **son [z]** est relâché. Les cordes vocales vibrent.
– les études [z] • une entreprise • organiser

• Observez, écoutez et répétez.

ils sont • ils ont [z]   nous savons • nous avons [z]

Entraînez-vous p. 108-109

LEÇON 29

Décrire un travail

COMPRENDRE

DOC. 1

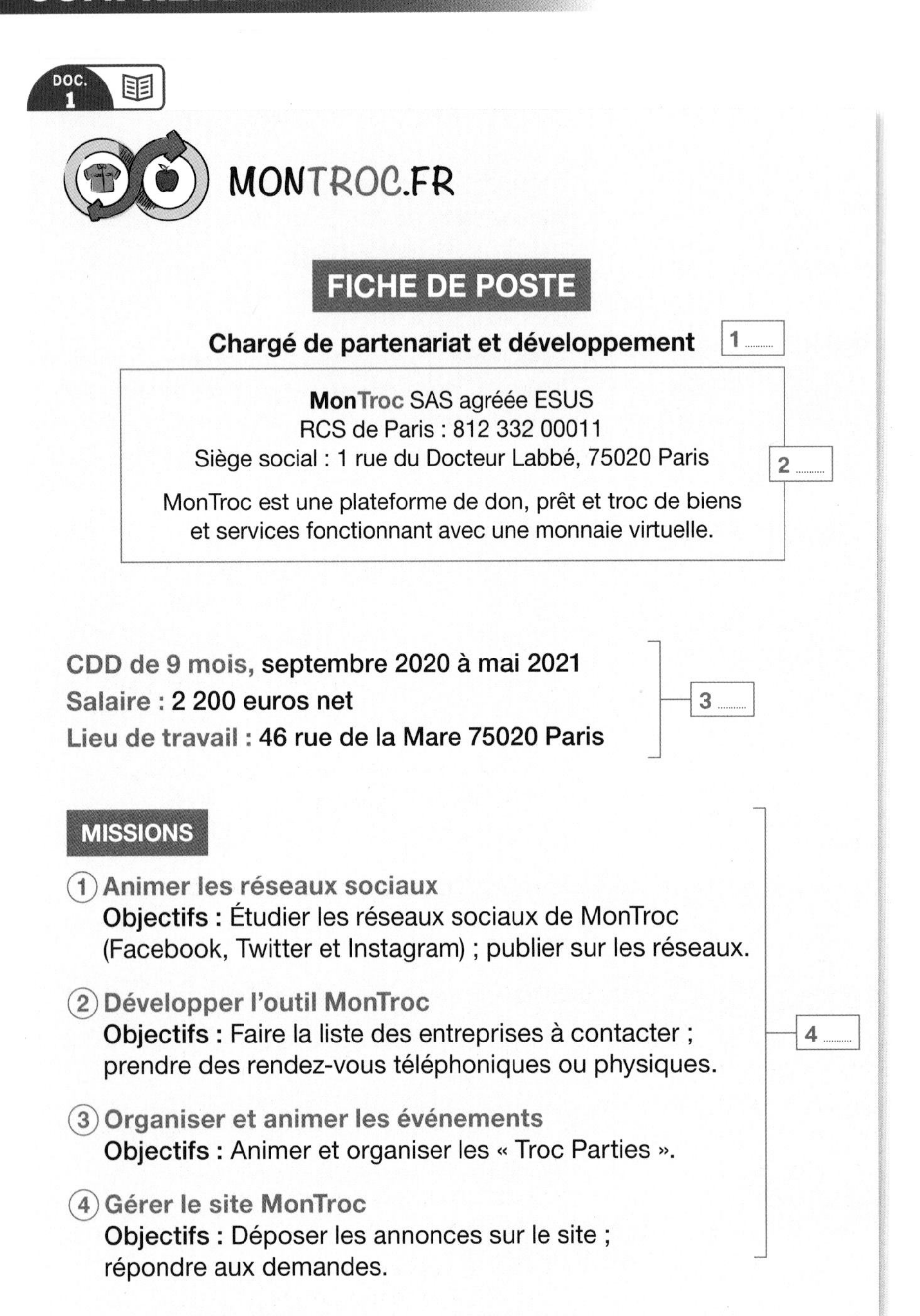

MONTROC.FR

FICHE DE POSTE

Chargé de partenariat et développement 1 ....

MonTroc SAS agréée ESUS
RCS de Paris : 812 332 00011
Siège social : 1 rue du Docteur Labbé, 75020 Paris

MonTroc est une plateforme de don, prêt et troc de biens et services fonctionnant avec une monnaie virtuelle. 2 ....

CDD de 9 mois, septembre 2020 à mai 2021
Salaire : 2 200 euros net
Lieu de travail : 46 rue de la Mare 75020 Paris 3 ....

MISSIONS 4 ....

① **Animer les réseaux sociaux**
Objectifs : Étudier les réseaux sociaux de MonTroc (Facebook, Twitter et Instagram) ; publier sur les réseaux.

② **Développer l'outil MonTroc**
Objectifs : Faire la liste des entreprises à contacter ; prendre des rendez-vous téléphoniques ou physiques.

③ **Organiser et animer les événements**
Objectifs : Animer et organiser les « Troc Parties ».

④ **Gérer le site MonTroc**
Objectifs : Déposer les annonces sur le site ; répondre aux demandes.

Culture(s)

■ **Les types de contrats de travail en France**

Le CDI : Contrat à durée indéterminée.
C'est la norme ; il n'a pas de limite dans le temps.

Le CDD : Contrat à durée déterminée.
Il est temporaire et renouvelable trois fois.
Il indique la durée du contrat (six mois, un an...).

Le CTT ou Intérim : Contrat de travail temporaire pour remplir une mission spécifique limitée dans le temps (six mois, un an...).

→ **Et dans votre pays ?**

1 Observez la fiche de poste (Doc. 1). Associez les énoncés aux parties 1 à 4 du document.

a. Missions et objectifs
b. Type de contrat, durée, salaire et adresse de travail
c. Adresse et présentation de la société
d. Intitulé du poste

2 À deux Lisez (Doc. 1). Classez les missions dans les trois catégories suivantes.

a. L'animation
b. La gestion
c. Le développement

Ex. : a-1 : animer les réseaux sociaux

3 En petit groupe **Décrivez votre travail ou votre travail idéal.**
Quel est votre poste ? Quelles sont vos missions ? Quel est votre type de contrat ?

4 Écoutez la discussion chez MonTroc (Doc. 2). Répondez.
Qui parle ? De quoi ?

5 À deux **Réécoutez (Doc. 2).**

a. Répondez *vrai* ou *faux*. Justifiez.
1. Sophie est directrice marketing.
2. Victor remplace Jordan.
3. Victor va s'occuper du site.
4. Victor a un CDD de neuf mois.
5. Il y a une réunion avec la directrice des ressources humaines dans une heure.
6. Sophie et Omid vont à cette réunion.

b. Entourez l'équivalent.
1. Tu es bête. = Tu es **intelligente** • **stupide**.
2. Elle n'est pas commode. = Elle est **stricte** • **sympa**.
3. Dommage ! = C'est **bien** • **regrettable**.
4. renouvelable = On **peut prolonger** • **ne peut pas prolonger**.
5. vite = **lentement** • **rapidement**

6 À deux **Observez. Que remplace le pronom *y* ?**
– C'est quand la réunion avec la directrice des RH ?
– C'est maintenant ! Vous **y** allez Victor ?

AGIR

7 Décrivez votre travail (ou votre travail idéal).
a. Écrivez la fiche de poste de votre travail (ou travail idéal).
Indiquez : l'intitulé du poste, la présentation de la société, le type de contrat (durée et adresse de travail), les missions et les objectifs.
b. À deux Partagez vos fiches de poste. **Échangez** pour les améliorer.

8 En grand groupe **Expliquez votre travail à la classe à l'aide de votre fiche de poste : fonctions, activités...**

Postez votre fiche sur le groupe de la classe.

Grammaire

Le futur proche (3) des verbes pronominaux
- **Forme affirmative :**
verbe **aller** au présent + **pronom** + **infinitif**
Vous allez **vous** occuper du site ?
- **Forme négative :**
Je **ne** vais **pas** **m'**occuper du site.

Le pronom *y* pour dire où on va
Y remplace un lieu.
sujet + **y** + verbe
– Tu vas à la **réunion** ? – J'**y** vais ou j'**y** vais pas ?
! J'y vais pas. = Je **n'**y vais pas.

Le verbe *répondre* au présent

Je **réponds**
Tu réponds
Ils/Elles répond**ent**
Nous répond**ons**
Vous répond**ez**
Ils/Elles répond**ent**

Vocabulaire

Le travail  146
le bureau • le temps • les horaires • le contrat

Les postes 147
le président/la présidente • le directeur/la directrice • le/la responsable • l'assistant(e)

Les services 148
le marketing • les RH (ressources humaines) • l'accueil • l'informatique

Les tâches 149
lire • analyser • publier • faire la liste • écrire • prendre des rendez-vous • répondre • vérifier

Phonétique

Les sons [E] / [Œ] / [O]  150  37
- Le **son [E]** est aigu, souriant.
– travaill**er** • un caf**é** • un stagi**ai**re • tu **es** b**ê**te
- Le **son [Œ]** est aigu, arrondi. La langue est en avant, contre les dents.
– le li**eu** • le direct**eu**r • l'acc**ue**il • j**eu**ne
- Le **son [O]** est grave, arrondi. La langue est en arrière, elle ne touche pas les dents.
– les rés**eau**x soci**au**x • un p**o**ste • le télépho**ne**

- **Écoutez et répétez.**
é • eu • o
ère • eure • ore

Entraînez-vous p. 108-109

Se loger

COMPRENDRE

DOC. 1

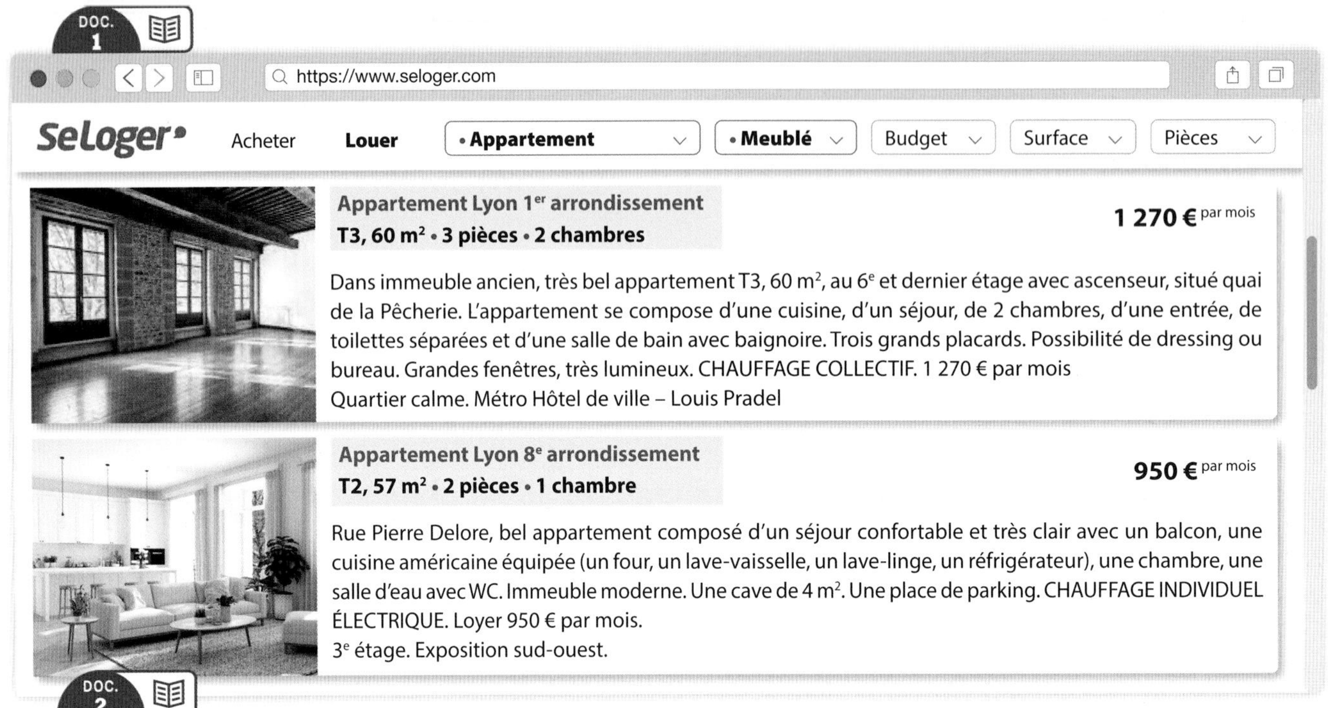

https://www.seloger.com

SeLoger · Acheter · **Louer** · **• Appartement** · **• Meublé** · Budget · Surface · Pièces

Appartement Lyon 1er arrondissement
T3, 60 m² • 3 pièces • 2 chambres

1 270 € par mois

Dans immeuble ancien, très bel appartement T3, 60 m², au 6e et dernier étage avec ascenseur, situé quai de la Pêcherie. L'appartement se compose d'une cuisine, d'un séjour, de 2 chambres, d'une entrée, de toilettes séparées et d'une salle de bain avec baignoire. Trois grands placards. Possibilité de dressing ou bureau. Grandes fenêtres, très lumineux. CHAUFFAGE COLLECTIF. 1 270 € par mois
Quartier calme. Métro Hôtel de ville – Louis Pradel

Appartement Lyon 8e arrondissement
T2, 57 m² • 2 pièces • 1 chambre

950 € par mois

Rue Pierre Delore, bel appartement composé d'un séjour confortable et très clair avec un balcon, une cuisine américaine équipée (un four, un lave-vaisselle, un lave-linge, un réfrigérateur), une chambre, une salle d'eau avec WC. Immeuble moderne. Une cave de 4 m². Une place de parking. CHAUFFAGE INDIVIDUEL ÉLECTRIQUE. Loyer 950 € par mois.
3e étage. Exposition sud-ouest.

DOC. 2

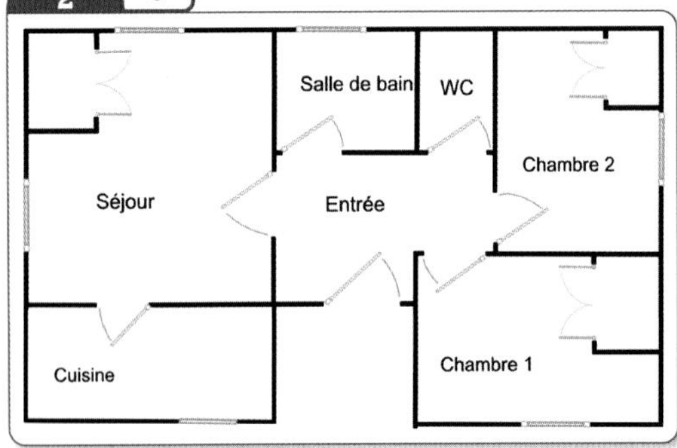

1 Observez (Doc. 1). Répondez.

a. Qu'est-ce que c'est ? b. Pour quoi faire ?

2 Lisez (Doc. 1).

a. Identifiez :

1. le nom du site.
2. le type de logement.
3. la surface.
4. l'étage.
5. le logement avec ascenseur.
6. la ville.
7. le prix par mois.

b. Notez les mots pour caractériser :

1. les immeubles. 2. les pièces. 3. les appartements.

Ex. : 1. ancien

c. À deux Relisez (Doc. 1). Regardez le plan (Doc. 2). Répondez.

À quelle annonce correspond le plan ?

3 À deux Placez ces meubles et ces appareils dans les pièces du plan (Doc. 2).

Ex. : un lit : chambre 1

a. un canapé

b. un lavabo

c. une table basse

d. une chaise

e. une armoire

f. une étagère

g. un bureau

h. un lave-linge

i. un réfrigérateur

j. une baignoire

k. les toilettes / les WC

l. un fauteuil

m. un lave-vaisselle

4 **À deux** **Regardez la vidéo de Pablo et répondez.**

Dans mon salon, il y a un canapé, deux fauteuils et une table basse. Et chez vous ?

5 Écoutez la conversation (Doc. 3). Répondez.

a. Qui parle à qui ?
b. De quoi parlent-ils ?

6 Réécoutez (Doc. 3).

a. Cochez (✓) la bonne réponse.

1. ☐ Nour a choisi un appartement et l'achète.
2. ☐ Nour et l'employé comparent les appartements pour choisir.
3. ☐ Nour veut vendre son appartement.

b. Répondez.

Pourquoi Nour ne visite pas l'appartement aujourd'hui ?

c. Notez un avantage du T3 et un avantage du T2.

7 **À deux** **a. Associez les quatre phrases à Nour ou à l'employé de l'agence.**

Ex. : Employé de l'agence : Il est plus grand.
Nour : Les immeubles anciens sont plus beaux.

1. Il est plus cher que le T2.
2. Le T2 est aussi clair que le T3.
3. Le T2 est moins grand que le T3.
4. Les immeubles anciens sont moins confortables.

b. Relisez les quatre phrases (7a). Complétez.

On utilise { plus / moins / aussi } + ... + **que** pour comparer.

c. Complétez avec *très* et *trop*.

1. .... (++) + adjectif
2. .... (++++++) + adjectif

8 **À deux** **Dites la météo du jour.**

AGIR

9 **À deux** **Décrivez votre appartement idéal.**

a. Imaginez les caractéristiques de l'appartement idéal.
b. Faites le plan.
c. Nommez les pièces, le type de cuisine, l'équipement, les meubles et précisez la surface.

d. **En groupe** **Choisissez** votre appartement préféré. **Expliquez** pourquoi.

Choisissez un site de décoration en 3D. Créez votre appartement virtuel. Présentez-le à la classe.

Grammaire

▸ Le verbe *être* au passé composé (4)

Être se conjugue avec l'auxiliaire *avoir* et son participe passé est : **été**.
Ça **a été** difficile.

▸ *Moins / plus* + adjectif (+ *que*) pour comparer

Moins / plus + **adjectif** (+ *que*)
Le T2 est moins **grand** que le T3.
Il est plus **cher** que le T2.

▸ *Aussi* + adjectif (+ *que*) pour comparer

Le T2 est aussi **clair** que le T3.

▸ *Très / trop* + adjectif pour exprimer l'intensité

L'appartement est très **clair**.
Les chambres du T3 sont trop **petites**.

Vocabulaire

▸ Le logement 

une location (meublée/non-meublée) • le loyer • l'immeuble • l'étage • un ascenseur • un balcon • le chauffage (collectif/individuel) • un parking • une cave

▸ L'appartement 

• Les pièces
l'entrée • le salon/le séjour • une chambre • le bureau • la cuisine (équipée, américaine) • la salle de bain/la salle d'eau

• Les parties
une fenêtre • un placard/un dressing • le parquet • une cheminée

• Les meubles
un lit • un canapé • une table, une table basse • une chaise • un bureau • un fauteuil • une armoire • une étagère

▸ Les caractéristiques du logement 

ancien / ancienne • moderne • confortable • lumineux / lumineuse • clair / claire • exceptionnel / exceptionnelle • beau / belle / bel (+ voyelle au nom masculin)

▸ Les nombres ordinaux 

1er : premier • 2e : deuxième • 3e : troisième...
Lyon, 2e arrondissement.
L'appartement est au quatrième étage.

▸ La météo 

Il pleut. 

Il y a du soleil. Il fait beau.

Il fait chaud. 

Il fait froid. 

C'est nuageux. 

Il neige. 

› Entraînez-vous p. 108-109

Techniques pour...

... écrire une annonce de location

LIRE

DOC. 1

1 **[Découverte] Observez (Doc. 1).**

a. Qu'est-ce que c'est ? Cochez (✓).

☐ 1. Le site d'un hôtel.
☐ 2. La page d'un guide touristique.
☐ 3. Un site pour la location saisonnière de logements.

b. Lisez et identifiez :

1. le type de logement.
2. les équipements.
3. le lieu.
4. le prix.
5. les qualités de l'offre.

2 **[Analyse] Relisez (Doc. 1).**

a. **À deux** **Mettez les informations dans l'ordre.**

la région • la maison • la chambre • la ville

b. Légendez le texte avec *Caractéristiques* et *Nom* sans article.

POUR écrire une annonce de location

- **Décrire le lieu**

1. Décrire la chambre : *Chambre confortable.*
2. Décrire l'extérieur : *Parfait pour découvrir la Bretagne.*

- **Mettre en valeur des qualités**

Nom sans article + caractéristique
Chambre confortable et lumineuse.
Petit déjeuner fait maison.

ÉCRIRE

3 **Écrivez une annonce de location.**

a. Vous partez pour trois mois à l'étranger et vous voulez louer votre maison ou votre appartement. Choisissez les qualités à mettre en valeur.

b. Écrivez le texte de présentation.

c. **À deux** **Lisez l'annonce d'un(e) camarade. Aidez votre camarade à mettre sa maison en valeur.**

À deux **Choisissez une plateforme de location. Mettez vos annonces en ligne.**

... créer son profil professionnel

LIRE

DOC. 2

www.linkedin.com

Linked in | SOCIÉTÉ | OFFRE | CARRIÈRES | COMMUNICATION | INNOVATION | FICHES MÉTIERS

A ....

Maud DUMONT
Décoratrice chez Déco et compagnie
Annecy, Auvergne-Rhônes-Alpes, France + de 500 relations

Message ...

B À propos

Je suis décoratrice parce que le design est ma passion. Depuis cinq ans, je travaille en collaboration avec des architectes en France et à l'étranger pour des particuliers ou des professionnels.

C ....

Décoratrice
Déco et compagnie

déc. 2015 – aujourd'hui – 5 ans
Annecy

Architecte d'intérieur, dessinatrice
Studio.Deco

févr. 2014 – sept. 2015 – 8 mois
Le Bourget-du-Lac, Auvergne-Rhône-Alpes, France

D ....

Institut Créad, Lyon
Architecte d'intérieur certifié niveau II, étudiante en architecture d'intérieur
sept. 2011 - juil. 2013

4 [Découverte] Observez (Doc. 2). Répondez.

a. Qu'est-ce que c'est ?
b. Pour quoi faire ?
c. Il y a combien de parties ?

5 À deux Lisez (Doc. 2).

a. Relevez le nom de la personne, sa profession, le nom de son entreprise et la ville.

b. Identifiez :

1. ses employeurs.
2. le nom de sa formation.
3. la durée de sa formation. Notez la date de début et de fin.
4. l'orthographe des mois.

6 [Analyse] À deux Légendez les parties A, C et D avec : Expérience • L'essentiel • Formation.

7 À deux Relisez (Doc. 2). Indiquez dans quelle partie se trouvent les informations sur :

a. le nom de l'école.
b. la durée des emplois.
c. l'explication de son choix de profession.
d. la profession et son employeur actuel.

POUR créer son profil professionnel

- Écrire un texte *(À propos)* pour mettre en valeur une caractéristique personnelle et ses compétences
Le design est ma passion.
Je travaille en collaboration avec des architectes en France et à l'étranger.
- Compléter *Expérience* et *Formation* avec : le nom du poste, la durée, les dates, le nom des diplômes, le nom de l'université ou de l'école.

ÉCRIRE

8 Créez votre profil professionnel en français.

a. Écrivez un texte pour la partie *À propos*. Mettez en valeur votre spécialité et votre personnalité.

b. Notez vos emplois et vos diplômes dans les parties *Expérience* et *Formation*.

À deux Choisissez un réseau social professionnel. Mettez votre profil en ligne en français.

Leçon 28

Les verbes *connaître* et *savoir* au présent

1 Choisissez *connaître* ou *savoir* et conjuguez au présent.

Ex. : Vous connaissez notre entreprise ?

a. Je .... parler anglais.
b. Nous .... organiser des événements de communication.
c. Elle .... le directeur !
d. Vous .... travailler en équipe ?
e. Tu .... la stratégie de notre start-up ?
f. Ils .... l'informatique et la chimie.

Le passé récent

2 Transformez les phrases au passé récent.

Ex. : J'ai fini mon master. → Je **viens de finir** mon master.

a. Mon fils a commencé des études de droit. → ....
b. Vous avez fait votre stage dans une start-up ? → ....
c. Ils ont assisté à la réunion. → ....
d. Nous avons obtenu notre diplôme. → ....
e. Tu as suivi un cursus universitaire. → ....
f. J'ai étudié le management. → ....

L'interrogation

3 Posez les questions. Utilisez les indications données.

Ex. : Vous étudiez quoi ? (*qu'est-ce que*) → **Qu'est-ce que vous étudiez ?**

a. Vous avez des diplômes ? (inversion) → ....
b. Êtes-vous disponible ? (*est-ce que*) → ....
c. Est-ce que vous parlez anglais ? (intonation) → ....
d. Vous connaissez l'informatique ? (inversion) → ....
e. Vous avez étudié le management ? (*est-ce que*) → ....

Les sons [s] et [z]

4 a. 157 Écoutez. Les groupes de mots sont identiques (=) ou différents (≠) ? Cochez (✓).

	Ex.	1.	2.	3.	4.	5.
=						
≠	✓					

b. 158 Écoutez et répétez de plus en plus vite.

1. Vous avez un stage dans une entreprise ou une association ?
2. Nous avons des étudiants en licence et en master.

Les études, les domaines

5 Reliez les professions aux domaines.

a. informaticien  •
b. avocat  •
c. économiste  •
d. architecte  •
e. chimiste  •
f. responsable RH  •
g. professeur d'espagnol  •

• 1. informatique
• 2. gestion / management
• 3. langues
• 4. chimie
• 5. droit
• 6. économie
• 7. architecture

Leçon 29

Le futur proche des verbes pronominaux

6 Répondez aux questions. Utilisez la forme négative.

Ex. : Tu vas t'occuper des réseaux sociaux ? → **Non, je ne vais pas m'occuper des réseaux sociaux.**

a. Vous allez vous inscrire à la réunion ?
b. Il va s'occuper du site ?
c. Tu vas t'inscrire à ce groupe de travail ?
d. Elles vont se préparer à répondre aux e-mails ?
e. Nous allons nous occuper de l'accueil ?
f. Vous allez vous préparer pour le rendez-vous ?

Le pronom *y*

7 À deux Lisez les lieux ou événements. Posez-vous la question : *Tu vas* + lieu ? et répondez : *Oui* ou *Non*.

Ex. : Tu vas au cinéma ce soir ? → **Oui, j'y vais. / Non, je n'y vais pas.**

~~le cinéma~~ • la réunion • le restaurant • le bureau • la piscine • l'animation marketing

Le travail, les postes, les services, les tâches

8 Barrez l'intrus.

Ex. : lire • ~~l'assistante~~ • publier

a. le marketing • le contrat • les RH
b. le CDD • le responsable • le contrat
c. analyser • la directrice • l'assistant
d. prendre les rendez-vous • vérifier • le bureau
e. le responsable • le président • le marketing

Les sons [E] – [Œ] – [O]

9 a. 159 **Écoutez. Vous entendez le son [E], le son [Œ] ou le son [O] ?**

Ex. : J'y vais ou j'y vais pas.

	Ex.	1.	2.	3.	4.	5.
[E]	✔					
[Œ]						
[O]						

b. 160 **Écoutez et répétez.**

Leçon 30

Le passé composé

10 Conjuguez les verbes au passé composé.

Salut Sophie !
Nous (visiter) **avons visité** deux appartements !
Ça (être) .... difficile ! Je (contacter) .... une agence. L'employé (proposer) .... cinq appartements. Nous (réfléchir) .... et nous (sélectionner) .... deux appartements.
Je (discuter) .... avec l'employé, il (conseiller) .... de visiter les deux.
J'y (aller) .... hier après-midi avec Stéphane.
Il (ne pas aimer) .... le premier, moi je (détester) .... le deuxième ! On (se disputer) ....
Tu m'appelles ?
Carla

La comparaison

11 Comparez à l'aide des indications.

Ex. : le T3 • le T2 (grand • +) → **Le T3 est plus grand que le T2.**

a. le premier étage • le quatrième étage (**lumineux** • –)
b. le T2 • le T3 (**clair** • =)
c. les toilettes • la salle de bain (**grand** • +)
d. les immeubles anciens • les immeubles modernes (**beau** • +)
e. les immeubles anciens • les immeubles modernes (**confortable** • –)
f. la cuisine • le salon (**grand** • =)

La météo

12 161 **Écoutez et complétez la carte avec :**

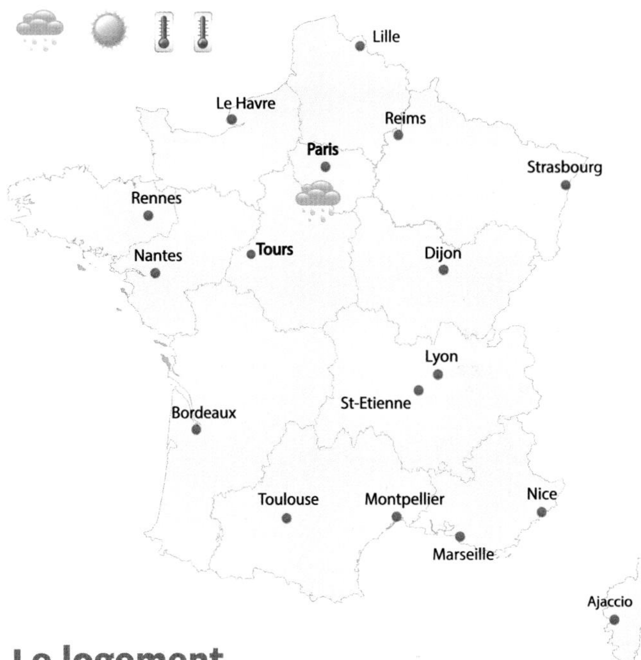

Le logement

13 À deux Observez la photo. En trois minutes, indiquez le maximum de pièces, de meubles et d'appareils.

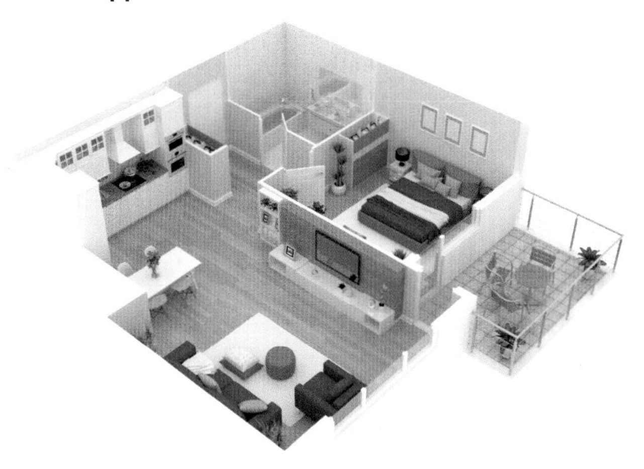

Faites le point

Expressions utiles

EXPLIQUER SON CURSUS

- Je viens de finir mon master 1.
- J'envisage de suivre mon master 2 en alternance.
- J'ai suivi un double cursus droit/gestion.
- J'ai obtenu ma double licence l'année dernière.
- J'ai choisi de faire un master de gestion.
- Je joins mon curriculum vitae à ce message.

DÉCRIRE UN TRAVAIL

- Je suis motivé pour travailler chez Phenix.
- Savez-vous organiser des actions de communication ?
- Je vais développer les réseaux sociaux.
- Je suis en CDD.
- Mon contrat est renouvelable.

PARLER AU QUOTIDIEN

- On y va ! Vite !
- Vous y allez ?
- Je n'y vais pas.
- Dommage !
- Tu es bête !
- Elle n'est pas commode !

PARLER AU TÉLÉPHONE

- J'appelle pour la location de l'appartement.
- Ne quittez pas.

DÉCRIRE UN LOGEMENT

- Bel appartement composé d'un séjour confortable et très clair avec un balcon...
- Il est au 6e étage, il est très clair.
- Le chauffage est collectif.
- Il a un balcon exposé sud-ouest.
- Il y a une place de parking.

COMPARER DES APPARTEMENTS/ DES IMMEUBLES

- Le T3, il est plus grand.
- Le T2 est aussi clair que le T3.
- Le T2 est moins grand que le T3.

PROPOSER UNE VISITE

- On se retrouve à l'agence ?

DIRE LE TEMPS QU'IL FAIT

- Il fait trop chaud l'été.
- Aujourd'hui, il pleut.
- Demain, il y a du soleil.

Évaluez-vous !

À LA FIN DE L'UNITÉ 8, VOUS SAVEZ...	APPLIQUEZ !
☐ parler au passé récent.	› Dites ce que vous venez de faire.
☐ utiliser *savoir* et *connaître*.	› Complétez avec *je sais* ou *je connais*. ………………… l'Angleterre. ………………… parler anglais.
☐ utiliser le pronom *y*.	› Répondez. Utilisez *y*. – Tu vas à la réunion ? – Oui, …………………
☐ décrire un logement.	› Comment est votre appartement ?
☐ comparer.	› Complétez avec des comparatifs. Une maison est (+) ………………… appartement. Un canapé rouge est (=) ………………… canapé bleu.
☐ parler de la météo.	› Légendez ces dessins.    
☐ conjuguer le verbe *être* au passé composé.	› Complétez. 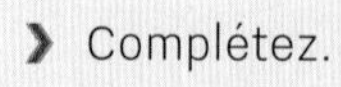 Le choix de l'appartement ………… difficile. Les employés de l'agence ………… sympathiques.

Annexes

DELF A1

I COMPRÉHENSION DE L'ORAL 25 POINTS

Exercice 1 : Identifier des événements 4 points

162 **Vous êtes en France. Vous entendez ce message dans un magasin. Écoutez et cochez (✓) la bonne réponse.**

1. Aujourd'hui, le magasin fête son… 1 point
   - ☐ a. sixième anniversaire.
   - ☐ b. dixième anniversaire.
   - ☐ c. seizième anniversaire.

2. Quel est le prix des sacs ? 1 point
   - ☐ a. 2 euros
   - ☐ b. 10 euros
   - ☐ c. 12 euros

3. Cet après-midi, la promotion est sur quel article ? 1 point

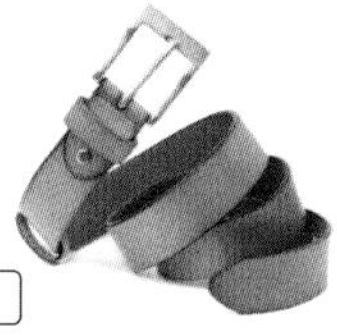

   a  ☐ b.  ☐ c. ☐

4. À quelle heure la promotion se termine ? 1 point

   a.  ☐ b.  ☐ c. ☐

Exercice 2 : Identifier une activité 4 points

163 **Vous êtes en France. Vous entendez ce message. Écoutez et cochez (✓) la bonne réponse.**

1. Cette annonce concerne quel moyen de transport ? 1 point

   a. ☐ b.  ☐ c. ☐

2. Pourquoi il y a du retard ? 1 point

☐ a. Parce qu'il pleut.

☐ b. Parce qu'il neige.

☐ c. Parce qu'il y a un accident.

3. Les passagers peuvent attendre où ? 1 point

☐ a. Dans la salle n° 1.

☐ b. Dans la salle n° 2.

☐ c. Dans la salle n° 3.

4. Qu'est-ce que les passagers trouvent dans la salle ? 1 point

a. ☐ b. ☐ c. ☐

Exercice 3 : Suivre des instructions 4 points

164 **Vous êtes en France. Vous entendez cette recette de cuisine à la radio. Écoutez et cochez (✓) la bonne réponse.**

1. Pour préparer la salade, il faut quel fruit ? 1 point

a. ☐ b. ☐ c. ☐

2. Il faut combien de fraises ? 1 point

☐ a. 100 grammes

☐ b. 200 grammes

☐ c. 300 grammes

3. Quel jus on doit ajouter ? 1 point

☐ a. jus d'ananas

☐ b. jus d'orange

☐ c. jus de pomme

4. Qu'est-ce qu'on ne met pas dans la salade de fruits ? 1 point

a. ☐ b. ☐ c. ☐

Exercice 4 : Identifier des situations **8 points**

165 **Vous êtes en France. Vous entendez ces conversations dans la rue. Écoutez et associez chaque dialogue à une photo. Notez sous chaque photo le numéro du dialogue correspondant. (Attention, il y a 6 photos mais seulement 4 dialogues.)**

a. dialogue numéro ....

b. dialogue numéro ....

c. dialogue numéro ....

d. dialogue numéro ....

e. dialogue numéro ....

f. dialogue numéro ....

Exercice 5 : Identifier des objets **5 points**

166 **Vous êtes en France. Vous recevez ce message. Quels objets sont donnés dans le message ? Vous entendez le nom de l'objet ? Cochez OUI (✓). Sinon, cochez NON (✓).**

☐ a. Oui ☐ b. Non

☐ a. Oui ☐ b. Non

☐ a. Oui ☐ b. Non

☐ a. Oui ☐ b. Non

☐ a. Oui ☐ b. Non

II COMPRÉHENSION DES ÉCRITS 25 POINTS

Exercice 1 : Lire des instructions **6 points**

Vous êtes en France. Vous recevez ce message de votre nouveau voisin dans votre boîte aux lettres. Lisez et cochez (✓) la bonne réponse.

Chers voisins et voisines,

Je suis Maxime, votre nouveau voisin. J'habite l'appartement numéro 37, au 4e étage. Pour fêter mon arrivée dans l'immeuble, je vous invite à dîner chez moi, vendredi 26 février à 19 heures. Je m'occupe des plats et des boissons : des jus de fruits pour les enfants et du vin pour les grandes personnes. Vous pouvez apporter les desserts ?

Appelez-moi au 06 89 65 74 21 avant le 18 février.

Maxime

1. Maxime vous invite à... (1 point)
   - ☐ a. manger chez lui.
   - ☐ b. boire un verre chez lui.
   - ☐ c. prendre un café chez lui.

2. Quelle est la date du dîner ? 1 point

- a. le 18 février
- b. le 19 février
- c. le 26 février

3. Qu'est-ce que Maxime va proposer comme boissons aux adultes ? 1,5 point

a. ☐  b. ☐  c. ☐

4. Qu'est-ce que vous devez apporter ? 1,5 point

a. ☐  b. ☐  c. ☐

5. Pour confirmer votre présence, vous devez... 1 point

- a. téléphoner.
- b. envoyer un email.
- c. envoyer un message.

Exercice 2 : Lire pour s'orienter 6 points

Vous êtes en France. Vous recevez ce message d'une amie française. Lisez et cochez (✓) la bonne réponse.

expéditeur : Louisa67@gmail.com **destinataire :** Mathieu

objet : Pique-nique

Salut,

Mon frère et son amie arrivent vendredi. J'organise un pique-nique, dimanche. Tu veux venir avec nous ? Le parc ouvre à 10 heures. On se retrouve à 11 heures. Je viens en voiture. Mon frère et son amie viennent à vélo. À pied, le parc n'est pas loin de chez toi. À partir de la mairie, tu prends la rue des Bois, puis à gauche la rue du Puits, et à droite la rue Voltaire. L'entrée du parc est là, sur la gauche.

J'apporte des sandwichs et mon frère va faire une salade. Tu peux apporter un gâteau ? Merci !

Louisa

1. Louisa vous propose un pique-nique quel jour ? 1 point

- a. vendredi
- b. samedi
- c. dimanche

2. Le rendez-vous est à quelle heure ? 1 point
- ☐ a. 10 heures
- ☐ b. 11 heures
- ☐ c. 12 heures

3. Comment Louisa va au parc ? 1 point
- ☐ a. à pied
- ☐ b. à vélo
- ☐ c. en voiture

4. Quel itinéraire correspond aux indications de Louisa ? 2 points

a. 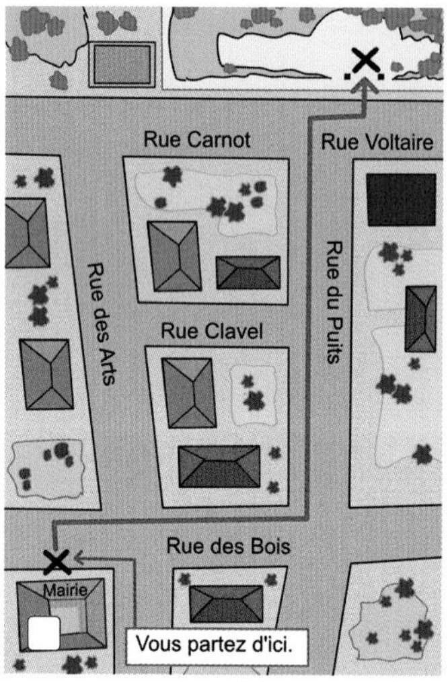 Rue Carnot, Rue Voltaire, Rue des Arts, Rue du Puits, Rue Clavel, Rue des Bois, Mairie, Vous partez d'ici.

b. 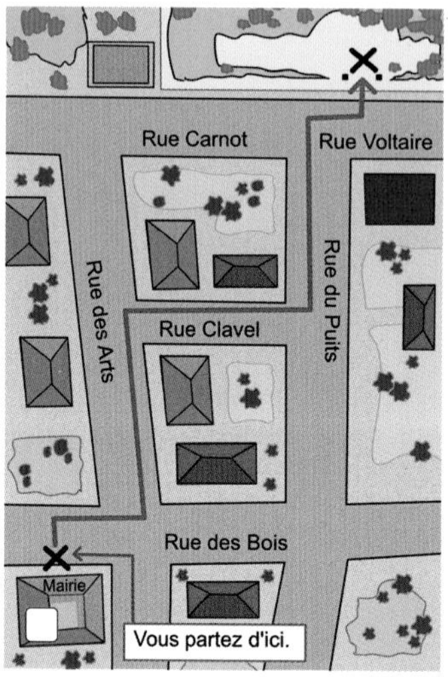 Rue Carnot, Rue Voltaire, Rue des Arts, Rue du Puits, Rue Clavel, Rue des Bois, Mairie, Vous partez d'ici.

c. 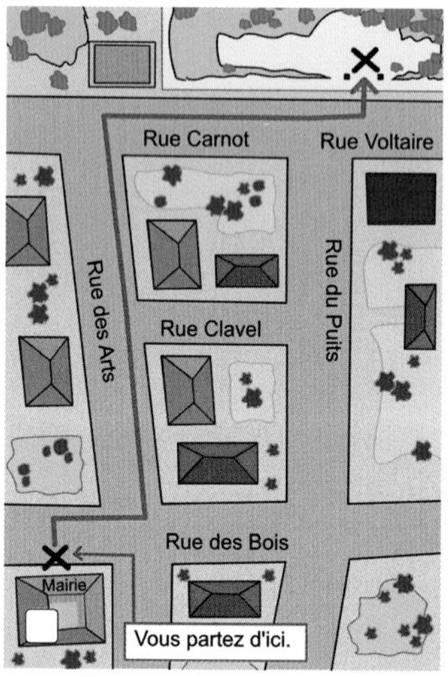 Rue Carnot, Rue Voltaire, Rue des Arts, Rue du Puits, Rue Clavel, Rue des Bois, Mairie, Vous partez d'ici.

5. Qu'est-ce que vous devez apporter ? 1 point
- ☐ a. un dessert
- ☐ b. des boissons
- ☐ c. des sandwichs

Exercice 3 : Lire pour s'orienter dans le temps 6 points

Vous êtes en France. Vous lisez ces annonces dans le journal de votre quartier. Cochez (✓) la bonne réponse.

ANNONCES

Annonce 1	**Vélo à vendre, marque Bicycle, 45 euros.** Appeler Annabelle au 06 54 87 52 36 54, le soir à partir de 18 heures.
Annonce 2	**Atelier de conversation en espagnol.** Rendez-vous à la maison de quartier, le mercredi de 15h à 17h.
Annonce 3	**Baby-sitter disponible les mardi et jeudi, à partir de 16h30.** Contacter Juliette au 06 44 38 56 79 20.
Annonce 4	**Appartement de 3 pièces à louer. Visite tous les samedis entre 10h et 13h.** Appeler Max au 07 37 89 27 22.
Annonce 5	**Cours de yoga le lundi, de 10h à 11h30 ou le samedi, de 15h à 17h.** Envoyer un email à marie.petit@live.com

1. À quel moment vous pouvez parler en espagnol ? (1 point)
   - ☐ a. le matin
   - ☐ b. l'après-midi
   - ☐ c. le soir

2. Qu'est-ce que vous pouvez faire le samedi à 10h ? (1 point)
   - ☐ a. du babysitting
   - ☐ b. un cours de yoga
   - ☐ c. une visite d'appartement

3. À quelle heure vous téléphonez pour acheter un vélo ? (1,5 point)
   - ☐ a. à 12 heures
   - ☐ b. à 15 heures
   - ☐ c. à 19 heures

4. Combien dure la leçon de yoga le lundi matin ? (1,5 point)
   - ☐ a. une heure
   - ☐ b. une heure trente
   - ☐ c. deux heures

5. Vous cherchez une baby-sitter le mardi après-midi. Qui est-ce que vous appelez ? (1 point)
   - ☐ a. Max
   - ☐ b. Juliette
   - ☐ c. Annabelle

Exercice 4 : Lire pour s'informer (7 points)

Vous êtes en France. Vous lisez cette affiche à la bibliothèque. Cochez (✓) la bonne réponse.

La nouvelle bibliothèque des Lilas ouvre ses portes jeudi 24 mai, à 14 heures.

À cette occasion, le directeur va présenter un programme d'activités pour les petits et les grands.
Venez visiter la grande salle de lecture et la salle réservée aux jeux pour tous les âges. Dans un espace très confortable, les enfants peuvent écouter des histoires ou regarder des vidéos.

La bibliothèque est ouverte tous les jours de 10 h à 19 h et le vendredi jusqu'à 22 heures.
Pour vous inscrire, allez sur le site www.bibliodeslilas.fr

1. La bibliothèque des Lilas ouvre... (1 point)
   - ☐ a. le 24 mai au matin.
   - ☐ b. le 24 mai l'après-midi.
   - ☐ c. le 24 mai au soir.

2. Le directeur va présenter des activités pour... (1 point)
   - ☐ a. les adultes.
   - ☐ b. les enfants.
   - ☐ c. les adultes et les enfants

3. Quelle activité on peut faire dans une salle de la bibliothèque ? (2 points)

a. ☐ b. ☐ c. ☐

4. À la bibliothèque, les enfants peuvent... (1,5 point)
- [ ] a. dessiner.
- [ ] b. faire du théâtre.
- [ ] c. écouter des histoires.

5. Qu'est-ce que vous devez faire pour vous inscrire ? (1,5 point)
- [ ] a. aller à la bibliothèque
- [ ] b. téléphoner à la bibliothèque
- [ ] c. aller sur le site Internet de la bibliothèque

III PRODUCTION ORALE 25 POINTS

Exercice 1 : L'entretien dirigé

Répondez aux questions suivantes de l'examinateur.

→ Quelle est votre date de naissance ?
→ Dans quelle ville habitez-vous ?
→ Quelle est votre adresse ?
→ Quelle est votre profession ?
→ Quelle est votre couleur préférée ?

Exercice 2 : L'échange d'informations

Posez des questions à l'examinateur à l'aide des mots suivants.

Appartement | Cinéma | Frère | Repas | Vacances | Train

Exercice 3 : Le dialogue simulé

Vous êtes en Belgique, au restaurant. Vous posez des questions sur les plats au serveur, vous choisissez et vous payez. L'examinateur joue le rôle du serveur.

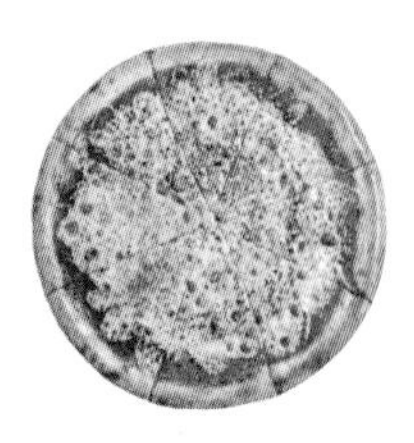

IV PRODUCTION ÉCRITE 25 POINTS

Exercice 1 10 points

Vous commandez des vêtements sur un site français de vente sur Internet. Vous remplissez le formulaire pour recevoir votre commande.

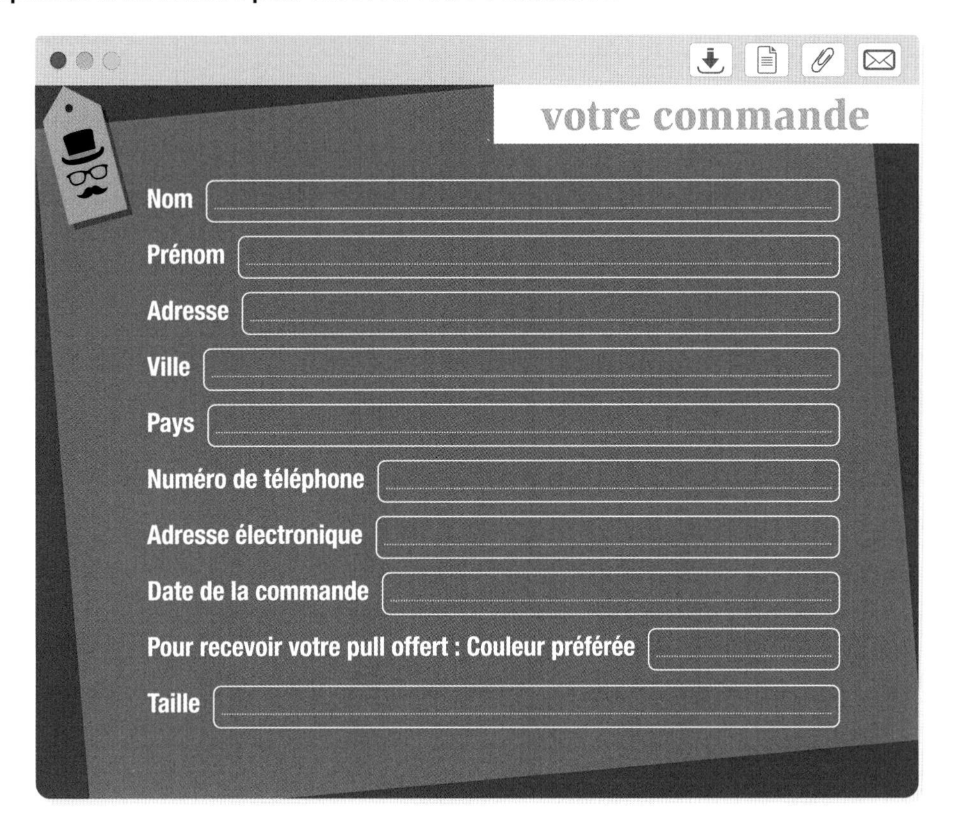

votre commande

Nom ....

Prénom ....

Adresse ....

Ville ....

Pays ....

Numéro de téléphone ....

Adresse électronique ....

Date de la commande ....

Pour recevoir votre pull offert : Couleur préférée ....

Taille ....

Exercice 2 15 points

Vous écrivez un texte sur le blog « Les loisirs et vous ». Vous vous présentez, vous parlez de vous, de votre famille et de votre loisir préféré. Vous dites quand, où et avec qui vous faites ce loisir. (40 mots minimum)

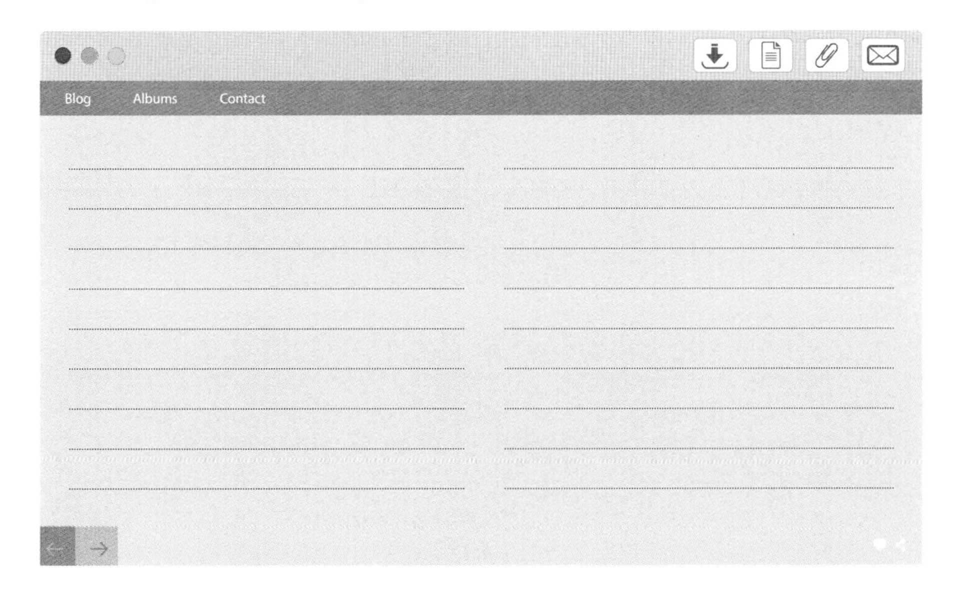

Précis de phonétique

Les sons du français

souriant fermé
souriant ouvert
arrondi fermé
arrondi ouvert

aigu, langue en avant

grave, langue en arrière

tendu, sourd
relâché sonore
explosif
continu

LES VOYELLES

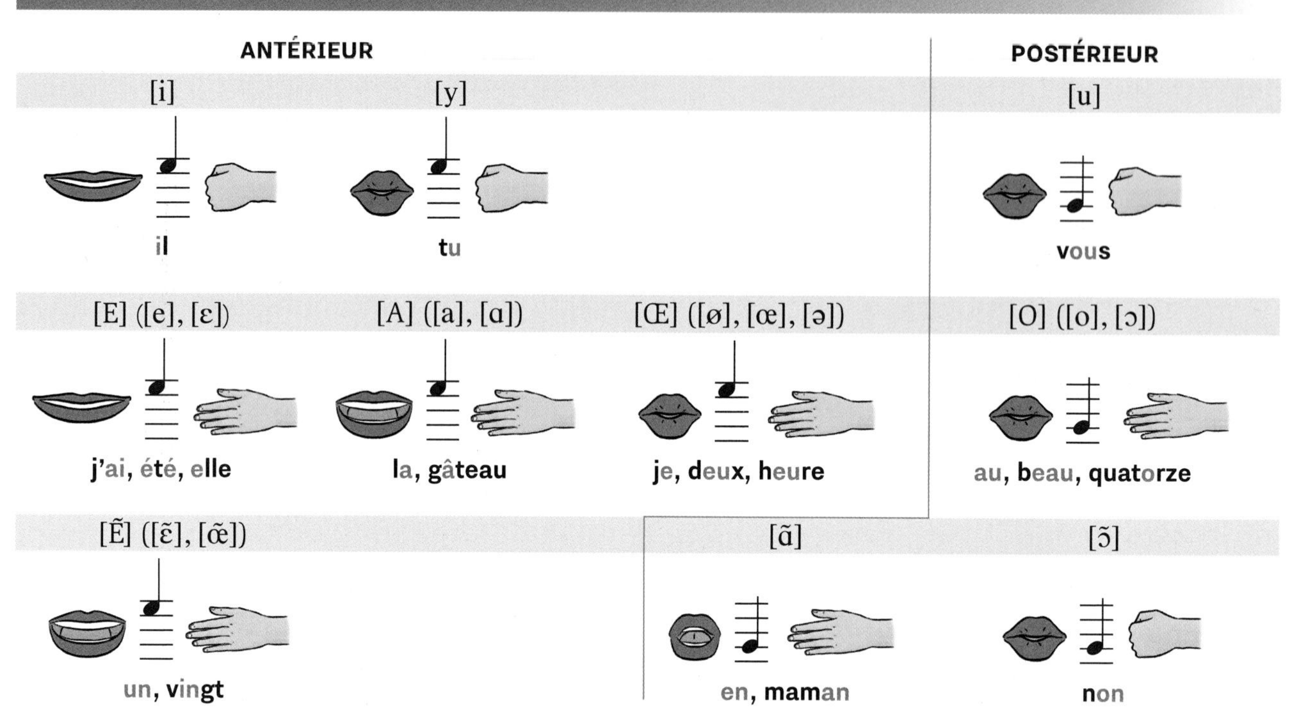

LES CONSONNES

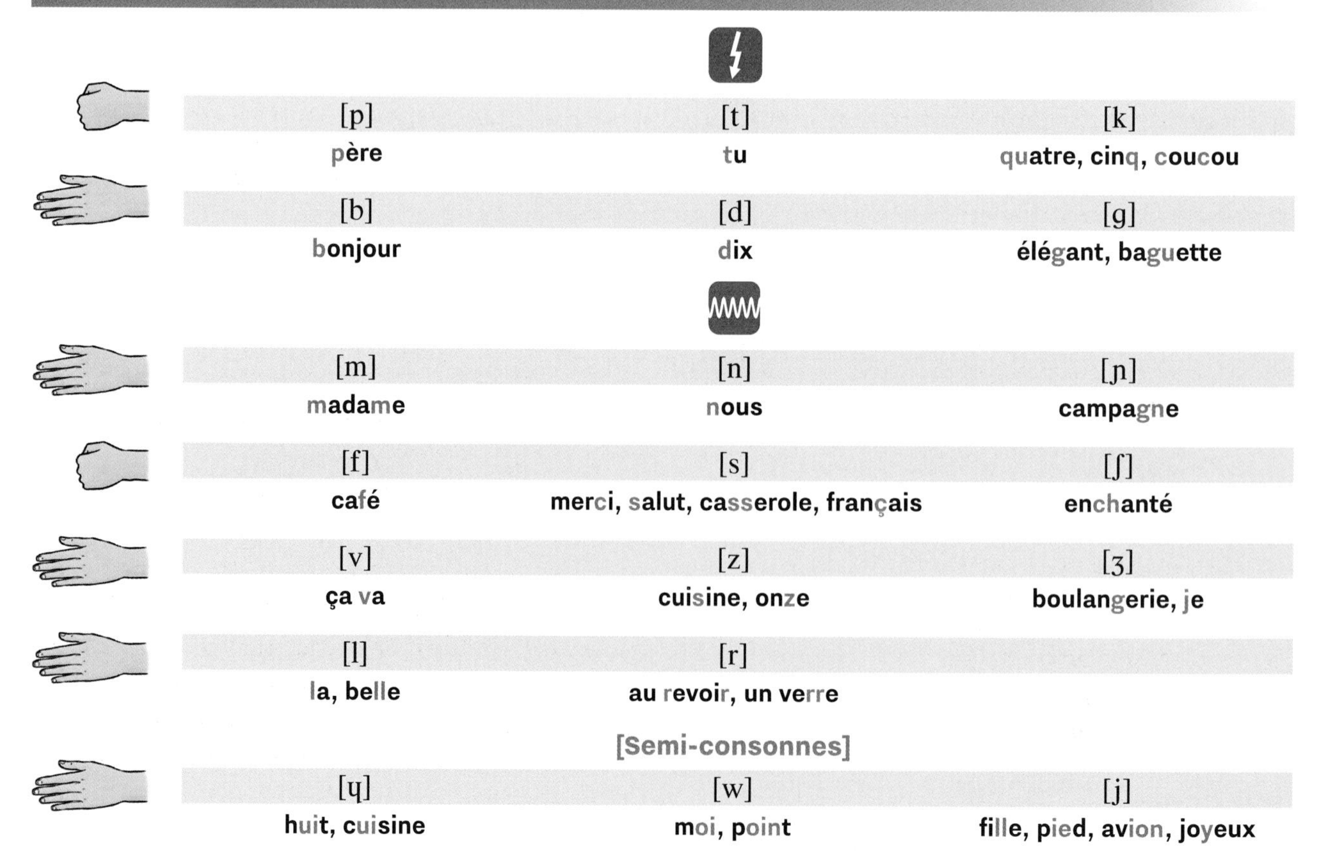

Le rythme, l'accentuation

En français, le rythme est très important.
Respectez le nombre de syllabes.
Les syllabes sont toutes identiques,
sauf la dernière qui est plus longue.

Ex. :
la / Chine / → 2 syllabes
l'I / ta / lie / → 3 syllabes
le / Ca / na / da / → 4 syllabes
la / Nou / velle / -Zé / lande / → 5 syllabes

L'intonation

Pour poser une question, la voix monte. ↑
Ex. : Vous êtes espagnol ? ↑

Pour répondre, la voix descend. ↓
Ex. : Oui. ↓ Je suis espagnol. ↓

La phrase n'est pas finie, la voix monte ↑.
La phrase est finie, la voix descend ↓.
Ex. : Dans ma ville ↑ il n'y a pas le métro ↑
il y a le tramway ↓

Le groupe rythmique

On prononce un groupe de mots comme un seul mot. C'est le groupe rythmique.

Ex. :
- J'habite au Mexique. [jabitomɛksik]
- Vous êtes espagnols ? [vuzɛtɛspaɲol]
- J'habite à Toulon. Dans ma ville, il n'y a pas le métro,
  [jabitatulɔ̃] [dɑ̃mavil] [ilnjapaləmetro]
  il y a le tramway.
  [iljalətramwɛ]

La continuité : l'élision, les liaisons et les enchaînements

En français, on ne s'arrête pas entre les mots.
Prononcez comme un seul mot.

Ex. :
- J'ai_mal_à_la_gorge. → j'ai-ma-là-la-gorge
  → [jemalalagɔrʒ]
- Vous_avez des_antibiotiques.
  → vou_sa_vez de-san-ti-bio-tiques. → [vuzavedezɑ̃tibjotik]
  [z] [z]
- une infirmière → u_nein_fir_mière → [ynɛ̃firmjɛr]
  un infirmier → un_nin_fir_mier → [œ̃nɛ̃firmje]
- J'ai mal à la tête. → [jemalalatɛt]
- Elle a mal aux dents. → [ɛlamalodɑ̃]
- Ils ont mal au dos. → [ilzɔ̃malodo]

Les lettres finales muettes

En général, on ne prononce pas les consonnes et le *e* en fin de mot.

Ex. :
Il est très grand. Elle est grande.
Ils sont grands. Elles sont grandes.

Les combinaisons de voyelles

1 voyelle, 2 voyelles, 3 voyelles = un son
- **o, au, eau** = [O] ; n**o**s, **au**, nouv**eau**
- **ou** = [u] ; n**ou**s, n**ou**veau
- **é, è, ê, ai** = [E] ; b**é**b**é**, m**è**re, vous **ê**tes, j'**ai**
- **e, eu, œu** = [Œ] ; j**e**, chant**eu**r, s**œu**r

L'alphabet, l'e-mail

[a] a • h • k
[e] b • c • d • g • p • t • v • w
[ɛ] f • l • m • n • r • s • y • z
[i] i • j • x
[y] u • q
[o] o
[ə] e
é e accent aigu
è e accent grave
ê e accent circonflexe

Quelques voyelles

- **Les sons [y] et [u]**

  – **Le son [y] est aigu, tendu, arrondi.**
  La langue est en avant.
  Ex. : la r**u**e • le s**u**d • s**u**per

  – **Le son [u] est grave, tendu, arrondi.**
  La langue est en arrière.
  Ex. : au b**ou**t • c'est **où** • t**ou**t droit

- **Les sons [i] et [E]**

  – **Le son [i] est tendu, aigu, souriant.**
  La bouche est fermée.
  Ex. : m**i**d**i** • Je m'hab**i**lle. • **I**l hab**i**te à Par**i**s.

  – **Le son [E] est relâché, aigu, souriant.**
  La bouche est ouverte.
  Ex. : le d**é**jeun**er** • Je me l**è**ve. • ch**ez** moi • dîn**er** • s'habill**er**

Les sons E ([e] – [ɛ]) / Œ ([ø] – [œ] – [ə]) / O ([o] – [ɔ])

- **Le son [E] est aigu, souriant.**
  Ex. : travaill**er** • un caf**é** • un stagi**ai**re • tu **es** b**ê**te
- **Le son [Œ] est aigu, arrondi. La langue est en avant, contre les dents.**
  Ex. : le l**ieu** • le direct**eu**r • l'acc**ueil** • j**eu**ne
- **Le son [O] est grave, arrondi. La langue est en arrière, elle ne touche pas les dents.**
  Ex. : les rés**eau**x soci**au**x • un p**o**ste • le téléph**o**ne
- **Le son [O] est oral, l'air passe par la bouche.**
  Ex. : le kil**o** • la p**o**mme • d'acc**o**rd • la tom**a**te • L**o**cav**o**r
- **Le son [ɔ̃] est nasal. L'air passe par le nez (et par la bouche). On ne prononce pas le *n*.**
  Ex. : le mel**on** • le th**on** • elles s**on**t • nous voudri**on**s • n**on**

Précis de phonétique

Les sons [E] ([e] – [ɛ]) et [Ẽ] ([œ̃] – [ɛ̃])

- Le son [E] est oral, l'air passe par la bouche.
  Ex. : une entr**ée** • un d**e**ssert
- Le son [Ẽ] est nasal. L'air passe par le nez (et par la bouche). On ne prononce pas le *n*.
  Ex. : le v**in** • v**in**gt (20) • **un** (1) • bi**en** • je revi**en**s

Les sons [a] et [ɑ̃]

- Le son [a] est oral, l'air passe par la bouche.
  Ex. : **la** tom**a**te • le j**a**rdin**a**ge • le j**a**rdin p**a**rt**a**gé
- Le son [ɑ̃] est nasal. L'air passe par le nez (et par la bouche). On ne prononce pas le *n*.
  Ex. : d**an**s • pl**an**ter • dem**an**der • l'**en**grais • l'**en**vironnem**en**t

La semi-consonne [j]

La bouche est souriante, la pointe de la langue en bas.
Ex. : aïe • **y**oga
- **ouil/ouille** → [uj] la ratat**ouille**
- **ail/aille** → [aj] de l'**ail** • je trav**aille**
- **ill/ille** → [ij] la cu**ill**ère • la f**ille**
- **euille** → [Œj] une f**euille**
- **ie** → [j] un ingréd**ie**nt • du laur**ie**r • délic**ie**ux
- **y** → [j] un **y**aourt

Les consonnes [s] et [z]

- Le son [s] est tendu. Les cordes vocales ne vibrent pas.
  Ex. : la li**c**en**c**e • le ma**s**ter • le **s**tage • une a**ss**o**c**ia**t**ion
- Le son [z] est relâché. Les cordes vocales vibrent.
  Ex. : – le**s**‿études [z] • une entrepri**s**e • organi**s**er
  – ils **s**ont – il**s**‿ont [z]
  – nous **s**avons – nou**s**‿avons [z]

Graphie-phonie

QUELQUES CONSONNES

VOUS LISEZ	PRONONCEZ	EXEMPLES
La lettre « c »		
ce, ci, c'e	[s]	cent, cinéma, c'est
co, cl, ca	[k]	cou, classe, carte
ç	[s]	français
ch	[ʃ]	enchanté
La lettre « g »		
ga, go, gla, gu	[g]	élégant, gorge, Anglais, baguette
ge	[ʒ]	boulangerie
gn	[ɲ]	campagne
La lettre « h »	Ne prononcez pas	
h	–	habiter

VOUS LISEZ	PRONONCEZ	EXEMPLES
La lettre « q »		
q, qu	[k]	cinq, qui, musique
La lettre « s »		
s, ss	[s]	salut, danser, tennis, passer
s entre 2 voyelles s‿liaison	[z]	musée, française les‿amis, mes‿amis
La lettre « x »		
x dans les nombres	[s]	dix
x‿liaison	[z]	dix‿amis
x entre 2 voyelles	[ks]	taxi
ex-	[Egz]	exercice

QUELQUES VOYELLES

VOUS LISEZ	PRONONCEZ	EXEMPLES
La lettre « a »		
a, à	[a]	la, à
aill, ail	[aj]	travailler, le travail
ai	[E]	j'ai
an	[ɑ̃]	an
ain	[Ẽ]	main
au	[O]	au
ay	[Ej]	payer
La lettre « e »		
e eu	[Œ]	le heure, deux
en	[ɑ̃]	trente
e + consonne prononcée e + consonne muette é è ê ei	[E]	sept, mer les, parler, parlez café mère fête treize
eau	[O]	beau
eil	[Ej]	soleil
La lettre « i »		
i	[i]	dix
in	[Ẽ]	vingt
ill	[ij]	fille
ien	[jẼ]	bien

VOUS LISEZ	PRONONCEZ	EXEMPLES
La lettre « o »		
o	[O]	métro, quatorze
ou	[u]	douze
ouill	[uj]	ratatouille
on	[ɔ̃]	onze
oi	[wa]	moi
œu	[Œ]	sœur
oin	[wẼ]	loin
La lettre « p »		
p, pp	[p]	pas, appelle
ph	[f]	photographe
La lettre « u »		
u	[y]	du sucre
un	[Ẽ]	un
ui	[ɥi]	lui
La lettre « y »		
y entre 2 consonnes	[i]	le lycée
oy	[waj]	joyeux
y + voyelle	[j]	yaourt
ym	[Ẽ]	sympa

Précis grammatical

LES ARTICLES

Les articles sont utilisés pour nommer les choses ou les personnes. Ils sont placés devant le nom.

Les articles définis et indéfinis

	Masculin	Féminin	Pluriel
Article indéfini Pour désigner une personne ou une chose non précisée	**un** restaurant	**une** chanson	**des** chanteurs **des** chansons
Article défini – Pour désigner un pays – Pour désigner une chose ou une personne unique, précise	**le** Japon **le** restaurant *La Felicita*	**la** France **la** mère de Jean	**les** États-Unis **les** chansons pop

Les articles *le* et *la* deviennent ***l'*** devant une **voyelle** ou un ***h*** muet.
Ex. : **l'I**talie, **l'a**rgent, **l'o**ncle, **l'h**ôtel

Les articles contractés

• Avec *à*

	Singulier	Pluriel
Masculin	à + le → **au** Il va ~~à le~~ restaurant. → Il va **au** restaurant.	à + les → **aux** Il a mal ~~à les~~ pieds. → Il a mal **aux** pieds.

Pas de contraction pour *à la* et *à l'*. Ex. : Il va **à la** piscine, **à l'**école, **à l'**hôpital.

• Avec *de*

	Singulier	Pluriel
Masculin	de + le → **du** Il habite à côté ~~de le~~ port. → Il habite à côté **du** port.	de + les → **des** Il fait ~~de les~~ abdos. → Il fait **des** abdos.

Pas de contraction pour *de la* et *de l'*. Ex. : Il vient **de la** piscine, **de l'**école, **de l'**hôpital.

LE NOM

Le masculin et le féminin des noms

Cas général	Masculin	Féminin
Nom masculin + e (parfois, la prononciation change)	un ami un invité un écrivain un cousin	une amie une invitée une écrivaine une cousine
Cas particuliers		
Un nom masculin terminé par *e* a la même forme au féminin.	un artiste un collègue un peintre	une artiste une collègue une peintre
La consonne finale double.	un musicien un champion	une musicienne une championne
Toute la syllabe finale change.	un serveur un réalisateur un poète un copain un sportif un boulanger	une serveuse une réalisatrice une poétesse une copine une sportive une boulangère

Cas particuliers	Masculin	Féminin
Les noms de la famille ont une forme très différente au masculin et au féminin.	le père le fils le frère le grand-père l'oncle le petit-fils	la mère la fille la sœur la grand-mère la tante la petite-fille

Le singulier et le pluriel des noms

Cas général	Singulier	Pluriel
Nom singulier + s	une chanson un vélo un enfant	des chansons des vélos des enfants
Cas particuliers		
Un nom singulier terminé par *s*, *x* ou *z* a la même forme au pluriel.	un bras une voix un nez	des bras des voix des nez
-al et -ail → -aux	un hôpital un travail	des hôpitaux des travaux
-eau et -eu → -eaux et -eux	un manteau un jeu	des manteaux des jeux

! un œil → des yeux ; un genou → des genoux

L'ADJECTIF QUALIFICATIF

Le masculin et le féminin de l'adjectif

Cas général	Masculin	Féminin
Adjectif masculin + e (parfois, la prononciation change)	fatigué joli grand petit portugais	fatiguée jolie grande petite portugaise
Cas particuliers		
Un adjectif masculin terminé par *e* a la même forme au féminin.	adorable sympathique triste belge	adorable sympathique triste belge
La consonne finale double.	bon naturel bas gentil gros	bonne naturelle basse gentille grosse
Toute la syllabe finale change.	sportif sérieux neuf cher	sportive sérieuse neuve chère

Cas particuliers	Masculin	Féminin
Avec une forme très différente au masculin et au féminin.	beau blanc vieux fou long	belle blanche vieille folle longue

Le singulier et le pluriel de l'adjectif

	Singulier	Pluriel
Cas général Adjectif singulier + **s**	court / courte long / longue	courts / courtes longs / longues
Cas particuliers Les adjectifs terminés par **s** ou **x** au masculin singulier ne changent pas au masculin pluriel.	gro**s** / grosse heureu**x** / heureuse	gros / grosses heureux / heureuses
Masculin singulier **-al** → -aux	spéci**al** / spéciale	spéciaux / spéciales
Masculin singulier **-eau** → -eaux	nouv**eau** / nouvelle	nouveaux / nouvelles

La place de l'adjectif

L'adjectif qualificatif est utilisé pour décrire une personne ou une chose.

Cas général Il est placé **après le nom**.	C'est un vêtement **élégant**. C'est une robe **verte**. C'est un étudiant **étranger**.
Cas particuliers Il est placé **avant le nom** avec certains adjectifs comme *beau / belle, grand / grande, petit / petite, gros / grosse, nouveau / nouvelle.*	un **beau** pantalon • une **grande** boutique • une **petite** robe • un **gros** gâteau • un **nouveau** manteau

Les adverbes d'intensité

On peut varier l'intensité de l'adjectif avec *très* (+ +) ou *trop* (+ + +).

Ex. : Il est **très** fatigué. Elle est **trop** grande.

L'ADJECTIF POSSESSIF

L'adjectif possessif est utilisé pour indiquer une possession (*C'est mon appartement.*) ou une relation entre des personnes (*Voici ma sœur.*). Il est placé **devant le nom.**
Le choix de l'adjectif possessif dépend du possesseur et de l'objet possédé.

Un seul possesseur	Nom singulier		Nom pluriel
	Masculin	Féminin	
je : à moi	**mon** frère	ma sœur	mes enfants
tu : à toi	**ton** appartement	ta maison	tes affaires
il/elle : à lui / à elle	**son** livre	sa voiture	ses vêtements

Plusieurs possesseurs	Nom singulier	Nom pluriel
nous : à nous	**notre** famille	nos parents
vous : à vous	**votre** pays	vos amis
ils/elles : à eux / à elles	**leur** adresse	leurs voisins

! Quand le nom féminin commence par une **voyelle** :
~~ma~~ adresse → **mon a**dresse • ~~ta~~ amie → **ton a**mie • ~~sa~~ école → **son é**cole

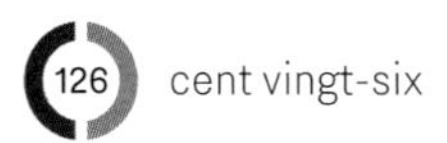

L'ADJECTIF DÉMONSTRATIF

L'adjectif démonstratif est utilisé pour désigner une personne, une chose, un lieu.
Il est placé devant le nom et s'accorde avec ce nom.

Masculin singulier Quand le nom commence par une **voyelle** ou un ***h*** muet	**ce p**antalon **cet a**mi, **cet h**omme
Féminin singulier	**cette** jupe
Pluriel	**ces** pulls / **ces** chaussures

L'EXPRESSION DE LA QUANTITÉ

L'article partitif

L'article partitif indique une quantité indéterminée pour des choses qu'on ne peut pas compter.

Phrase affirmative	Phrase négative
Je prends **du** sucre Je prends **de la** confiture. Je bois **de l'**eau. Je mets **de l'**huile. Je mange **des** pâtes.	Je **ne** prends **pas de** sucre. Je **ne** prends **pas de** confiture. Je **ne** bois **pas d'**eau. Je **ne** mets **pas d'**huile. Je **ne** mange **pas de** pâtes.

(!) À la forme négative, il n'y a pas d'indication du masculin, du féminin ou du pluriel.

Les expressions de quantité

Pour préciser une quantité, on peut utiliser :

des adjectifs numéraux	**une** entrée • **deux** desserts • **cinq** oranges...
des expressions de quantité globale : un peu de, beaucoup de, assez de, trop de...	**un peu de** sucre • **beaucoup de** fraises • **assez de** sel • **trop d'**ail...
des expressions de quantité précise : un gramme de, un kilo de, un morceau de, un litre de, une bouteille de...	**500 grammes de** farine • **deux kilos de** pommes • **un morceau de** pain • **un litre de** lait • **une bouteille d'**eau

(!) Avec les expressions de quantité, il n'y a pas d'indication du masculin, du féminin ou du pluriel.

LES INDICATIONS DE LIEU

Les expressions de lieu sont utilisées pour situer une personne, une chose, un lieu.

Les pays et les villes

Villes et pays sans article	à	J'habite **à** Londres. Je suis **à** Cuba.
Pays masculins qui commencent par une consonne	au	Je vais **au** Mexique.
Pays féminins **Pays masculins qui commencent par une voyelle**	en	Je suis **en** Australie. Je vais **en** Équateur.
Pays pluriels	aux	Elle habite **aux** États-Unis. Elle va **aux** Philippines.

Les prépositions *à*, *de* et *chez*

Lieu où on est/où on va		Lieu d'où on vient		
à + nom de lieu	chez + nom de personne	de + nom de lieu	de + nom de pays	de chez + nom de personne
Je suis / Je vais... **au** concert. **à la** mairie. **à l'**université. **aux** toilettes.	Je suis / Je vais... **chez** moi. **chez** un ami. **chez** Arthur.	Je reviens... **de la** poste. **du** marché. **de l'**aéroport. **des** toilettes.	Je viens... **de** Belgique. **du** Liban. **d'**Espagne. **des** Philippines.	Je sors... **de chez** lui. **de chez** ma mère. **de chez** Arthur.

Les autres prépositions de lieu

à côté de ≠ loin de	L'appartement est **à côté de** la cathédrale et **loin de** l'église.
devant ≠ derrière	La poste est **derrière** ce bâtiment. L'arrêt de bus est **devant** la pharmacie.
sur ≠ sous	La rue n'est pas **sur** le plan. La rivière passe **sous** le pont.
au bout de	La station de métro est **au bout du** boulevard.
à droite de, à gauche de	L'immeuble est **à droite de / à gauche de** la gare.
entre	Le restaurant est **entre** deux magasins.

Avec les prépositions *à* et *de*, on utilise les articles contractés.
Ex. : loin **du** supermarché ; à côté **des** magasins

Les adverbes de lieu

ici, là Utilisés seuls, *ici* = *là*. *Là* est plus fréquent. Ils sont utilisés ensemble pour opposer deux endroits.	– Où es-tu ? – Je suis **là**. – Regarde la photo : je suis **ici** et mon frère est **là**.
là-bas Indique un endroit assez lointain.	Regarde la voiture rouge **là-bas**.
à côté, loin, devant, derrière, au bout, à droite, à gauche...	La gare est **loin**.

LES INDICATIONS DE TEMPS

Indiquer un moment en + année dans + durée à + heure jusqu'à + heure, jour, moment de la journée (indique la fin d'une action) il y a + durée (indique un moment du passé) quand + phrase	Il est né **en** 2001. Il arrive **dans** trois jours. Je commence mon travail **à** 9 heures. Je dors **jusqu'à** demain matin. Il est parti **il y a** deux semaines. **Quand** il se lève, il prend son petit déjeuner.
Indiquer la chronologie d'abord, puis, ensuite, après	**D'abord**, je me lève. **Ensuite,** je me douche, **puis** je prends mon petit déjeuner et **après** je m'habille.
Indiquer la durée de... à + heure, jour, moment de la journée	Je travaille **de** midi **à** 18 heures, **du** lundi **au** vendredi.
Indiquer l'habitude le + jour, moment de la journée	Je ne travaille pas **le** mercredi. **Le** matin, je me lève à 8 heures.
Indiquer la fréquence ne... jamais, parfois, souvent, toujours L'adverbe est placé après le verbe au présent.	Je **ne** sors **jamais** la semaine. Je vais **souvent** au cinéma le samedi.

L'INTERROGATION

Les trois formes de la question

Question intonative	Question avec *est-ce que*	Question avec inversion
Tu **aimes** le foot **?**	**Est-ce que** tu **aimes** le foot **?**	**Aimes**-tu le foot **?**

Dans la question avec inversion, il y a un trait d'union (-) entre le verbe et le pronom sujet.

Les mots interrogatifs

Qui pour poser une question sur **une personne**	C'est **qui** ? **Qui** est-ce ?
Que / Quoi pour poser une question sur **une chose**	Tu fais **quoi** ? **Qu'**est-ce que tu fais ? **Que** fais-tu ?
Où pour poser une question sur **le lieu**	Tu habites **où** ? **Où** est-ce que tu habites ? **Où** habites-tu ?
Comment pour poser une question sur **la manière**	Tu vas au travail **comment** ? **Comment** est-ce que tu vas au travail ? **Comment** vas-tu au travail ?
Quand pour poser une question sur **le temps**	Tu pars **quand** ? **Quand** est-ce que tu pars ? **Quand** pars-tu ?
Combien / Combien de pour poser une question sur **la quantité**	Ça coûte **combien** ? **Combien** est-ce que ça coûte ? Il y a **combien de** personnes ? **Combien de** personnes est-ce qu'il y a ?
Pourquoi pour poser une question sur **la cause**	**Pourquoi** tu pleures ? **Pourquoi** est-ce que tu pleures ? **Pourquoi** pleures-tu ?

Quel(s) / Quelle(s)

Cet adjectif est utilisé pour demander des précisions.

	Singulier	
	Masculin	Féminin
Quel(le) **+ nom singulier**	Tu veux **quel pantalon** ?	Vous faites quelle **pointure** ?
Quel(le) est **+ nom singulier**	**Quel est** ton **pantalon** préféré ?	Quelle **est** votre **pointure** ?

	Pluriel	
	Masculin	Féminin
Quel(le)s **+ nom pluriel**	Tu préfères quels **vêtements** ?	Tu vas mettre quelles **chaussures** ?
Quel(le)s sont **+ nom pluriel**	Quels **sont** tes **vêtements** préférés ?	Quelles **sont** tes **chaussures** préférées ?

Précis grammatical

LA NÉGATION

La place de la négation peut varier selon le temps et le mode du verbe.

ne/n'... pas au présent au passé composé à l'impératif au futur proche à l'infinitif	 Je **ne prends pas** le métro. Je **ne me réveille pas** tôt. On **n'a pas mangé**. Elle **n'est pas venue**. Il **ne s'est pas levé** à l'heure. **Ne viens pas** trop tard ! **Ne te couche pas** ici. Il **ne va pas attendre**. On **ne va pas se reposer**. Je me dépêche pour **ne pas être** en retard.
ne/n'... rien	Je **n'entends rien**. Il **n'a rien mangé**. **Ne dis rien** !
ne/n'... jamais	Il **ne parle jamais**. Il **n'est jamais allé** en Italie. Il **n'a jamais pris** l'avion. **Ne mens jamais** !

LE BUT ET LA CAUSE

Le but pour + infinitif	**Pour** réussir cette recette, il faut suivre les indications. Il faut suivre les indications **pour** ne pas rater la recette.
La cause parce que + phrase	– **Pourquoi** tu ne viens pas à la soirée ? – **Parce que** je suis fatigué !

LA COMPARAISON

Infériorité (–) moins + adjectif + que	Cet appartement est **moins** grand **que** l'autre.
Égalité (=) aussi + adjectif + que	Cet appartement est **aussi** grand **que** l'autre.
Supériorité (+) plus + adjectif + que	Cet appartement est **plus** grand **que** l'autre.

LES PRONOMS PERSONNELS

Les pronoms sujets

Ils sont placés devant le verbe et indiquent qui fait l'action.

	Singulier	Pluriel
1re personne	je / j'	nous
2e personne	tu	vous
3e personne	il / elle / on	ils / elles

- Le pronom ***tu*** est utilisé pour parler à une personne dans une situation familière.
- Le pronom ***on*** est utilisé à la place de ***nous*** dans une situation familière.
- Le pronom ***vous*** est utilisé dans deux cas :
  - soit pour parler à une seule personne dans une situation formelle ;
  - soit pour parler à plusieurs personnes.

Les pronoms toniques

Les pronoms toniques sont utilisés pour insister sur la personne qui fait l'action.

	Singulier	Pluriel
1re personne moi / nous	**Moi**, je suis étudiant.	**Nous**, nous sommes frères.
2e personne toi / vous	Et **toi**, tu habites où ?	**Vous**, vous êtes amis ?
3e personne **lui** / elle **eux** / elles	**Lui**, il s'appelle Jean. Elle, elle parle polonais.	**Eux**, ils ne travaillent pas. Elles, elles viennent aussi ?

Le pronom *y*

Le pronom *y* remplace une indication de lieu.
– Tu vas **à la réunion** ? – Oui, j'**y** vais.
– On va **au restaurant** ? – Non, on n'**y** va pas.

LES VERBES ET LES CONJUGAISONS

→ voir aussi le Précis de conjugaisons pages 132-135

Le présent de l'indicatif

Il est utilisé pour parler d'une action qui se passe au moment où on parle, pour parler d'une action habituelle, pour décrire et pour caractériser.

Le verbe *être*

- Le verbe **être** est utilisé pour :
– dire la nationalité : *Je **suis** français.*
– dire la profession : *Il **est** musicien.*
– décrire une personne : *Elle **est** grande et sportive.*

- On utilise **c'est** (+ nom singulier) et **ce sont** (+ nom pluriel) pour présenter une personne ou une chose.
C'est *ma sœur.* ***C'est*** *une amie.* ***C'est*** *le pays de Bertrand.* ***Ce sont*** *mes enfants.*

Le verbe *avoir*

- Le verbe **avoir** est utilisé pour :
– dire l'âge : *Il **a** 20 ans.*
– dire ce qu'on possède : *Elle **a** une tablette et deux téléphones.*
– parler de sa famille, de ses amis : *J'**ai** trois frères et beaucoup d'amis.*

- L'expression **il y a** (+ nom) est invariable. Elle est utilisée pour indiquer l'existence d'un lieu, d'une chose, d'une personne : ***Il y a*** *trois personnes dans le magasin.*

Les verbes en *-er*

La majorité des verbes français ont un infinitif en *-er* et une conjugaison régulière.

Formation : radical + terminaisons e, es, e, ons, ez, ent

habiter	J'	**habit**e à Berlin.
parler	Tu	**parl**es français ?
aimer	Il/Elle/On	**aim**e le sport.
visiter	Nous	**visit**ons Paris.
étudier	Vous	**étudi**ez la peinture ?
adorer	Ils/Elles	**ador**ent le cinéma.

Quelques irrégularités

Verbes en *-ger* : *manger, ranger, voyager...*	Une particularité orthographique avec *nous* : nous mang**e**ons
Verbes en *-cer* : *commencer*	Une particularité orthographique avec *nous* : nous commen**ç**ons
Verbes en *-ayer* : *payer* et *essayer*	Deux radicaux différents avec *je, tu, il, elle, on, ils, elles* : je **pay**e / je **pai**e ; elle **essay**e / elle **essai**e
Les verbes *préférer, espérer, répéter*	Une particularité orthographique avec *je, tu, il, elle, on, ils, elles* : je préf**è**re ; elle rép**è**te
Les verbes *acheter, (se) lever, se promener*	Une particularité orthographique avec *je, tu, il, elle, on, ils, elles* : on ach**è**te ; je me l**è**ve
Le verbe *(s')appeler*	Une particularité orthographique avec *je, tu, il, elle, on, ils, elles* : je m'appe**ll**e
Le verbe *aller*	Il est irrégulier. → page 132

Les verbes en *-ir*

Formation : radical + terminaisons **s, s, t, ons, ez, ent**

	Radical pour les personnes du singulier	**Radical pour les personnes du pluriel**
Le verbe *finir* Sur le même modèle : *applaudir, choisir, grossir, maigrir, réfléchir, réussir...*	Je **finis** Je **choisis**	Nous **finissons** Nous **choisissons**
Le verbe *dormir* Sur le même modèle : *partir, sortir, s'endormir...*	Je **dors** Je **pars**	Nous **dormons** Nous **partons**

! Le verbe *venir* est irrégulier. → page 133
Le verbe *ouvrir* se conjugue comme les verbes en *-er*. → page 133

Les verbes en *-re, -dre, -ire, -oir, -oire*

- La majorité des verbes ont les terminaisons **s, s, t, ons, ez, ent.**
- Les verbes *pouvoir* et *vouloir* ont les terminaisons **x, x, t, ons, ez, ent.**
- Ces verbes ont plusieurs radicaux.

Les verbes pronominaux

s'appeler	Je **m'appelle** Emma.
se lever	Tu **te lèves**.
se coucher	Il/Elle/On **se couche**.
se doucher	Nous **nous douchons**.
se reposer	Vous **vous reposez**.
s'habiller	Ils/Elles **s'habillent**.

L'impératif

- **L'impératif est utilisé pour dire à quelqu'un de faire ou de ne pas faire quelque chose.**
- **Il existe seulement à trois personnes (*tu*, *nous* et *vous*). On n'utilise pas les pronoms sujets.**

	Phrase affirmative	**Phrase négative**
Formation régulière Mêmes formes que le présent	**Viens** avec moi ! **Prenons** le métro ! **Allez** par là !	Ne **viens** pas avec moi ! Ne **prenons** pas le métro ! N'**allez** pas par là !
Verbes en *-er* Pas de **s** à la 2e personne du singulier	**Va** tout droit ! **Tourne** ici !	Ne **va** pas tout droit ! Ne **tourne** pas ici !

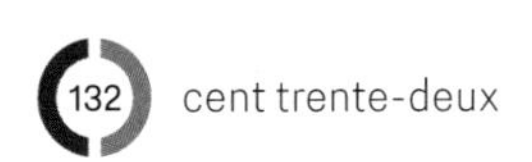

	Phrase affirmative	Phrase négative
Verbes pronominaux	**Assieds-toi** là ! **Reposons-nous** ! **Arrêtez-vous** !	Ne **t'assieds** pas là ! Ne **nous reposons** pas ! Ne **vous arrêtez** pas !

! Les verbes *avoir* (→ p. 134), *être* et *savoir* (→ p. 135) sont irréguliers.

Le futur proche

Le futur proche est utilisé pour parler d'une action future.

Formation	Phrase affirmative	Phrase négative
Verbe aller au présent + verbe à **l'infinitif**	Je **vais partir**. Tu **vas venir** ? Il/Elle/On **va se reposer.** Nous **allons arriver** tard. Vous **allez sortir** ? Ils/Elles **vont rester** là.	Je ne **vais** pas **partir**. Tu ne **vas** pas **venir** ? Il/Elle/On ne **va** pas **se reposer.** Nous n'**allons** pas **arriver** tard. Vous n'**allez** pas **sortir** ? Ils/Elles ne **vont** pas **rester** là.

Le passé composé

Le passé composé est utilisé pour raconter des événements passés.
Formation : auxiliaire ***avoir*** ou ***être*** au présent + le **participe passé** du verbe

Formation avec *avoir* : la majorité des verbes	J'**ai mangé**. Je n'**ai** pas **mangé**. Il **a pris**. Il n'**a** pas **pris**.
Formation avec *être* : – les **verbes pronominaux** – 11 **verbes de mouvement** : *aller, arriver, descendre, entrer, monter, partir, passer, retourner, sortir, tomber, venir* – 5 **autres verbes** : *décéder, devenir, mourir, naître, rester*	Je me **suis reposé**. Je ne me **suis** pas **reposé**. On **est entrés**. On n'**est** pas **entrés**. Tu **es venu** ? Tu n'**es** pas **venu** ? Elle **est née** en 2000. Elle n'**est** pas **née** en France.

! Avec le verbe *avoir*, le participe passé ne s'accorde pas avec le sujet. *Il a parlé. Elle a parlé.*
Avec le verbe *être*, le participe passé s'accorde avec le sujet.
Il est parti. Elle est partie. Ils sont partis. Elles sont parties.

Les formes de participe passé

Tous les verbes en **-*er*** → **-é**	visiter → J'ai visité.	
La majorité des verbes en **-*ir*** → **-i**	finir → Il a fini.	
Participes passés des autres verbes : **-u**	pouvoir → J'ai pu.	venir → Je suis venu.
-is	prendre → Il a pris.	mettre → Elle a mis.
-it	dire → On a dit.	écrire → J'ai écrit.
-ert	ouvrir → Ils ont ouvert.	

Le passé récent

Le passé récent est utilisé pour parler d'une action dans un passé très proche.
Formation : Verbe ***venir de*** **au présent** + **verbe à l'infinitif**

Je **viens de partir**.
Tu **viens de** te **réveiller**.
Il/Elle/On **vient de téléphoner**.
Nous **venons de** nous **rencontrer**.
Vous **venez d'entrer**.
Ils/Elles **viennent de sortir**.

Précis de conjugaison

VERBES EN -*ER*

Acheter

Présent	Impératif	Passé composé
J'achète		J'ai acheté
Tu achètes	Achète	Tu as acheté
Il/Elle/On achète		Il/Elle/On a acheté
Nous achetons	Achetons	Nous avons acheté
Vous achetez	Achetez	Vous avez acheté
Ils/Elles achètent		Ils/Elles ont acheté

Manger (verbes en –*ger*)

Présent	Impératif	Passé composé
Je mange		J'ai mangé
Tu manges	Mange	Tu as mangé
Il/Elle/On mange		Il/Elle/On a mangé
Nous mangeons	Mangeons	Nous avons mangé
Vous mangez	Mangez	Vous avez mangé
Ils/Elles mangent		Ils/Elles ont mangé

Aller

Présent	Impératif	Passé composé
Je vais		Je suis allé(e)
Tu vas	Va	Tu es allé(e)
Il/Elle/On va		Il/Elle est allé(e)
Nous allons	Allons	On est allé(e)s
Vous allez	Allez	Nous sommes allé(e)s
Ils/Elles vont		Vous êtes allé(e)(s)
		Ils/Elles sont allé(e)s

Parler (conjugaison régulière)

Présent	Impératif	Passé composé
Je parle		J'ai parlé
Tu parles	Parle	Tu as parlé
Il/Elle/On parle		Il/Elle/On a parlé
Nous parlons	Parlons	Nous avons parlé
Vous parlez	Parlez	Vous avez parlé
Ils/Elles parlent		Ils/Elles ont parlé

Appeler

Présent	Impératif	Passé composé
J'appelle		J'ai appelé
Tu appelles	Appelle	Tu as appelé
Il/Elle/On appelle		Il/Elle/On a appelé
Nous appelons	Appelons	Nous avons appelé
Vous appelez	Appelez	Vous avez appelé
Ils/Elles appellent		Ils/Elles ont appelé

Payer (verbes en –*yer*)

Présent	Impératif	Passé composé
Je paye / paie		J'ai payé
Tu payes / paies	Paye / Paie	Tu as payé
Il/Elle/On paye / paie		Il/Elle/On a payé
Nous payons	Payons	Nous avons payé
Vous payez	Payez	Vous avez payé
Ils/Elles payent / paient		Ils/Elles ont payé

Commencer (verbes en –*cer*)

Présent	Impératif	Passé composé
Je commence		J'ai commencé
Tu commences	Commence	Tu as commencé
Il/Elle/On commence		Il/Elle/On a commencé
Nous commençons	Commençons	Nous avons commencé
Vous commencez	Commencez	Vous avez commencé
Ils/Elles commencent		Ils/Elles ont commencé

Étudier (conjugaison régulière)

Présent	Impératif	Passé composé
J'étudie		J'ai étudié
Tu étudies	Étudie	Tu as étudié
Il/Elle/On étudie		Il/Elle/On a étudié
Nous étudions	Étudions	Nous avons étudié
Vous étudiez	Étudiez	Vous avez étudié
Ils/Elles étudient		Ils/Elles ont étudié

Préférer

Présent	Impératif	Passé composé
Je préfère		J'ai préféré
Tu préfères	Préfère	Tu as préféré
Il/Elle/On préfère		Il/Elle/On a préféré
Nous préférons	Préférons	Nous avons préféré
Vous préférez	Préférez	Vous avez préféré
Ils/Elles préfèrent		Ils/Elles ont préféré

VERBES EN *-IR*

Dormir

Présent	Impératif	Passé composé
Je **dors**		J'ai **dormi**
Tu dors	**Dors**	Tu **as** dormi
Il/Elle/On dort		Il/Elle/On **a** dormi
Nous **dorm**ons	**Dorm**ons	Nous **avons** dormi
Vous dormez	Dormez	Vous **avez** dormi
Ils/Elles dorm**ent**		Ils/Elles **ont** dormi

Finir

Présent	Impératif	Passé composé
Je **finis**		J'ai **fini**
Tu finis	**Finis**	Tu **as** fini
Il/Elle/On finit		Il/Elle/On **a** fini
Nous **finiss**ons	**Finiss**ons	Nous **avons** fini
Vous finissez	Finissez	Vous **avez** fini
Ils/Elles finiss**ent**		Ils/Elles **ont** fini

Ouvrir

Présent	Impératif	Passé composé
J'**ouvre**		J'ai **ouvert**
Tu ouvres	**Ouvre**	Tu **as** ouvert
Il/Elle/On ouvre		Il/Elle/On **a** ouvert
Nous ouvr**ons**	Ouvr**ons**	Nous **avons** ouvert
Vous ouvr**ez**	Ouvr**ez**	Vous **avez** ouvert
Ils/Elles ouvr**ent**		Ils/Elles **ont** ouvert

Partir

Présent	Impératif	Passé composé
Je **pars**		Je **suis parti**(e)
Tu pars	**Pars**	Tu **es** parti(e)
Il/Elle/On part		Il/Elle **est** parti(e)
Nous **part**ons	**Part**ons	On **est** parti(e)s
Vous partez	Partez	Nous **sommes** parti(e)s
Ils/Elles part**ent**		Vous **êtes** parti(e)(s)
		Ils/Elles **sont** parti(e)s

Venir

Présent	Impératif	Passé composé
Je **viens**		Je **suis venu**(e)
Tu viens	**Viens**	Tu **es** venu(e)
Il/Elle/On vient		Il/Elle **est** venu(e)
Nous **ven**ons	**Ven**ons	On **est** venu(e)s
Vous venez	Venez	Nous **sommes** venu(e)s
Ils/Elles **vienn**ent		Vous **êtes** venu(e)(s)
		Ils/Elles **sont** venu(e)s

VERBES PRONOMINAUX

Se coucher

Présent	Impératif	Passé composé
Je me **couche**		Je me **suis couché**(e)
Tu te couches	**Couche**-toi	Tu t'**es** couché(e)
Il/Elle/On se couche		Il/Elle s'**est** couché(e)
Nous nous couch**ons**	Couch**ons**-nous	On s'**est** couché(e)s
Vous vous couch**ez**	Couch**ez**-vous	Nous nous **sommes** couché(e)s
Ils/Elles se couch**ent**		Vous vous **êtes** couché(e)(s)
		Ils/Elles se **sont** couché(e)s

Se lever

Présent	Impératif	Passé composé
Je me **lève**		Je me **suis levé**(e)
Tu te lèves	**Lève**-toi	Tu t'**es** levé(e)
Il/Elle/On se lève		Il/Elle s'**est** levé(e)
Nous nous **levons**	**Levons**-nous	On s'**est** levé(e)s
Vous vous lev**ez**	Lev**ez**-vous	Nous nous **sommes** levé(e)s
Ils/Elles se lèv**ent**		Vous vous **êtes** levé(e)(s)
		Ils/Elles se **sont** levé(e)s

AUTRES VERBES (par ordre alphabétique)

Apprendre

Présent	Impératif	Passé composé
J'**apprends**		J'ai **appris**
Tu apprends	**Apprends**	Tu as appris
Il/Elle/On apprend		Il/Elle/On a appris
Nous **apprenons**	**Apprenons**	Nous **avons** appris
Vous apprenez	Apprenez	Vous **avez** appris
Ils/Elles **apprennent**		Ils/Elles **ont** appris

Attendre

Présent	Impératif	Passé composé
J'**attends**		J'ai **attendu**
Tu attends	**Attends**	Tu as attendu
Il/Elle/On attend		Il/Elle/On a attendu
Nous attend**ons**	**Attendons**	Nous **avons** attendu
Vous attendez	Attendez	Vous **avez** attendu
Ils/Elles attend**ent**		Ils/Elles **ont** attendu

Avoir

Présent	Impératif	Passé composé
J'ai		J'ai eu
Tu as	Aie	Tu as eu
Il/Elle/On a		Il/Elle/On a eu
Nous avons	Ayons	Nous avons eu
Vous avez	Ayez	Vous avez eu
Ils/Elles ont		Ils/Elles ont eu

Devoir

Présent	Impératif	Passé composé
Je **dois**		J'ai **dû**
Tu dois		Tu as dû
Il/Elle/On doit	*Pas utilisé*	Il/Elle/On a dû
Nous **devons**		Nous avons dû
Vous devez		Vous avez dû
Ils/Elles **doivent**		Ils/Elles **ont** dû

Dire

Présent	Impératif	Passé composé
Je **dis**		J'ai **dit**
Tu dis	**Dis**	Tu as dit
Il/Elle/On dit		Il/Elle/On a dit
Nous **disons**	**Disons**	Nous avons dit
Vous **dites**	**Dites**	Vous avez dit
Ils/Elles disent		Ils/Elles **ont** dit

Écrire

Présent	Impératif	Passé composé
J'**écris**		J'ai **écrit**
Tu écris	**Écris**	Tu as écrit
Il/Elle/On écrit		Il/Elle/On a écrit
Nous **écrivons**	**Écrivons**	Nous avons écrit
Vous écrivez	Écrivez	Vous avez écrit
Ils/Elles écrivent		Ils/Elles **ont** écrit

Comprendre

Présent	Impératif	Passé composé
Je **comprends**		J'ai **compris**
Tu comprends	**Comprends**	Tu as compris
Il/Elle/On comprend		Il/Elle/On a compris
Nous **comprenons**	**Comprenons**	Nous **avons** compris
Vous comprenez	Comprenez	Vous **avez** compris
Ils/Elles **comprennent**		Ils/Elles **ont** compris

Connaître

Présent	Impératif	Passé composé
Je **connais**		J'ai **connu**
Tu connais	**Connais**	Tu as connu
Il/Elle/On **connaît**		Il/Elle/On a connu
Nous **connaissons**	**Connaissons**	Nous **avons** connu
Vous connaissez	Connaissez	Vous **avez** connu
Ils/Elles connaissent		Ils/Elles **ont** connu

Entendre

Présent	Impératif	Passé composé
J'**entends**		J'ai **entendu**
Tu entends	**Entends**	Tu as entendu
Il/Elle/On entend		Il/Elle/On a entendu
Nous entendons	Entendons	Nous **avons** entendu
Vous entendez	Entendez	Vous **avez** entendu
Ils/Elles entendent		Ils/Elles **ont** entendu

Présent	Impératif	Passé composé

Être

Présent	Impératif	Passé composé
Je **suis**		J'ai **été**
Tu es	**Sois**	Tu as été
Il/Elle/On **est**		Il/Elle/On **a** été
Nous **sommes**	**Soyons**	Nous **avons** été
Vous **êtes**	**Soyez**	Vous **avez** été
Ils/Elles **sont**		Ils/Elles **ont** été

Faire

Présent	Impératif	Passé composé
Je **fais**		J'ai **fait**
Tu fais	**Fais**	Tu as fait
Il/Elle/On fait		Il/Elle/On **a** fait
Nous **fais**ons	**Fais**ons	Nous **avons** fait
Vous **faites**	**Faites**	Vous **avez** fait
Ils/Elles **font**		Ils/Elles **ont** fait

Falloir

Présent	Impératif	Passé composé
Il **faut**	*Pas utilisé*	Il **a** fallu

Lire

Présent	Impératif	Passé composé
Je **lis**		J'ai **lu**
Tu lis	**Lis**	Tu as lu
Il/Elle/On lit		Il/Elle/On **a** lu
Nous **lis**ons	**Lis**ons	Nous **avons** lu
Vous lisez	Lisez	Vous **avez** lu
Ils/Elles **lis**ent		Ils/Elles **ont** lu

Mettre

Présent	Impératif	Passé composé
Je **mets**		J'ai **mis**
Tu mets	**Mets**	Tu as mis
Il/Elle/On met		Il/Elle/On **a** mis
Nous **mett**ons	**Mett**ons	Nous **avons** mis
Vous mettez	Mettez	Vous **avez** mis
Ils/Elles mett**ent**		Ils/Elles **ont** mis

Pouvoir

Présent	Impératif	Passé composé
Je **peux**		J'ai **pu**
Tu peux		Tu as pu
Il/Elle/On peut	*Pas utilisé*	Il/Elle/On **a** pu
Nous **pouv**ons		Nous **avons** pu
Vous pouvez		Vous **avez** pu
Ils/Elles **peuv**ent		Ils/Elles **ont** pu

Présent	Impératif	Passé composé

Pleuvoir

Présent	Impératif	Passé composé
Il **pleut**	*Pas utilisé*	Il **a** plu

Prendre

Présent	Impératif	Passé composé
Je **prend**s		J'ai **pris**
Tu prends	**Prend**s	Tu as pris
Il/Elle/On prend		Il/Elle/On **a** pris
Nous **pren**ons	**Pren**ons	Nous **avons** pris
Vous prenez	Prenez	Vous **avez** pris
Ils/Elles **prenn**ent		Ils/Elles **ont** pris

Répondre

Présent	Impératif	Passé composé
Je **répond**s		J'ai **répond**u
Tu réponds	**Répond**s	Tu as répondu
Il/Elle/On répond		Il/Elle/On **a** répondu
Nous répond**ons**	Répond**ons**	Nous **avons** répondu
Vous répond**ez**	Répond**ez**	Vous **avez** répondu
Ils/Elles répond**ent**		Ils/Elles **ont** répondu

Savoir

Présent	Impératif	Passé composé
Je **sais**		J'ai **su**
Tu sais	**Sache**	Tu as su
Il/Elle/On sait		Il/Elle/On **a** su
Nous **savons**	**Sachons**	Nous **avons** su
Vous savez	**Sachez**	Vous **avez** su
Ils/Elles **sav**ent		Ils/Elles **ont** su

Voir

Présent	Impératif	Passé composé
Je **vois**		J'ai **vu**
Tu vois	**Vois**	Tu as vu
Il/Elle/On voit		Il/Elle/On **a** vu
Nous **voy**ons	**Voy**ons	Nous **avons** vu
Vous voyez	Voyez	Vous **avez** vu
Ils/Elles voi**ent**		Ils/Elles **ont** vu

Vouloir

Présent	Impératif	Passé composé
Je **veux**		J'ai **voulu**
Tu veux		Tu as voulu
Il/Elle/On veut	**Veuillez**	Il/Elle/On **a** voulu
Nous **voul**ons		Nous **avons** voulu
Vous voulez		Vous **avez** voulu
Ils/Elles **veul**ent		Ils/Elles **ont** voulu

UNITÉ 2 Entrez en contact ! p. 30-31

Leçon 4

1 p. 30
a. Je suis **ghanéenne**. b. Je suis **polonais**. c. Je suis **chinoise**. d. Je suis **américaine**. e. Je suis **allemand**. f. Je suis **espagnol**.

2 p. 30
a. **1. la** Pologne **2. le** Nigéria **3. les** Philippines **4. le** Brésil **5. l'**Iran **6. les** États-Unis
b. *Réponse libre.*

3 p. 30
a. **Je** m'appelle François. b. **Tu** es américaine ? c. **Vous** êtes professeure ? d. **Vous** vous appelez Monique ? e. **Elle** est française. f. **Il** est français. g. **Tu** t'appelles Xavier ?

4 p. 30
a. Je **suis** italien. b. Tu t'**appelles** Serge ? c. Elle **est** coréenne ? d. Vous vous **appelez** Tom. e. Il **est** suisse. f. Je m'**appelle** Enzo.

5 p. 30
a. et b. **1.** la Chine : 2 syllabes **2.** le Nicaragua : 5 syllabes **3.** l'Italie : 3 syllabes **4.** le Canada : 4 syllabes **5.** Malte : 1 syllabe **6.** le Japon : 3 syllabes **7.** le Burkina Faso : 6 syllabes **8.** le Vietnam : 3 syllabes **9.** l'Indonésie : 4 syllabes

Leçon 5

6 p. 30
a. Nom : **Léonelli** – E-mail : **a.leo@sfr.fr**
b. Nom : **Arroyx** – E-mail : **s.aroyx@gmail.com**

7 p. 30
a. – J'**habite** à Paris. Et vous ? – J'**habite** à Rome.
b. – Vous **parlez** anglais. Vous **habitez** à Londres ? – Non, j'**habite** à Sydney. c. – Marie **habite** à Marseille. Elle **parle** français et italien. Et Baptiste ? – Baptiste **parle** français et allemand. Il **habite** à Berlin.

8 p. 30-31
a. **1. Quel** est votre nom ? **2. Quelle** est votre nationalité? **3.** Vous habitez **quelle** ville ? **4.** Vous parlez **quelle** langue ? **5. Quel** est votre e-mail ? **6. Quel** est votre pays ? b. *Réponses libres.*

9 p. 31
a. votre nom b. ma ville c. ton cahier d. son livre e. sa langue f. votre prénom

Leçon 6

10 p. 31
a. 111 : cent onze b. 1 000 000 : un million c. 2 049 : deux mille quarante-neuf d. 620 000 : six cent vingt mille e. 357 : trois cent cinquante-sept f. 12 235 : douze mille deux cent trente-cinq g. 791 : sept cent quatre-vingt-onze

11 p. 31
a. 4 : avril 5 : mai 12 : décembre 1 : janvier 8 : août 11 : novembre 9 : septembre 3 : mars 6 : juin 7 : juillet 2 : février 10 : octobre
b. Le printemps : avril, mai, juin – L'été : juillet, août, septembre – L'automne : octobre, novembre, décembre – L'hiver : janvier, février, mars

12 p. 31
a. des b. une c. une d. des e. un f. des

13 p. 31
Il a : d – J'ai : b et f – Vous avez : c – Elle a : a et e – Tu as : g

14 p. 31
a. **Vous** avez une chambre confortable. b. **Il** a un numéro de téléphone français. c. **Tu** as une adresse e-mail ? d. **Nous** avons une réservation. e. **Elles** ont un formulaire de réservation.

15 p. 31
Ils ont : c – Ils sont : b et e – Elles ont : a et f – Elles sont : d

16 p. 31
a. Je **suis** coréenne. b. Il **est** au Brésil. c. Nous **sommes** chinoises. d. Elles **sont** en Italie. e. Vous **êtes** allemande ? f. Tu **es** en France ?

Faites connaissance ! p. 42-43

Leçon 8

1 p. 42
a. les sœurs b. les oncles c. les fils d. les mères e. les pères f. les tantes g. les frères h. les cousines

2 p. 42
a. – **5** une réalisatrice **b – 3** une écrivaine **c – 4** une peintre **d – 7** une professeure **e – 1** une musicienne **f – 6** une styliste

3 p. 42
a. Tu **t'appelles** comment ? b. Nous **nous appelons** Jean et Jules Angelin. c. Mes amis **s'appellent** Léo et Karim. d. Bonjour, vous **vous appelez** comment ? e. Je **m'appelle** Jade et j'ai 24 ans. f. C'est mon cousin. Il **s'appelle** Emilio.

4 p. 42
Elena, **c'est** sa femme. **C'est** ma tante. **C'est** une artiste russe. Voilà mes cousins Charlie et Lou. Charlie, **il est** professeur. Lou, **elle est** chanteuse. Ma famille, **c'est** une famille d'artistes !

5 p. 42
– **Ta** cousine s'appelle comment ? – Elle s'appelle Léa et **son** frère, c'est Hector. – **Tes** cousins habitent à Paris ? – Non. **Leur** ville, c'est Orléans. – La dame et le monsieur, c'est qui ? – Rose et Patrick, ce sont **nos** grands-parents. Ils adorent **leurs** petits-enfants !

Leçon 9

6 p. 42
a. **La** copine de Simon, c'est Marie. Elle aime **la** musique. b. **Le** père d'Antoine habite à Bruges. C'est **une** ville en Belgique. c. Tu as **l'**adresse et **les** numéros de Sarah et Nico ? d. Pablo est **un** prénom espagnol. C'est **le** prénom de mon père. e. Elle porte **des** lunettes et **un** chapeau. f. J'ai **un** numéro de téléphone, c'est **le** numéro de Pierre.

7 p. 42
a. Claire b. Marie c. Hélène

8 p. 43
a. Il a une **veste** élégante. b. J'ai une belle **robe**. c. Ils portent des **chaussures**. d. Vous avez un **chapeau**. e. Il a des **tee-shirts** sympas. f. Elles portent des **lunettes**. g. Tu as un grand **sac**.

9 p. 43
a. 1. grands : pluriel 2. blond : singulier 3. sportif : singulier 4. beaux : pluriel 5. sérieux : singulier ou pluriel 6. élégants : pluriel
b. 1. Henri est adorable, grand, blond, sportif, beau, sérieux et élégant. 2. Henri et Paul sont adorables, grands, blonds, sportifs, beaux, sérieux et élégants.

10 p. 43
a. des collègues français b. un grand-père c. un artiste sérieux d. la veste de Louis e. une amie japonaise f. les cheveux courts

Leçon 10

11 p. 43
a. Vous n'avez pas mon numéro ? b. Elle n'aime pas les films français. c. Vos enfants n'habitent pas à Paris ? d. Je ne regarde pas la télé. e. Mes parents ne sont pas professeurs. f. Tu n'aimes pas écouter la radio ?

12 p. 43
a. Nous aim**ons** les chansons françaises. b. Tu préfèr**es** le cinéma ou le théâtre ? c. Maria ador**e** aller à l'opéra. d. J'aim**e** lire des romans. e. Mes parents ador**ent** la télé. f. Vous préfér**ez** le foot ou le tennis ? g. Nicolas aim**e** le cyclisme. h. Laura et Erica préfèr**ent** l'équitation.

13 p. 43
Avec *est-ce que* : a et d – Avec intonation : b et f – Avec inversion : c et e

14 p. 43
a. 1. Léo et Lou ont des nouveaux amis. 2. Nous aussi nous adorons l'opéra.
b. 1. Le frère d'Aimé est chanteur. 2. Ma sœur Gabrielle est écrivaine.

UNITÉ 4 Déplacez-vous ! p. 56-57

Leçon 12

1 p. 56
a. Je vais au supermarché **en voiture**. **b.** Je vais à l'école **à pied**. **c.** Je vais à l'hôtel de ville **en bus**. **d.** Je vais au musée **en métro/train** ? **e.** Je vais en Italie **en bateau**.

2 p. 56
a. Roger habite **au** Canada. **b.** Carla habite **en** Italie. **c.** Ando habite **à** Madagascar. **d.** Kumiko habite **au** Japon. **e.** Samuel habite **au** Nigéria. **f.** Filip habite **aux** Pays-Bas.

3 p. 56
b. C'est la place Victor-Hugo. Ici, il y a le métro. C'est la station Hugo. Là, Il y a une station service et une église. À côté de l'église, il y a une pharmacie.

4 p. 56
a. Il y a 3 groupes rythmiques.
b. *Production libre.*

Leçon 13

5 p. 56
a. un hôpital **b.** un consulat **c.** une pharmacie **d.** un distributeur de billets **e.** une banque **f.** le boulevard

6 p. 56
Non, c'est à côté ! **Ici**, vous êtes rue d'Austerlitz. Allez tout **droit**. À la banque, vous tournez **à gauche**, dans l'avenue Colbert. Traversez la rue. La **première** rue, c'est la rue Blanche. Vous ne **tournez** pas ! Vous **continuez** 100 mètres. La rue Buffon, c'est la troisième rue **à droite**. La poste est **au bout** de la rue.

7 p. 56
a. Tu **vas** au concert samedi soir ? **b.** Le dimanche, nous **allons** au parc. **c.** Vous **allez** tout droit. **d.** Irina et Myriam **vont** en Espagne demain. **e.** Je **vais** au cinéma à 20 heures. **f.** Sa sœur **va** au marché. **g.** Arthur et Thomas **vont** au restaurant. **h.** Nous **allons** à la pharmacie.

8 p. 57
Je vais à l'hôtel. Tu vas au musée. Vous allez à la poste. Elles vont aux toilettes. Nous allons à l'opéra.

9 p. 57
a. **Allez** au bout de la rue. **b.** **Continue** tout droit. **c.** **Cherchons** la rue des Écoles. **d.** **Va** à la place de la Mairie. **e.** **Tournons** à gauche. **f.** **Continuez** 500 mètres.

10 p. 57
[y] : c, e et f – [u] : a, b, d et g

Leçon 14

11 p. 57
a. **Toi**, tu es où ? **b.** **Elle**, elle tourne à droite. **c.** **Moi**, je continue tout droit. **d.** **Lui**, il va à la gare en bus. **e.** **Elles**, elles cherchent un café. **f.** **Eux**, ils vont tout droit.

12 p. 57
a. 8 h 45 **b.** 12 h 00 **c.** 19 h 30 **d.** 16 h 00 **e.** 00 h 00 **f.** 10 h 15

13 p. 57
a. **Samedi matin**, je vais au musée. **b.** **À midi**, je vais au restaurant avec mes parents. **c.** **Entre** trois **et** quatre heures, je fais mon jogging. **d.** Je bois un verre avec mes amis **à** dix-neuf heures. **e.** **Le soir**, je me repose ou je vais au cinéma.

14 p. 57
— Allô ? — Allô Margaux. C'est Léo. Samedi, on fait un brunch à Belleville. Tu viens avec nous ? – Non, le samedi matin, je ne peux pas. Je travaille. – Ah... Et dimanche, tu es libre ? Je vais voir une expo. – Oui, dimanche, je suis libre. C'est où ? – Au musée Rodin, à côté du métro Varenne. – D'accord. Rendez-vous devant le métro à 3 heures ? — OK. À dimanche 15 heures ! Bises.

UNITÉ 5 Parlez de votre quotidien p. 68-69

Leçon 16

1 p. 68
Photos 1, 2, 4, 6 et 7

2 p. 68
a. Tu fais **de la** danse ? b. Il fait **des** abdos ? c. Elles font **de la** sculpture. d. Je fais **du** tennis. e. Nous faisons **de la** peinture ? f. Je fais **de l'**équitation.

3 p. 68
a. D'abord, vous vous levez. Après, vous mangez. b. D'abord, ils font le ménage. Après, ils se lavent. c. D'abord, nous travaillons. Après, nous nous reposons. d. D'abord, je dîne. Après, je me couche. e. D'abord, elle fait du sport. Après, elle se douche.

4 p. 68
a. Je me repose **l'**après-midi, **quand** mon fils est à l'école. b. Je commence **à** 11 heures et je travaille **jusqu'à** 18 heures. c. **La** semaine, ils se lèvent **à** 7 heures. d. **Le** week-end, Emma dort **jusqu'à** midi. e. **Quand** j'écoute de la musique **le** dimanche, je me repose. f. Ma fille fait la sieste **de** 14 **à** 15 heures.

Leçon 17

5 p. 68
a. La fromagerie : N° 2 b. Le primeur : N° 4 c. La boucherie : N° 3 d. La boulangerie : N° 1 e. La poissonnerie : N° 5

6 p. 68
a. – 4 Tu vas acheter du poulet. b. – 5 Nous allons prendre une pizza. c. – 1 Ils vont faire les courses. d. – 2 Vous allez aimer ma recette. e. – 6 Elle va aller au marché. f. – 3 Je vais lire un livre de cuisine.

7 p. 68
a. Nous prenons **du** pain et **de la** confiture. b. Je voudrais **de la** crème et **du** beurre. c. Ils prennent **du** fromage et **du** lait. d. Vous prenez **de la** salade et **du** poisson. e. Je voudrais **de l'**ail et **de la** viande. f. Elles prennent **du** thon et **de la** pizza.

8 p. 68-69
a. – Je voudrais du lait, s'il vous plaît. Il est à combien ? – 8 euros les 6 bouteilles. b. – Je voudrais du fromage, s'il vous plaît. Il coûte combien ? – 2,50 euros les 100 grammes. c. – Je voudrais des poires, s'il vous plaît. Elles sont à combien ? – 30 centimes pièce. d. – Je voudrais des pâtes, s'il vous plaît. Elles coûtent combien ? – 1,20 euro le paquet. e. – Je voudrais de la viande, s'il vous plaît. Elle est à combien ? – 30 euros le kilo. f. – Je voudrais de la confiture, s'il vous plaît. Elle coûte combien ? – 5 euros les 2 pots.

9 p. 69
a. Vous **prenez** du pain à la boulangerie ? b. Elles **prennent** des tomates au marché. c. Je **prends** de la viande à la boucherie. d. Le matin, il **prend** deux cafés. e. Nous **prenons** trois salades à 1 euro. f. Tu **prends** un kilo de bananes ?

10 p. 69
a. 2 – b. 3 – c. 2 – d. 1 – e. 3

Leçon 18

11 p. 69
a. une jupe noire et blanche b. un chapeau gris c. des baskets blanches d. des bottes rouges e. une ceinture orange f. un manteau jaune

12 p. 69
a. **Ces** sandales sont belles. b. Je n'aime pas **cette** chemise. c. Elle aime bien **cette** boutique. d. Je prends **cet** imperméable. e. Elles sont bien **ces** bottes bleues. f. **Ce** jean noir coûte cent euros. g. Regardez **ces** tops jaunes ! h. **Ce** bijou est magnifique.

13 p. 69
a. Ici, sur cette **belle** photo, c'est mon amie Emma. b. C'est une fille **sympa**. c. Emma habite dans une **petite** ville : Chinon. d. À côté, c'est Fabio, son copain **italien**. e. J'aime bien son manteau **noir**. Il est très élégant. f. Leur artiste **préféré**, c'est le chanteur M.

14 p. 69
a. Tu **essaies** / Tu **essayes** des bottes. b. Il/Elle **essaie** / Il/Elle **essaye** un pull. c. Nous **essayons** des pantalons. d. Vous **essayez** un imperméable. e. Ils/Elles **essaient** / **essayent** des tennis.

15 p. 69
= b, d et e ; ≠ a, c et f

Partagez vos expériences ! p. 82-83

Leçon 20

1 p. 82
a. Je coupe la viande avec un **couteau**. b. Je mélange la salade et les tomates dans un **saladier**. c. J'ajoute l'huile d'olive avec une **cuillère**. d. Je fais cuire un gâteau dans un **moule**. e. Je fais cuire les pâtes dans une **casserole**. f. Je fais revenir les oignons dans une **poêle**.

2 p. 82
a. Le **saumon** est un bon poisson. b. L'**agneau** est ma viande préférée. c. Ajouter une cuillère d'**huile**. d. Hacher deux **poivrons** verts. e. On fait revenir les légumes dans le **beurre**. f. Couper un **oignon** et une tomate.

3 p. 82
a. ajouter b. mélanger c. faire revenir d. couper e. éplucher f. hacher

4 p. 82
a. Ajouter l'huile d'olive. b. Ne pas éplucher les pommes de terre. c. Faire cuire les légumes. d. Ne pas couper les tomates. e. Hacher l'ail. f. Chauffer le four.

5 p. 82
a. Coupez **beaucoup de** légumes. b. Mélangez avec **un peu d'**huile d'olive. c. Ajoutez **un peu de** sel et **un peu de** poivre. d. N'ajoutez **pas d'**épices.

Leçon 21

6 p. 82
a. 2 – b. 3 – c. 1 – d. 2

7 p. 82
– Bonjour et bienvenue, vous désirez un **apéritif** ? – Oui, un **verre** de vin, merci. – D'accord. Nous avons deux **formules** : une à 19 euros et une à 29 euros. – La formule à 29 euros, qu'est-ce que c'est ? – C'est la formule complète : **entrée**, plat du jour et dessert. – Le plat du jour, qu'est-ce que c'est ? – Aujourd'hui, c'est le **saumon**. – Très bien. J'adore le poisson. Je voudrais aussi la **carte** des vins, s'il vous plaît.

8 p. 82
a. Tu as préféré quelle boisson ? b. Vous avez réservé une table ? c. J'ai choisi le dessert du jour. d. Nous avons payé l'addition. e. Elles ont fini leur apéritif. f. On a déjeuné au restaurant.

9 p. 83
a. On réserve une table ? b. On prend une bouteille de vin. c. On déjeune chez moi ? d. On mange de la viande. e. On finit le dessert ? f. On fait revenir les oignons ?

10 p. 83
[E] : a 2 – b 2 – c 1 – d 2 – e 1 – f 1
[ɛ̃] : a 1 – b 1 – c 2 – d 1 – e 2 – f 2

Leçon 22

11 p. 83
Réponses libres.

12 p. 83
a. Il **a réservé** une table dans un restaurant. b. Il **est sorti** du restaurant à 22 heures. c. Il **est rentré** chez lui. d. Il **est arrivé** à 20 heures. e. Il **a demandé** l'addition au serveur. f. Il **a commandé** des formules.

13 p. 83
a. Philippe et moi, nous sommes allé**s** au cinéma. b. Mes amies sont rentré**es** chez elles à minuit. c. Madame, est-ce que vous êtes marié**e** ? d. Le couple et leurs invités sont entré**s** dans la mairie. e. Patrick, tu es arrivé à quelle heure ? f. Aujourd'hui, ma copine est resté**e** chez elle.

14 p. 83
a. Il est parti **il y a dix minutes**. b. Ils sont sortis **à 18 heures**. c. Elle est arrivée **hier**. d. Il a commencé **à 11 heures 30**. e. Nous sommes rentrés **hier**. f. Je suis allé chez le dentiste **il y a 3 mois**.

15 p. 83
D'abord, pour la demande en mariage (photo n° 3), l'homme offre une **bague** (photo n° **2**) à sa **fiancée** (photo n° **4**). Après, ils annoncent la nouvelle à la famille : ils veulent **se marier** (photo n° **5**). Ensuite, le **couple** (photo n° **1**) et les familles préparent le mariage. Puis, le jour de la cérémonie, ils font une grande fête.

Donnez votre avis ! p. 94-95

Leçon 24

1 p. 94
a. Placez l'écran face à vous. **b.** Ne porte pas deux sacs d'une seule main. **c.** Accroupis-toi. **d.** Asseyez-vous le dos droit. **e.** Ne te penche pas pour mettre tes chaussures. **f.** Écoute les conseils du médecin.

2 p. 94
a. Je **peux** aller à la piscine, elle est ouverte. **b.** Nous **pouvons** voir le médecin quand nous voulons. **c.** Nous **devons** placer l'écran face à nous. C'est important ! **d.** Vous **devez** arrêter de fumer maintenant ! **e.** Tu **peux** venir ce soir ? **f.** Ils **doivent** dormir la nuit.

3 p. 94
a. Il faut faire / Vous devez / Faites du sport. **b.** Il ne faut pas oublier / Vous ne devez pas / N'oubliez pas votre carte Vitale. **c.** Il faut / Vous devez aller / Allez chez le médecin. **d.** Il ne faut pas prendre / Vous ne devez pas prendre / Ne prenez pas d'/des antibiotiques pour un rhume. **e.** Il faut dormir / Vous devez / Dormez 7 heures par nuit. **f.** Il ne faut pas manger du sucre / Vous ne devez pas manger du sucre / Ne mangez pas de sucre.

4 p. 94
a. Il a mal **à la tête**. **b.** Il a mal **au ventre**. **c.** Elle a mal **aux dents**.

Leçon 25

5 p. 94
a. En septembre on s'inscrit pour le jardinage mais, cette année, on **va s'inscrire** en juillet. **b.** Charlotte se promène avec ses amis, pendant les vacances, elle **va se promener** avec sa famille. **c.** Tous les week-ends, Pierre se repose chez lui mais, ce week-end, il **va se reposer** à la campagne. **d.** Étienne et Louise se lèvent à 7 heures mais, la semaine prochaine, ils **vont se lever** à 9 heures. **e.** Nous nous douchons le matin mais, le mois prochain, nous **allons nous doucher** le soir. **f.** Je me prépare avant le petit déjeuner, mais ce matin, j'ai faim, je **vais me préparer** après le petit déjeuner.

6 p. 94
a. Nous allons à une réunion de quartier **demain**. **b.** C'est la saison des tomates le mois **prochain**. **c.** **Dans** six mois, un immense jardin bio va ouvrir à Paris. **d.** **Demain**, Édith va s'inscrire pour faire du jardinage. **e.** **Dans** trois mois, la ville de Nancy va proposer des jardins partagés. **f.** Samedi **prochain**, la mairie organise une présentation sur les légumes bio.

7 p. 94
a. Il ne comprend rien. **b.** Je n'aime pas la viande. **c.** Elle ne va jamais au jardin collectif. **d.** Tu ne manges rien le matin. **e.** Vous ne vous promenez jamais à la campagne. **f.** Nous ne voulons pas jardiner.

8 p. 95
Alain : **Parce que** je suis végétarien. Journaliste : **Pourquoi** êtes-vous végétarien ? Alain : **Parce que** c'est bon pour la santé. Journaliste : Et **pourquoi** vous n'allez pas dans un jardin collectif ? Alain : **Parce que** je sais jardiner, je préfère avoir une parcelle. **Pourquoi** vous posez ces questions ? Journaliste : **Parce que** je fais un reportage.

9 p. 95
b – 5 Je vais acheter des légumes parce que je suis végétarien. **c – 4** Elle va partir au Mexique pour un projet agricole. **d – 6** Il faut manger 5 fruits et légumes par jour pour être en bonne santé. **e – 1** Nous n'avons pas de fraises parce que ce n'est pas la saison. **f – 2** Plantons des arbres pour embellir la ville.

10 p. 95
[a] : b, c, e – [ɑ̃] : a, d

Leçon 26

11 p. 95
a. ont dormi → dormir **b.** avons vu → voir **c.** ai choisi → choisir **d.** avez pris → prendre **e.** a bu → boire **f.** ont compris → comprendre

12 p. 95
a. Elle **a quitté** la maison à 7 heures. **b.** Elle **a pris** une petite valise. **c.** Ses amis **ont découvert** une nouvelle région. **d.** Ils **ont dormi** à l'hôtel. **e.** Ils **ont bu** une bouteille de vin au dîner.

13 p. 95
a. Vous **vous êtes** habillés avec des vêtements simples. **b.** Elle **s'est** inscrite à un cours d'espagnol. **c.** Je **me suis** reposé sur un banc dans un parc. **d.** Tu **t'es** endormi dans le train. **e.** Elles **se sont** promenées dans la vieille ville.

14 p. 95
a. Hier, il ne s'est pas reposé. **b.** Hier, ils ne se sont pas endormis à 23 heures. **c.** Le week-end dernier, elles ne se sont pas reposées. **d.** Hier soir, nous ne nous sommes pas promené(e)s.

15 p. 95
Production libre.

UNITÉ 8 Informez-vous ! p. 108-109

Leçon 28

1 p. 108
a. Je **sais** parler anglais. b. Nous **savons** organiser des événements de communication. c. Elle **connaît** le directeur ! d. Vous **savez** travailler en équipe ? e. Tu **connais** la stratégie de notre start-up ? f. Ils **connaissent** l'informatique et la chimie.

2 p. 108
a. Mon fils **vient de commencer** des études de droit. b. Vous **venez de faire** votre stage dans une start-up ? c. Ils **viennent d'assister** à la réunion. d. Nous **venons d'obtenir** notre diplôme. e. Tu **viens de suivre** un cursus universitaire. f. Je **viens d'étudier** le management.

3 p. 108
a. Avez-vous des diplômes ? b. Est-ce que vous êtes disponible ? c. Vous parlez anglais ? d. Connaissez-vous l'informatique ? e. Est-ce que vous avez étudié le management ?

4 p. 108
a. = : 2, 5 ;
≠ : 1, 3, 4
b. *Production libre.*

5 p. 108
a. informaticien – 1. informatique b. avocat – 5. droit c. économiste – 6. économie d. architecte – 7. architecture e. chimiste – 4. chimie f. responsable RH – 2. gestion / management g. professeur d'espagnol – 3. langues

Leçon 29

6 p. 108
a. Non, nous n'allons pas nous inscrire / je ne vais pas m'inscrire à la réunion. b. Non, il ne va pas s'occuper du site. c. Non, je ne vais pas m'inscrire à ce groupe de travail. d. Non, elles ne vont pas se préparer à répondre aux e-mails. e. Non, vous n'allez pas vous occuper de l'accueil. f. Non, nous n'allons pas nous préparer / je ne vais pas me préparer pour le rendez-vous.

7 p. 108
– Tu vas à la réunion / au restaurant / au bureau / à la piscine / à l'animation marketing ce soir ? – Oui, j'y vais. / Non, je n'y vais pas.

8 p. 109
a. le contrat b. le responsable c. analyser d. le bureau e. le marketing

9 p. 109
a. [E] : 4 – [Œ] : 1, 3, 5 – [O] : 2
b. *Production libre.*

Leçon 30

10 p. 109
Ça **a été** difficile ! J'**ai contacté** une agence. L'employé **a proposé** cinq appartements. Nous **avons réfléchi** et nous **avons sélectionné** deux appartements. J'**ai discuté** avec l'employé, il **a conseillé** de visiter les deux. J'**y suis allée** hier après-midi avec Stéphane. Il **n'a pas aimé** le premier, moi j'**ai détesté** le deuxième ! On **s'est disputé**.

11 p. 109
a. Le premier étage est moins lumineux que le quatrième étage. b. Le T2 est aussi clair que le T3. c. Les toilettes sont plus grandes que la salle de bain ! d. Les immeubles anciens sont plus beaux que les immeubles modernes. e. Les immeubles anciens sont moins confortables que les immeubles modernes. f. La cuisine est aussi grande que le salon.

12 p. 109
À Paris et à Strasbourg, **il pleut**. À Nantes et à Bordeaux, **il fait froid. Il fait beau** à Marseille et à Nice. À Toulouse, **il fait chaud** ! À Lyon, **il y a du soleil** !

13 p. 109
Pièces : une cuisine, un séjour, une salle de bain, une chambre, une terrasse, une entrée
Meubles : un canapé, un fauteuil, une table, un lit, une chaise, un lavabo, une table basse, une étagère, une baignoire, un placard
Appareils : une télévision, un four

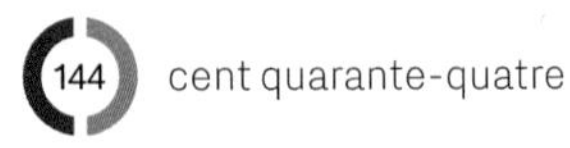

Achevé d'imprimer en Italie par Grafica Veneta en août 2023
Dépôt légal : janvier 2020 - édition 08 - 66/3953/5

Transcriptions et lexique

Découvrez !

Leçon 1

Saluer

Piste 2. Activité 1

1. *Bom dia, chamo-me Lucinda, e você?*
2. *¡Hola! Me llamo Juan. ¿Y tú? Adiós, hasta pronto.*
3. Bonjour ! Je m'appelle Isabelle, et vous ? Au revoir !
4. *Buongiorno, mi chiamo Alessandra. E lei? Arrivederci!*
5. *Bună ziua, mă cheamă Maria.Pe tine cum te cheamă?*
6. Bonjour, je m'appelle René. Comment tu t'appelles ?
7. *Bon dia! Em dic Jean-François. I voste? Fins aviat!*

Pistes 03-04. Activité 2

1. – Bonsoir ! Tu vas bien ?
– Oui, et toi ?
2. – Salut ! Ça va ?
– Ça va ! Et toi ?
3. – Bonjour, vous allez bien ?
– Oui, très bien ! Et vous ?
4. – Au revoir !
– Salut !

Pistes 05. Activité 3

Bonjour, je m'appelle Aïcha. Et vous ?

Piste 06. Activité 4a

1. une chaise 2. une table 3. un tableau
4. un ordinateur 5. une tablette 6. un smartphone
7. un cahier 8. un livre 9. un stylo 10. un crayon

Piste 07. Vocabulaire

Les salutations (1)
Voir manuel page 15.

Piste 08. Vocabulaire

Les objets de la classe
Voir manuel page 15.

Piste 09. Phonétique

L'intonation

Pour poser une question, la voix monte. ↑
– Ça va ? ↑
Pour répondre, la voix descend. ↓
– Ça va. ↓

1. Écoutez. La voix monte ↑ ou la voix descend ↓ ?
Ex. : Comment ? ↑, la voix monte.
a. Ça va ? – b. Et toi ? – c. Ça va. – d. Tu vas bien ? – e. Oui. – f. Merci. – g. Pardon ? – h. C'est une table.

Transcriptions

Leçon 2

Épeler et compter

Piste 10. Activité 1a
R – S – L – M – N – P – B – T – D – A – H – K – C – J –
X – J – G – O – F – V – W – E – U – Q – Z

Piste 11. Activité 2
71 – 80 –16 – 87 – 93 – 31 – 47 – 19

Piste 12. Activité 5a
Ex. : – S'il vous plaît, comment on dit « computer » en français ?
– Un ordinateur.

1. – Qu'est-ce que c'est « un stylo » ?
– Voici !
– D'accord !

2. – Comment ça s'écrit « livre » ?
– Ça s'écrit : L – I – V – R – E.
– Merci !

Piste 13. Vocabulaire
Les nombres de 0 à 99
Voir manuel page 17.

Piste 14. Vocabulaire
L'alphabet
Voir manuel page 17.

Piste 15. Vocabulaire
Les jours de la semaine
Voir manuel page 17.

Entrez en contact !

Leçon 4

Se présenter

Pistes 16-17. Document 1
1. Bonjour, je m'appelle Juan. Je suis mexicain. Et vous ?
2. Bonjour, je m'appelle Pablo. Je suis espagnol.
3. Salut, je m'appelle Antonio. Je suis italien.
4. Bonsoir, je m'appelle Adam. Je suis polonais.
5. Enchantée, je m'appelle Nina. Je suis allemande.
6. Bonsoir, je m'appelle Ying. Je suis chinoise.
7. Salut, je m'appelle Aicha. Je suis marocaine.
8. Bonjour, je m'appelle Doris. Je suis nigériane. Et toi ?
9. Bonjour, je m'appelle Angelica, je suis brésilienne.

Piste 18. Vocabulaire
Les nationalités
Voir manuel page 23.

Piste 19. Vocabulaire
Les professions de la classe
Voir manuel page 23.

Piste 20. Phonétique : Le rythme
En français, le rythme est très important. Respectez le nombre de syllabes. Les syllabes sont toutes identiques, sauf la dernière qui est plus longue.
Ex. : la / Chine / → 2 syllabes : la Chine
l'I / ta / lie / → 3 syllabes : l'Italie
le / Ca / na / da / → 4 syllabes : le Canada
la / Nou / velle / -Zé / lande / → 5 syllabes : la Nouvelle-Zélande

Leçon 5

Échanger des informations personnelles

Pistes 21-22. Document 1
– Bonjour Monsieur !
– Bonjour ! Je m'appelle Javier Gonzalez. Mon badge, s'il vous plaît...
– Oui. Gonzalez, comment ça s'écrit ?
– G – O – N – Z – A – L – E – Z.
– Et votre prénom ? R – A – V...
– Non, non ! J – A – V – I – E – R.
– Ah ! Pardon. Quel est votre e-mail ?
– Mon e-mail, c'est j.gonzalez@gmail.com.
– Vous habitez à...?
– J'habite à Madrid.
– D'accord. Vous parlez anglais ?
– Je parle anglais, français et espagnol !
– Merci ! Voilà votre badge. Bonne journée !

Pistes 23-24. Document 3
– Bonjour ! C'est pour l'inscription ?
– Oui. Bonjour.
– Quel est votre nom ?
– Mon nom, c'est De Oliveira : D – E espace O – L – I – V – E – I – R – A.
– Quel est votre prénom ?
– Elisabete.
– Comment ça s'écrit ?
– E – L – I – S – A – B – E – T – E.
– Et votre adresse courriel ?
– E tiret O – L – I – V arobase gmail point com.
– Quelle est votre langue maternelle ?
– Le portugais.

Piste 25. Vocabulaire
Les salutations (2)
Voir manuel page 25.

Piste 26. Phonétique
L'alphabet (2)
L'e-mail
Voir manuel page 25.

Leçon 6

Préciser des informations

Pistes 27-28. Document 1
– Madame Dumont ? Bonjour c'est l'hôtel Cler, à Paris.
– Euh... Oui, bonjour.
– Vous avez une réservation sur Booking numéro... 11572 ZM.
– Euh... Oui, peut-être.
– Je complète votre réservation.
– Ah, d'accord !!!
– Vous avez un numéro de téléphone portable, s'il vous plaît ?
– 07 22 63 10 07.
– Merci Madame.
– OK... Nous sommes trois ! Vous avez une chambre pour 3 personnes, hein ?
– Oui, deux adultes et un enfant de 10 ans.
– D'accord, merci !
– Merci Madame Dumont, au revoir. À bientôt !

Piste 29. Vocabulaire
Les nombres de 100 à 1 000 000
Voir manuel page 27.

Piste 30. Vocabulaire
Les mois de l'année
Voir manuel page 27.

Piste 31. Vocabulaire
Les saisons
Voir manuel page 27.

S'entraîner

Piste 32. Activité 5
Ex. : Le Paraguay > 4 syllabes
a. La Chine
b. Le Nicaragua
c. L'Italie
d. Le Canada
e. Malte
f. Le Japon
g. Le Burkina Faso
h. Le Viêtnam
i. L'Indonésie

Piste 33. Activité 6
Ex. : Je m'appelle Anne Martin. Martin : m, a, r, t, i, n. Mon e-mail, c'est : annemartin@yahoo.fr. A, 2n, e, m, a, r, t, i, n arobase yahoo.fr.

a. Je m'appelle André Léonelli. Léonelli : l, e accent aigu, o, n, e, 2l, i. Mon e-mail, c'est : a.leo@sfr.fr. A point l, e, o arobase s, f, r, point f, r.

b. Je m'appelle Sophie Arroyx : a, 2r, o, y, x. Mon e-mail, c'est s.aroyx avec un « r », arobase gmail.com. S, point, a, r, o, y, x arobase gmail.com.

Piste 34. Activité 13
Ex. : Il a 25 ans.
a. Elle a 40 ans.
b. J'ai 28 ans.
c. Vous avez 31 ans.
d. Il a 16 ans.
e. Elle a 26 ans.
f. J'ai 51 ans.
g. Tu as 20 ans.

Piste 35. Activité 15
Ex. : Ils sont coréens.
a. Elles ont un livre.
b. Ils sont mexicains.
c. Ils ont l'adresse.
d. Elles sont russes.
e. Ils sont français.
f. Elles ont une réservation.

UNITÉ 3 Faites connaissance !

Leçon 8

Parler de la famille

Pistes 36-37. Document 2
– Concert de la famille Chedid, le 6 septembre à l'opéra Garnier. Dans la famille Chedid, vous avez Louis, le père, et Matthieu, le fils. Anna, la sœur, et Joseph, le frère chantent aussi. Notre invité, Matthieu Chedid. Bonjour Matthieu !
– Bonjour.
– Matthieu, vous êtes le fils du chanteur Louis Chedid et le petit-fils d'Andrée Chedid, écrivaine et poétesse. Votre mère, Marianne, est journaliste-styliste. Pourquoi ce concert en famille ?
– Nous sommes une famille d'artistes. Nos parents, bien sûr ! Notre sœur Émilie est réalisatrice. Notre

oncle est conservateur et notre tante est peintre. Notre cousine Beryl est réalisatrice et notre cousine Élisabeth est conservatrice. Ma fille Billie chante aussi. Nous avons de la chance !
– Une belle famille !
– Oui. Nous chantons ensemble parce que...

Piste 38. Vocabulaire
La famille
Voir manuel page 35.

Piste 39. Vocabulaire
Les professions (2) artistiques
Voir manuel page 35.

Leçon 9

Décrire une personne

Pistes 40-41. Document 2
Julie : Regarde !
David : Tu es avec qui ?
Julie : Avec mes collègues. Alors, lui, c'est Danny, l'informaticien. Il est grand. Il est élégant avec sa veste ! Et il porte toujours un chapeau : so chic !
David : Il est triste !
Julie : Triste ? Non, il est sérieux !
David : Et elle, la petite brune, c'est qui ?
Julie : C'est la copine de Danny, c'est Chiara. Elle est très jolie et sympa. Et la fille avec les cheveux longs, là, c'est Kathy. Elle est belle, hein ?!!!
David : Elle est grande, non ?
Julie : Elle n'est pas grande : elle est SPORTIVE !
David : Mouais...
Julie : Et là, c'est Florence. J'aime bien Florence, elle est a-do-ra-ble ! J'adore ses lunettes !
David : Et lui ? Il est beau ! C'est Brad Pitt ?
Julie : Arrête !!! C'est Bertrand. C'est mon chef !!!

Piste 42. Activité 5 c
Le physique
grand • grande • petit • petite • joli • jolie • sérieux • sérieuse • sportif • sportive

Piste 43. Vocabulaire
Le physique, l'apparence, le caractère
Voir manuel page 37.

Piste 44. Vocabulaire
Les vêtements et les accessoires
Voir manuel page 37.

Piste 45. Vocabulaire
La soirée
Voir manuel page 37.

Piste 46. Phonétique : Les lettres finales muettes
En général, on ne prononce pas les consonnes et le *e* en fin de mot.
Ex. : Il est très grand. Elle est grande.
Ils sont grands. Elles sont grandes.

Leçon 10

Échanger sur ses goûts

Pistes 47-48. Document 2
Journaliste : Bonjour. Vous avez deux minutes pour une enquête sur les loisirs ?
Personne 1 : Oui, d'accord !
Journaliste : Est-ce que vous aimez le cinéma ?
Personne 1 : Oui, j'aime bien ! Toi aussi ! Tu aimes, hein ?!
Personne 2 : Oui ! Moi aussi, j'aime le cinéma.
Journaliste : Et qu'est-ce que vous aimez ?
Personnes 1 et 2 : Nous aimons les films américains !
Personne 2 : Les films d'action !
Journaliste : Bonjour, avez-vous deux minutes ?
Personne 3 : C'est pour quoi ?
Journaliste : C'est pour une enquête sur les loisirs.

Personne 3 : Mmmmh... Bon, deux minutes max !
Journaliste : Est-ce que vous aimez le cinéma ?
Personne 3 : Non, je n'aime pas le cinéma mais j'aime bien le théâtre.
Journaliste : Quelles pièces de théâtre aimez-vous ?
Personne 3 : J'aime bien les comédies.
Journaliste : Et l'opéra ?
Personne 3 : Ah oui ! J'adore les opéras italiens !

Journaliste : Bonjour. Vous avez deux minutes pour une enquête sur les loisirs ?
Personne 4 : Oui, bien sûr !
Journaliste : Est-ce que vous aimez le cinéma ?
Personne 4 : Non, je n'aime pas le cinéma.
Personne 5 : Moi non plus. Je préfère lire.
Journaliste : Ah ! Et qu'est-ce que vous aimez lire ?
Personne 5 : Les romans policiers ! J'adore Maigret !
Journaliste : Bonjour. Avez-vous deux minutes pour une enquête sur les loisirs ?
Personne 6 : Non, désolée !

> Piste 49. Vocabulaire
Les sports (1)
Voir manuel page 39.

Piste 50. Vocabulaire
Les loisirs (1)
Voir manuel page 39.

Piste 51. Phonétique : Les combinaisons de voyelles
J'écris une voyelle, 2 voyelles, 3 voyelles : je prononce un son.
• o, au, eau se prononcent [O]. **Ex. :** nos, au, nouveau
• ou se prononcent [u]. **Ex. :** nous, nouveau
• é, è, ê, ai se prononcent [E]. **Ex. :** bébé, mère, vous êtes, j'ai
• e, eu, œu se prononcent [Œ]. **Ex. :** je, chanteur, sœur

S'entraîner

Piste 52. Activité 7
1. Hélène a 36 ans. Elle est grande et sportive. Elle a les cheveux longs et blonds. 2. Claire a 55 ans. Elle est élégante. Elle est blonde. C'est une personne adorable. 3. Marie est brune et elle a les cheveux courts. Elle a 31 ans. Elle est très sérieuse.

Piste 53. Activité 10
Ex. : un petit frère
a. des collègues français b. un grand-père
c. un artiste sérieux d. la veste de Louis e. une amie japonaise f. les cheveux courts

Piste 54. Activité 13
Ex. : Vous habitez à Genève ?
a. Est-ce qu'il est médecin ? b. Tu préfères le foot ou le tennis ? c. Aimez-vous l'opéra ? d. Est-ce qu'elles parlent japonais ? e. Avons-nous des magazines ? f. Tu adores chanter ?

Préparation au DELF A1

Compréhension de l'oral

Piste 55. Exercice 1
Lisez les questions, écoutez deux fois le message puis répondez.
– Radio Musique, bonjour ! Vous vous présentez ?
– Salut, moi, c'est Marie et je suis musicienne. Mon frère s'appelle Julien, il a 28 ans et il est chanteur dans un groupe de musique. Nous adorons la musique ! Notre groupe organise un concert samedi !

Organisez une sortie !

Leçon 12

S'informer sur un lieu

Pistes 56-57. Document 2
Laure : Et voilà pour la visite !
Macarena : J'aime beaucoup l'appartement. C'est parfait pour le week-end !
Laure : Est-ce que vous avez des questions ?
Macarena : Euh, non...
Gerardo : *¿Ella sabe qué visitar al lado del apartamento?*
Macarena : *¡Ah sí!* Qu'est-ce qu'il y a à visiter à côté de l'appartement ?
Laure : Regardez le plan : ici, c'est l'appartement. Là, c'est le quartier du Panier ; au sud, il y a le Vieux-Port. Et à côté, le MuCEM et la cathédrale de la Major. C'est à 10 minutes à pied.
Macarena : Et les Calanques ?
Laure : Ah, c'est loin ! Vous n'êtes pas en voiture... Il y a des transports : le métro et le bus. Il y a aussi le bateau pour visiter le château d'If.
Macarena à Gerardo : *¿Te gustaria visitar el château d'If de Alexandre Dumas?*
Laure : Vous êtes espagnols ?
Macarena : Oui, nous habitons en Espagne, à Malaga. Mon mari est mexicain, de Puebla, au Mexique. Moi, je suis américaine de Denver...
Laure : Ah oui, Denver aux États-Unis ! Eh bien moi, je suis Marseillaise ! Bon, vous avez mon numéro de téléphone et mon e-mail. Et là, les informations touristiques !

Piste 58. Vocabulaire
Les lieux de la ville
Voir manuel page 49.

Piste 59. Vocabulaire
Les points cardinaux
Voir manuel page 49.

Piste 60. Vocabulaire
Les déplacements
Voir manuel page 49.

Piste 61. Phonétique : Le groupe rythmique
On prononce un groupe de mots comme un seul mot. C'est le groupe rythmique.
Ex. : J'habite au Mexique. = [ʒabitomɛksik]
Vous êtes espagnols ? [vuzɛtɛspaɲɔl]

J'habite à Toulon. Dans ma ville, il n'y a pas le métro,
[ʒabitatulɔ̃ dɑ̃mavil ilnjapaləmetro
il y a le tramway.
iljalətramwɛ]

Leçon 13

Indiquer un chemin

Pistes 62-63. Document 4
Un touriste : *Excuse-me. Do you speak english?*
Une femme : Non, désolée !
Le touriste : Ah ! Euh... Où est la rue Manuel, s'il vous plaît ?
La femme : Euh... Ici, vous êtes rue des Remparts. Tournez à gauche, là, rue Donnadieu. Continuez tout droit. C'est à 200 mètres, c'est la deuxième rue à droite.
Le touriste : Merci Madame !

Le touriste : *Excuse-me!* Excusez-moi !
Un homme : Oui ?
Le touriste : C'est la rue Manuel ?
Un homme : Oui, c'est la rue Manuel !
Le touriste : Ah... Je cherche la place Manuel. Elle est où ?
L'homme : C'est par là ! Allez tout droit, c'est au bout de la rue !
Le touriste : Euh... Pardon... Vous pouvez répéter, s'il vous plaît ?
L'homme : Pardon ! C'est par là ! Allez tout droit, c'est au bout de la rue !
Le touriste : C'est loin ?
L'homme : Non, c'est à côté ! Vous allez au concert ?
Le touriste : Oui !
L'homme : Moi aussi, je vais au concert. J'adore les Mariachi !

Piste 064. Vocabulaire
Les lieux de la ville (2)
Voir manuel page 51.

Piste 065. Vocabulaire
L'itinéraire, la direction
Voir manuel page 51.

Piste 66. Phonétique : Les sons [y] et [u]
• Le son [y] est aigu, tendu, arrondi. La langue est en avant.
Ex. : la rue • le sud • super

• Le son [u] est grave, tendu, arrondi. La langue est en arrière.
Ex. : au bout • c'est où • tout droit
u-ou-u-ou-u-ou

Leçon 14

Proposer une sortie

Pistes 67-68. Document 4
Marc : Allô Betty ?
Betty : Oui.
Marc : Alors, tu viens avec nous au cinéma, demain soir ?
Betty : Demain soir, je ne peux pas, je termine le travail à 20 heures. Vous êtes libres dimanche ?
Marc : Pourquoi pas.
Betty : Dimanche après-midi, je suis libre. Mais, le matin, moi, je fais mon jogging !
Marc : Si tu veux on fait un brunch et après, on va au cinéma.
Betty : D'accord, à quelle heure est le brunch ?
Marc : Entre 11 h et 15 h ?
Betty : OK, je viens à 13 h.
Marc : Une heure, c'est bien. Je parle à Kim et je réserve chez Ma biche, C'est super bon !
Betty : C'est où ?
Marc : C'est rue Véron, dans le 18e, au métro Abbesses !
Betty : Oh c'est loin ! Bon ben, à dimanche !

Piste 69. Vocabulaire
Les loisirs (2)
Voir manuel page 53.

Piste 70. Vocabulaire
Les sorties
Voir manuel page 53.

Piste 71. Vocabulaire
L'heure
Voir manuel page 53.

Leçon 15

Techniques pour... faire une carte postale sonore de votre ville

Piste 72.
On entend : les cloches d'une église puis des enfants devant une école, des personnes qui marchent dans la rue, une femme demande son chemin dans le métro, une femme chante.

S'entraîner

Piste 73. Activité 3 a
C'est la place de la République. Ici, il y a un grand jardin. Là, il y a un arrêt de bus. Il y a un café, c'est le café Rouge. À côté, il y a un hôtel, c'est l'hôtel Concorde.

Piste 74. Activité 4 a
1. Bonjour, je m'appelle Marek et j'habite à Paris.
2. Salut, moi, c'est Nicolas et j'habite à Lyon.
3. Bonsoir, je m'appelle Margaux et j'habite à Nice.

Piste 75. Activité 10
Ex. : salut
a. bonjour b. douze c. la rue d. le boulevard
e. le consulat f. le bus g. les cousins

Piste 76. Activité 13
Ex. : La semaine, je me lève à sept heures et demie.
a. Samedi matin, je vais au musée.
b. À midi, je vais au restaurant avec mes parents.
c. Entre 3 et 4 heures, je fais mon jogging.
d. Je bois un verre avec mes amis à 19 heures.
e. Le soir, je me repose ou je vais au cinéma.

Piste 77. Activité 14b
– Allô ?
– Allô Margaux. C'est Léo. Samedi, on fait un brunch à Belleville. Tu viens avec nous ?
– Non, le samedi matin, je ne peux pas. Je travaille.
– Ah... Et dimanche, tu es libre ? Je vais voir une expo.
– Oui, dimanche, je suis libre. C'est où ?
– Au musée Rodin, à côté du métro Varenne.
– D'accord. Rendez-vous devant le métro à 3 heures ?
– OK. À dimanche, 15 heures ! Bises.

Unité 5 Parlez de votre quotidien

Leçon 16

Décrire son quotidien

Piste 78. Document 2
Le journaliste : Bonjour à tous, bienvenue dans l'interview « C'est ma vie » ! Notre invitée, aujourd'hui, est une femme. Quand nous nous couchons, le soir, elle commence son travail ! Quand elle se couche, quand elle dort, nous travaillons ! Isabelle Faure, bonjour !
Isabelle : Bonjour ! Vous travaillez la nuit, n'est-ce pas ?
Isabelle : Oui, tout à fait !
Le journaliste : Racontez-nous votre quotidien.
Isabelle : Oh là ! Alors, j'arrive à l'hôpital à 19 h et je travaille jusqu'à 7 h du matin. Je travaille de 7 h à 7 h !
Le journaliste : Et qu'est-ce que vous faites après ?
Isabelle : Je rentre chez moi. Je me douche et je me couche.
Le journaliste : Vous vous couchez le matin !
Isabelle : Ben oui ! Et je dors de 8 h à midi. À midi, je me lève et je déjeune...
Le journaliste : Ah ! Vous déjeunez ! Petit déjeuner ou déjeuner ?
Isabelle : Les 2 !
Le journaliste : Et ensuite ?
Isabelle : D'abord, je me repose : je fais une sieste jusqu'à 17-18 heures. Je me lave, je m'habille et je vais en bus à l'hôpital !
Le journaliste : Vous avez le temps pour des activités de loisirs ?
Isabelle : Oui ! Je fais du sport ! Je vais à la salle de sport le lundi et le jeudi après-midi. Je fais de la muscu et des abdos.
Le journaliste : Et les jours de repos ?
Isabelle : Ah, les jours de repos, c'est tranquille ! Je fais de la danse et...

Piste 79. Vocabulaire
Les activités quotidiennes
Voir manuel page 61.

Piste 80. Vocabulaire
Les moments de la journée et de la semaine
Voir manuel page 61.

Piste 81. Vocabulaire
Les repas
Voir manuel page 61.

Leçon 17

Faire les courses

Piste 82. Activité 2a
1. une tomate 2. une courgette 3. une fraise
4. une pomme 5. une cerise 6. une poire
7. une pomme de terre 8. un melon

Piste 83. Document 2
Femme : Patrick, qu'est-ce qu'on va faire samedi pour le dîner ?
Patrick : Un repas simple !
Femme : Un « repas simple », c'est-à-dire ?
Patrick : Ben... du melon en entrée... des pizzas avec de la salade et... des fruits en dessert ?
Femme : Bon, mouais...

Patrick : Regarde, je suis sur Locavor ; je commande, d'accord ?
Femme : D'accord, prends deux melons ! Combien coûte un melon ?
Patrick : Y a une promotion, c'est 6 euros les 3 !
Femme : OK pour trois ! Ah tiens, il y a des fraises aussi : 2,50 € la barquette.
Patrick : Bon d'accord, deux barquettes de 250 grammes. Et les cerises, là, elles sont à combien ?
Femme : 9 € le kilo ?!!!
Patrick : Ah ben non, c'est cher !
Femme : Ensuite, les légumes. Une ou deux salades ?
Patrick : Ben une !
Femme : C'est bon ?
Patrick : Et je voudrais des tomates...

Piste 84. Vocabulaire
Les commerces
Voir manuel page 63.

Piste 85. Vocabulaire
Les aliments (1)
Voir manuel page 63.

Piste 86. Vocabulaire
Les contenants
Voir manuel page 63.

Piste 87. Vocabulaire
Le prix
Voir manuel page 63.

Piste 88. Phonétique : Les sons [O] **et** [ɔ̃]
• Le son [O] est oral, l'air passe par la bouche.
Ex. : le kilo • la pomme • d'accord • la tomate • Locavor

•Le son [ɔ̃] est nasal. L'air passe par le nez (et par la bouche). On ne prononce pas le n.
Ex. : le melon • le thon • elles sont • nous voudrions • non
o – on – o – on – o – on – o – on

Leçon 18

Acheter des vêtements

Piste 89. Document 1
Cécile : Oh ! Une nouvelle boutique ! Allez viens !
La vendeuse : Bonjour, je peux vous renseigner ?
Cécile : Oui, je cherche...
La vendeuse : Alors, devant, il y a les pantalons, décontractés pour le soir, les shorts et les jupes. Derrière la caisse, il y a les tops, les chemises, les manteaux, les blousons et les jeans.
Cécile : Où sont les bottes ?
La vendeuse : Les bottes ? Elles sont sous les vêtements, entre les sandales et les chaussures à talons. Les ceintures et les foulards sont sur la table à côté de la caisse.
Cécile : Ils ont des vêtements magnifiques et de belles chaussures !
Medhi : C'est cher, non ?
Cécile : Mais non ! Regarde, elle est bien cette jupe bleue ? Et ce petit top, pour le soir ?
Medhi : Orange pour le soir ? Humm... Appelle la vendeuse !
Cécile : Excusez-moi. Je peux essayer cette jupe bleue ?
La vendeuse : Bien sûr. Quelle est votre taille ?
Cécile : 38.
La vendeuse : Voilà un 38 !
Cécile : Merci ! Regarde, elle est parfaite ! Je suis élégante !
Medhi : Oui, oui !
Cécile : On regarde les chaussures, d'accord ? Excusez-moi, je voudrais essayer ces chaussures à talons.
La vendeuse : Quelle est votre pointure ?
Cécile : 39.
La vendeuse : Voilà !
Cécile : Les talons sont hauts mais elles sont confortables. Je prends la jupe et les chaussures.
Medhi : Allez Cécile, je paye !
Cécile : Ah non, c'est moi ! Et vous avez des chapeaux ?
La vendeuse : Oui, regardez, devant la caisse. Suivez-moi !

Piste 90. Vocabulaire
Les vêtements (2)
Voir manuel page 65.

Piste 91. Vocabulaire
Les accessoires (2)
Voir manuel page 65.

Piste 92. Vocabulaire
Les chaussures
Voir manuel page 65.

Piste 93. Vocabulaire
Les caractéristiques des vêtements (2)
Voir manuel page 65.

Piste 94. Vocabulaire
Les magasins
Voir manuel page 65.

Piste 95. Vocabulaire
Les couleurs
Voir manuel page 63

Piste 96. Phonétique : Les sons [i] et [E]
• Le son [i] est tendu, aigu, souriant. La bouche est fermée.
Ex. : midi • Je m'habille. • Il habite à Paris.

• Le son [E] est relâché, aigu, souriant. La bouche est ouverte.
Ex. : le déjeuner • Je me lève. • chez moi • dîner • s'habiller

S'entraîner

Piste 97. Activité 1
Le samedi matin, je me lève à sept heures. Après le petit déjeuner, je fais les courses au supermarché. À dix heures, je vais à mon cours de tennis. J'adore le sport. Je déjeune de midi à treize heures trente. L'après-midi, c'est tranquille : je regarde la télé.

Piste 98. Activité 5
Ex. : Deux pains, s'il vous plaît. Et… vous avez des gâteaux ?
1. C'est un délicieux fromage de Normandie !
2. Notre viande vient du Limousin. Les steaks sont très bons. 3. Les pommes sont à 2 euros le kilo, monsieur. 4. Bonjour Monsieur ! Le poisson, ici, c'est combien s'il vous plaît ? 5. Un paquet de pâtes… du sel… du sucre… 9 euros cinquante, s'il vous plaît.

Piste 99. Activité 10
Ex. : Mes cousins vont au Japon.
a. Nous allons au musée à onze heures.
b. Où sont vos bons melons ?
c. Ton prénom est japonais ?
d. Un kilo d'oignons s'il vous plaît !
e. Non ! Ils ne sont pas blonds.

Piste 100. Activité 16
Ex. : des îles / des ailes

a. le cil / le sel	d. le lit / le lit
b. le nez / le nez	e. le mil / le mil
c. un bébé / un bibi	f. le mets / le mi

Préparation au DELF A1

Compréhension de l'oral

Piste 101. Exercice 2
Écoutez deux fois le message. Lisez les questions puis répondez.
Radio Culture bonjour ! Aujourd'hui, nous vous proposons de gagner des places pour une pièce de théâtre ! C'est un spectacle pour les adolescents de 12 à 17 ans, le jeudi 28 octobre ! Vous voulez gagner des places ? Appelez au 02 54 52 61 87 !

Partagez vos expériences !

Leçon 20

Faire une recette

Piste 102. Document 1
une cuillère • un couteau • une poêle •
une casserole • une cocotte • un moule •
une passoire • un saladier • un four • une cuisinière

Piste 103. Vocabulaire
Les ingrédients
Voir manuel page 75.

Piste 104. Vocabulaire
Les ustensiles de cuisine
Voir manuel page 75.

Piste 105. Vocabulaire
Les appareil électroménagers (2)
Voir manuel page 75.

Piste 106. Vocabulaire
Les étapes culinaires
Voir manuel page 75.

Piste 107. Vocabulaire
La quantité
Voir manuel page 75.

Piste 108. Phonétique : Le son [j]
Pour prononcer le son [j], la bouche est souriante, la pointe de la langue en bas.
Ex. : aïe • yoga
– ouil/ouille se prononcent [uj] : la ratatouille
– ail/aille se prononcent [aj] : de l'ail • je travaille
– ill/ille se prononcent [ij] : la cuillère • la fille
– euille se prononcent [œj] : une feuille
– i + voyelle prononcée se prononcent [j] :
un ingrédient • du laurier • délicieux
– y se prononcent [j] : un yaourt

Leçon 21

Commander au restaurant

Piste 109. Document 3
Le serveur : Bonjour, c'est pour déjeuner ? Vous avez réservé ?
Le client : Bonjour ! Oui, j'ai réservé au nom de Luxton.

Le serveur : Oui, une table pour deux personnes. Par ici, voici votre table. Vous désirez un apéritif ?
Le client : Non merci. On pourrait avoir la carte, s'il vous plaît ?
Le serveur : Bien sûr. Voilà l'ardoise. Je reviens dans 2 minutes.
...
Le serveur : Vous avez choisi ?
Le client : Euh... Le midismart à 27 francs 50, c'est bien le plat du jour plus le dessert ?
Le serveur : Non ! C'est la formule complète : entrée, plat, dessert ! Aujourd'hui, l'entrée du jour c'est guacamole et chips de maïs.
Le client : Alors, qu'est-ce que tu prends ?
Le serveur : Je vous conseille la formule !
Le client : D'accord ! La formule à 27 francs 50 ! Avec le plat 4 : le cabillaud.
La cliente : Moi, je voudrais juste une salade caprese.
Le serveur : Et comme boisson ?
La cliente : Quelles boissons vous avez ?
Le serveur : De l'eau, des jus de fruits, du vin...
La cliente : De l'eau ! Une carafe d'eau.
Le client : Et du vin blanc ? Ça te dit ?
Le serveur : Une bouteille de vin ?
La cliente : Non, un pichet de 25 cl.
Le serveur : Vous avez fini ?
La cliente : Oui ! Nous avons fini. L'addition, s'il vous plaît !
Le serveur : Bien sûr ! J'arrive tout de suite !

Piste 110. Vocabulaire
Les mots du restaurant
Voir manuel page 77.

Piste 111. Phonétique : Les sons [E] et [ɛ̃]
• Le son [E] est oral, l'air passe par la bouche.
Ex. : une entrée • un dessert

• Le son [ɛ̃] est nasal. L'air passe par le nez (et par la bouche). On ne prononce pas le *n*.
Ex. : le vin • vingt (20) • un (1) • bien • je reviens
è • in • è • in • è • in • è • in •

Leçon 22

Raconter un événement

Piste 112. Document 2
Salut Éric, c'est Antoine. Ça va à New York ? Hier, j'ai emmené Julie au cinéma du Palais. Nous n'avons pas regardé le film au programme. J'ai fait ma demande en mariage ! Julie adore la bague. Ouf !! Nous nous marions en septembre. Rappelle-moi !

Piste 113. Vocabulaire
Le mariage
Voir manuel page 79.

Piste 114. Vocabulaire
Le temps
Voir manuel page 79.

Piste 115. Vocabulaire
Le cinéma
Voir manuel page 79.

S'entraîner

Piste 116. Activité 4
Ex. : Tu coupes les aubergines en deux.
a. Tu ajoutes l'huile d'olive. b. Tu n'épluches pas les pommes de terre. c. Tu fais cuire les légumes. d. Tu ne coupes pas les tomates. e. Tu haches l'ail. f. Tu chauffes le four.

Piste 117. Activité 6
Ex. : Je préfère le yaourt à l'orange. a. Sa fille travaille au Japon. b. Il y a de l'ail dans la ratatouille. c. Ajouter une cuillère d'huile. d. Ajoute une feuille de laurier.

Piste 118. Activité 10
Ex. : le pain / la paix
a. le lin / le lait b. le bien / le biais c. le trait / le train d. le thym / le thé e. la baie / le bain f. le mets / la main

Unité 7 Donnez votre avis !

Leçon 24

Conseiller

Piste 119. Document 2
Chez le médecin
Le médecin : M. Thauvin ! Bonjour.
Le patient : Bonjour docteur.
Le médecin : Asseyez-vous ! Qu'est-ce qui vous arrive ?
Le patient : Je ne me sens pas bien. Je suis fatigué.
Le médecin : Vous avez de la fièvre ?
Le patient : Non, je ne crois pas. J'ai mal à la gorge et je tousse.
Le médecin : Depuis combien de temps ?
Le patient : J'ai mal à la gorge depuis deux-trois jours mais je ne suis pas en forme depuis une semaine.

Le médecin : Montrez votre gorge ! Mmmmh… Vous fumez beaucoup ?
Le patient : Oui.
Le médecin : Vous devez arrêter ! Vous pouvez consulter un tabacologue. Vous connaissez quelqu'un ?
Le patient : Non personne !
Le médecin : Voilà les coordonnées du docteur Lamouric. Vous pouvez prendre rendez-vous de ma part.
Le patient : Je dois voir un pneumologue aussi ?
Le médecin : Ce n'est pas nécessaire… pour le moment.
Patient : Et comme médicament, pour ma gorge ?
Le médecin : Vous avez une laryngite : vous pouvez prendre du paracétamol et du sirop contre la toux. Je vous fais une ordonnance pour la pharmacie.
Le patient : Et des antibiotiques ?
Le médecin : C'est un virus : il ne faut pas prendre d'antibiotiques ! Et il faut arrêter de fumer ! Vous avez votre carte Vitale ?

Piste 120. Vocabulaire
Les parties du corps
Voir manuel page 87.

Piste 121. Vocabulaire
Les professions (2) : la santé
Voir manuel page 87.

Piste 122. Vocabulaire
Les symptômes
Voir manuel page 87.

Piste 123. Vocabulaire
Les maladies
Voir manuel page 87.

Piste 124. Vocabulaire
Le traitement
Voir manuel page 87.

Leçon 25

Proposer un projet

Piste 125. Document 2
Stéphane : Non, désolé, je ne suis pas libre jeudi. Je vais m'inscrire à la réunion d'information.
Lucas : Quelle réunion ?
Stéphane : Ben, la réunion sur le nouveau jardin partagé !
Lucas : Ah ! Le jardin d'Amouroux ! Oui, moi aussi, je vais m'inscrire !
Stéphane : Tu vas t'inscrire ? !!
Lucas : Ben oui ! Pourquoi ?
Stéphane : euh… Pour rien ! Tu vas demander une parcelle individuelle ou une parcelle collective ?
Lucas : Heu… Qu'est-ce que c'est ?
Stéphane : La parcelle individuelle, c'est un petit bout de terrain privé, pour toi ! Et la p…
Lucas : Non, je préfère une parcelle collective.
Stéphane : Pourquoi ?
Lucas : Parce que je ne connais rien au jardinage ! Les autres vont m'aider !
Stéphane : Moi, je préfère une parcelle individuelle. Je veux choisir mes plantations.
Lucas : Qu'est-ce que tu vas planter ?
Stéphane : Je vais planter des tomates, des fraises…
Lucas : Elles ne vont pas pousser en ville !!!
Stéphane : Elles vont pousser parce qu'il y a un compost.
Lucas : C'est quoi un compost ?
Stéphane : C'est un engrais naturel !
Lucas : Super ! On va avoir des légumes… bio ! Je vais planter des carottes… bio !

Piste 126. Vocabulaire
Les indicateurs du futur
Voir manuel page 89.

Piste 127. Vocabulaire
Le projet
Voir manuel page 89.

Piste 128. Vocabulaire
Le jardin
Voir manuel page 89.

Piste 129. Vocabulaire
L'environnement
Voir manuel page 89.

Piste 130. Phonétique : Les sons [a] et [ɑ̃]
a • AN • a • AN • a • AN • a • AN

Leçon 26

Raconter un voyage

Piste 131. Vocabulaire
Les voyages
Voir manuel page 91.

Piste 132. Vocabulaire
Les appréciations
Voir manuel page 91.

Piste 133. Vocabulaire
Les loisirs (2)
Voir manuel page 91.

Piste 134. Vocabulaire
Les jeux
Voir manuel page 91.

Piste 135. Phonétique : La continuité : l'élision, les liaisons et les enchaînements
a. J'ai mal à la tête. b. Elle a mal aux dents.
c. Ils ont mal au dos.

Leçon 27

Techniques pour... laisser un message vocal

Piste 136. Document 1
– Bonjour. Vous êtes bien chez Sport et découverte. Veuillez laisser votre message après le bip sonore. Merci et à bientôt !
– Bonjour. Je m'appelle Redouane Fontes. Je souhaite faire un vol en montgolfière pour découvrir les volcans d'Auvergne. Est-ce qu'une personne en fauteuil roulant peut faire le voyage ? Il y a des disponibilités pour 4 personnes en juin ? Faut-il réserver maintenant ? Vous pouvez me rappeler au 07 34 12 78 51. Merci, bonne journée !

S'entraîner

Piste 137. Activité 10
Ex. : un engrais
1. Dans un an. 2. J'aime jardiner. 3. Elle est nigériane. 4. Il est nigérian. 5. C'est naturel !

Piste 138. Activité 15 b
1. C'est un grand infirmier. 2. C'est une grande infirmière ! 3. J'ai mal à la jambe. 4. Vous avez mal aux yeux ? 5. Ils ont des antibiotiques.
6. Tu portes un sac ?

Préparation au DELF A1

Compréhension de l'oral

Piste 139. Exercice 3 : comprendre des instructions
Écoutez deux fois le message. Lisez les questions puis répondez.
Madame Guéné, pour soigner votre rhume, vous allez prendre du paracétamol trois fois par jour. Pour le mal de gorge, vous devez prendre du sirop le matin et le soir avant le repas. Et mangez des oranges, c'est bon pour soigner le mal de gorge !

Piste 140. Exercice 4
Dialogue 1 :
– Elle est bonne ta pizza ?
–Oui, c'est un super restaurant ici !

Dialogue 2 :
– Regarde, on mélange d'abord le beurre et les œufs, puis on ajoute le sucre.
– Et on ajoute les 250 grammes de chocolat ?

Dialogue 3 :
– Bonjour, je voudrais un médicament pour soigner le mal de tête.
– Oui, il coûte 10 euros.

Dialogue 4 :
– Qu'est-ce que tu fais ?
– Je jardine, je plante des fleurs.

Dialogue 5 :
– Bonjour, je voudrais 3 kilos de tomates, s'il vous plait.
– 3 kilos de tomates... 4 euros 50, s'il vous plaît.

Informez-vous !

Leçon 28

Expliquer son cursus

Piste 141. Document 2
La responsable : Bonjour M. Tissot.
Hippolyte : Bonjour Madame.
La responsable : Alors, vous voulez faire votre stage de master chez nous, en Belgique ? Quel est votre cursus ?
Hippolyte : Après mon bac S, j'ai suivi un double cursus droit/gestion à Paris 1. J'ai obtenu ma double licence l'année dernière.
La responsable : Et maintenant, vous étudiez quoi ?
Hippolyte : J'ai choisi de faire un master de gestion : innovation/management. Je veux faire de l'économie circulaire.
La responsable : Est-ce que vous connaissez notre entreprise ?
Hippolyte : Oui, bien sûr ! Je connais bien Phenix.
La responsable : Parfait. Et qu'est-ce qui vous plaît chez Phenix ?
Hippolyte : Le côté économie circulaire de Phenix m'intéresse.
La responsable : Hum...
Hippolyte : Par exemple, utiliser à nouveau les plastiques pour limiter le gaspillage... ça c'est innovant !
La responsable : D'accord. Savez-vous organiser des actions de communication ? Salon ?

Formations ?
Hippolyte : Oui, je sais : je suis responsable d'une association à ma fac.
La responsable : Très bien ! Et vous êtes aussi disponible le week-end, bien sûr ?
Hippolyte : Oui, bien sûr !
La responsable : Dans votre CV, vous dites...

Piste 142. Vocabulaire
Les études universitaires
Voir manuel page 101.

Piste 143. Vocabulaire
Les domaines
Voir manuel page 101.

Piste 144. Phonétique : Les sons [s] et [z]
• Le son [s] est tendu. Les cordes vocales ne vibrent pas.
la licence • le master • le stage • une association

• Le son [z] est relâché. Les cordes vocales vibrent.
les_études; une entreprise; organiser.

ils sont – ils_ont
nous savons - nous_avons
sssss • zzzzz • sssss • zzzzz • sssss • zzzzz

Leçon 29

Décrire un travail

Piste 145. Document 2
Omid : C'est qui le nouveau ?
Sophie : C'est Victor. Il va travailler à la communication.
Omid : Qu'est-ce qu'il va faire à la com' ?
Sophie : Tu es bête ! Il va s'occuper des partenariats et du développement.
Omid : Ah ! Il remplace Jordan. Il est resté un an chez nous, c'est ça ?
Sophie : Oui ! C'est vrai ! Chut... Il arrive ! Bonjour Victor. Je vous présente Omid. Victor, nouvel assistant de la directrice du marketing.
Victor : Bonjour Sophie. Bonjour Omid, enchanté !
Omid : Bonjour ! Vous allez vous occuper du site ?
Victor : Mmmmh... je ne vais pas m'occuper du site, je vais développer les réseaux sociaux et...
Omid : Vous êtes en CDD ou en CDI ?
Victor : En CDD !
Omid : Ah ! Dommage ! Vous allez rester combien de temps ?
Victor : Mon contrat est de 9 mois... mais... renouvelable...
Sophie : C'est quand la réunion avec la directrice des ressources humaines ?
Omid : C'est maintenant ! Vous y allez Victor ?
Victor : Euh... non, je ne crois pas.
Sophie : Nous, on y va ! Vite ! Il ne faut pas être en retard ! Elle n'est pas commode la DRH... À plus !
Omid : À bientôt !
Victor : Oui ! Mais... la réunion... J'y vais ou j'y vais pas ?

Piste 146. Vocabulaire
Le travail
Voir manuel page 103.

Piste 147. Vocabulaire
Les postes
Voir manuel page 103.

Piste 148. Vocabulaire
Les services
Voir manuel page 103.

Piste 149. Vocabulaire
Les tâches
Voir manuel page 103.

Piste 150. Phonétique :
Les sons [E] / [œ] / [O]
• Le son [E] est aigu, souriant.
travailler • un café • un stagiaire • tu es bête
• Le son [œ] est aigu, arrondi. La langue est en avant, contre les dents.
le lieu • le directeur • l'accueil • jeune
• Le son [O] est grave, arrondi. La langue est en arrière, elle ne touche pas les dents.
les réseaux sociaux • un poste • le téléphone
é • eu • o
ère • eure • ore

Leçon 30

Se loger

Piste 151. Document 3
Employé de l'agence : Agence Immo plus, bonjour.
Nour : Allô ? Bonjour monsieur. Je suis Nour Legrand. J'appelle pour la location de l'appartement.
Employé de l'agence : Ah, bonjour Madame Legrand. Vous allez bien ?
Nour : Très bien, merci.
Employé de l'agence : Vous avez fait votre choix ?
Nour : Oh non, nous n'avons pas choisi. Nous avons sélectionné deux appartements sur votre site. L'appartement de la rue Delore, le T2, et le T3 du quai de la Pêcherie. Ça a été difficile de se décider !
Employé de l'agence : Bon, regardons les avantages des deux appartements. Le premier, le T3 : il est plus grand, il est au 6e étage, il est très clair. OK, il est plus cher que le T2 mais le chauffage est collectif.

Nour : Hummm… mais le T2 est aussi clair que le T3. Et les chambres du T3 sont trop petites. Il n'y a pas la place pour notre grand lit.
Employé de l'agence : Je comprends. Le T2 est moins grand que le T3 mais il a un balcon exposé sud-ouest.
Nour : Il fait trop chaud l'été dans cet appartement, non ?
Employé de l'agence : Non !!! C'est sud-ouest ! Il y a aussi une cuisine équipée. Et en plus, il y a une place de parking.
Nour : Nous n'avons pas de voiture.
Employé de l'agence : Vous aimez les immeubles anciens ou les immeubles modernes ?
Nour : Les immeubles anciens sont moins confortables, mais ils sont plus beaux. Bon, Je ne sais pas.
Employé de l'agence : Il faut voir. Aujourd'hui, il pleut ; venez visiter les appartements demain, il y a du soleil.
Nour : Demain… demain… demain… heu… 14 heures, c'est trop tôt pour vous ?
Employé de l'agence : Ne quittez pas, je vais demander à mon collègue. À 14 heures, c'est parfait. On se retrouve à l'agence ?
Nour : Très bien. Merci ! À demain !
Employé de l'agence : À demain, au revoir !

Piste 152. Vocabulaire
Le logement
Voir manuel page 105.

Piste 153. Vocabulaire
L'appartement
Voir manuel page 105.

Piste 154. Vocabulaire
Les caractéristiques du logement
Voir manuel page 105.

Piste 155. Vocabulaire
Les nombres ordinaux
Voir manuel page 105.

Piste 156. Vocabulaire
La météo
Voir manuel page 105.

S'entraîner

Piste 157. Activité 4a
Ex. : ils sont – ils ont
1. vous avez – vous savez 2. elles ont – elles ont
3. nous savons – nous avons 4. ils s'aiment – ils aiment 5. nos entreprises – nos entreprises

Piste 158. Activité 4b
1. Vous avez un stage dans une entreprise ou une association ? 2. Nous avons des étudiants en licence et en master.

Piste 159. Activité 9a
Ex. : J'y vais ou j'y vais pas ?
1. Un contrat de neuf mois renouvelable.
2. Nous sommes au bureau ! 3. Un jeune travailleur.
4. Un stagiaire en alternance. 5. L'accueil ouvre à deux heures.

Piste 160. Activité 9b
1. nez – ne – nos 2. les – le – l'eau
3. des – deux – dos 4. père – peur – port
5. l'air – leur – l'or 6. sel – seul – sol

Piste 161. Activité 12b
Bonjour ! La météo des grandes villes.
À Paris et à Strasbourg, il pleut.
À Nantes et à Bordeaux, il fait froid.
Il fait beau à Marseille et à Nice.
À Toulouse, il fait chaud !
À Lyon, il y a du soleil !

DELF A1

Compréhension de l'oral

Piste 162. Exercice 1
Vous allez entendre deux fois un document.
Il y a 30 secondes de pause entre les 2 écoutes puis vous avez 30 secondes pour vérifier vos réponses.
Lisez les questions.
Bonjour, aujourd'hui notre magasin fête ses 10 ans.
Profitez des promotions sur les accessoires !
Les sacs sont à 12 euros et les ceintures sont à 6 euros ! Et cet après-midi, promotion sur les lunettes de soleil : elles sont à 8 euros !
Attention la promotion se termine à 18 h 30 !

Piste 163. Exercice 2
Vous allez entendre deux fois un document.
Il y a 30 secondes de pause entre les 2 écoutes puis vous avez 30 secondes pour vérifier vos réponses.
Lisez les questions.
Votre attention, s'il vous plaît. Le train de 12 h 45 en provenance de Lyon a un retard de deux heures à cause de la neige. Les passagers peuvent aller dans la salle d'attente numéro 3. Il y a des journaux gratuits et, à côté de la salle, un bar pour acheter des boissons et des sandwichs.

Piste 164. Exercice 3
Vous allez entendre deux fois un document.
Il y a 30 secondes de pause entre les 2 écoutes puis

vous avez 30 secondes pour vérifier vos réponses.
Lisez les questions.
Pour faire une bonne salade de fruits, il faut :
une pomme, quatre bananes, quatre oranges et 200 g de fraises. Couper les fruits en petits morceaux. Ajouter 2 litres de jus de pomme mais pas de sucre. Laisser au réfrigérateur 1h30. Ajoutez des feuilles de menthe avant de servir.

Piste 165. Exercice 4

Vous allez entendre quatre petits dialogues correspondant à quatre situations différentes. Il y a 15 secondes de pause après chaque dialogue. Notez sous chaque image le numéro du dialogue qui correspond. Puis vous allez entendre à nouveau les dialogues. Vous pouvez compléter vos réponses. Regardez les images. Attention, il y a 6 images (a, b, c, d, e et f) mais seulement 4 dialogues.

Dialogue n° 1 :
– Excusez-moi, quel bus va au centre ville ?
– Le bus numéro 125, il arrive !

Dialogue n° 2 :
– Tu es prête pour le match de tennis ?
– Ah oui, et j'ai une nouvelle raquette !

Dialogue n° 3 :
– Je me suis inscrit à des cours de photographie. Et c'est mon nouvel appareil photo.
– Il est super, tu vas pouvoir prendre de belles photos !

Dialogue n° 4 :
– Qu'est-ce qu'on mange ce soir ?
– Une bonne soupe de légumes !

Piste 166. exercice 5

Vous êtes en France. Vous recevez ce message. Quels objets sont donnés dans le message ? Vous entendez le nom de l'objet ? Cochez OUI. Sinon, cochez NON. Puis vous allez entendre à nouveau le message. Vous pouvez compléter vos réponses.
Bonjour. C'est Lucas. Je cherche un cadeau pour Raphaël, c'est son anniversaire ! Si tu es libre jeudi après-midi, je te propose d'aller au centre-ville. J'hésite entre une montre, un roman d'aventure ou un billet pour un concert de rock. Rappelle-moi, s'il te plaît !

Lexique multilingue

FRANÇAIS	ANGLAIS	CHINOIS	ESPAGNOL	PORTUGAIS	RUSSE
à côté	near	旁边	al lado	ao lado	рядом
à droite	on/to the right	右边	a la derecha	à direita	справа, направо
à gauche	on/to the left	左边	a la izquierda	à esquerda	слева, налево
à pied	on foot	步行	a pie	a pé	пешком
à vélo	by bike	骑自行车	en bicicleta	de bicicleta	на велосипеде
abdo(minaux) (des)	abdominals	腹肌	abdominal(es) (unos)	abdo(minais) (os)	мышцы живота
absolument	absolutely	绝对的	absolutamente	absolutamente	полностью
accepter (v.)	to accept	接受	aceptar	aceitar (v.)	принимать
accessoire (un)	accessory (an)	配饰	accesorio (un)	acessório (um)	аксессуар
accueil (l')	reception (the)	招待	recepción (la)	receção (a)	приём
achat (un)	purchase (a)	购买	compra (una)	compra (uma)	покупка
activité (une)	activity (an)	活动	actividad (una)	atividade (uma)	деятельность
addition (une)	bill (a)	结账	cuenta (una)	conta (uma)	счёт
administration (l')	administration/ management (the)	管理、政府部门、行政	administración (la)	administração (a)	администрация
adorable (adj.)	adorable	可爱的	adorable	adorável	очаровательный(ая)
adorer	to adore	崇拜，喜爱	adorar	adorar	обожать
aéroport (un)	airport (an)	飞机场	aeropuerto (un)	aeroporto (um)	аэропорт
âge (un)	age (an)	年龄	edad (una)	idade (uma)	возраст
agence immobilière (une)	estate agency (an)	房地产事务所	agencia inmobiliaria (una)	agência imobiliária (uma)	агентство недвижимости
agréable (adj.)	pleasant	舒服的	agradable	agradável (adj.)	приятный(ая)
aider (v.)	to help	帮助	ayudar	ajudar (v.)	помогать
ail (l')	garlic (the)	大蒜	ajo (el)	alho (o)	чеснок
aimer (v.)	to love/to like	爱	gustar	amar (v.)	любить
ajouter (v.)	to add	添加	añadir	adicionar (v.)	добавить
allée (une)	alleyway (an), path (a)	小径，过道	alameda (una)	alameda (uma)	аллея
aller (v.)	to go	去，通往	ir	ir (v.)	идти
alternance (l')	work experience (the)	交替	alternancia (la)	alternância (a)	стажировка
alternant/e (un/une)	work experience student (a)	替换者	trabajador/a en alternancia (un/una)	alternante (um/uma)	стажёр
ami(e) (un/une)	friend (a)	朋友	amigo/a (un/una)	amigo/a (um/uma)	друг/подруга
ampoule (une)	light bulb (a)	灯泡，小瓶	bombilla (una)	lâmpada (uma)	лампочка
analyser (v.)	to analyse	分析	analizar	analisar (v.)	анализировать
ancien/ne (adj.)	former	旧的	antiguo/a	antigo/a (adj.)	старый(ая)
animation (une)	entertainment/activity (an)	活动，动画片	animación (una)	animação (uma)	анимация
animé(e) (adj.)	busy/lively	活跃的	animado/a	animado/a (adj.)	оживлённый(ая)
animer (v.)	to present	主持	animar	conduzir (v.)	вести
annonce (une)	advert (an)	广告	anuncio (un)	anúncio (um)	объявление
antibiotique (un)	antibiotic (an)	抗生素	antibiótico (un)	antibiótico (um)	антибиотик
août	August	八月	agosto	agosto	август
apéritif (un)	aperitif (an)/drink before a meal (a)	开胃酒	aperitivo (un)	aperitivo (um)	аперитив
apparence (l')	appearance (the)	外表	apariencia (la)	aparência (a)	внешность
appartement (un)	flat (a)	套房	apartamento (un)	apartamento (um)	квартира
applaudir (v.)	to applaud	鼓掌	aplaudir	aplaudir (v.)	аплодировать
appréciation (une)	appreciation (an)	评估	apreciación (una)	avaliação (uma)	оценка
apprendre (v.)	to learn	学习	aprender	aprendrer (v.)	учить
après	after	之后	después	após	после
après-midi (l')	afternoon (the)	下午	tarde (la)	tarde (a)	после полудня
arbre généalogique (un)	family tree (a)	家谱	árbol genealógico (un)	árvore genealógica (uma)	генеалогическое древо
architecture (l')	architecture (the)	建筑	arquitectura (la)	arquitetura (a)	архитектура
ardoise (une)	slate (a)	书写用的石板	pizarra (una)	ardósia (uma)	меню на доске
armoire (une)	cupboard (a)	衣橱	armario (un)	armário (um)	шкаф

FRANÇAIS	ANGLAIS	CHINOIS	ESPAGNOL	PORTUGAIS	RUSSE
arrêt de bus (un)	bus stop (a)	车站	parada de autobús (una)	paragem de autocarro (uma)	автобусная остановка
arrêter (v.)	to stop	停止	parar	parar (v.)	прекратить
art (l')	art (the)	艺术	arte (el)	arte (a)	искусство
artiste (un/une)	artist (an)	艺术家	artista (un/una)	artista (um/uma)	артист(ка)
ascenseur (un)	lift (a)	电梯	ascensor (un)	elevador (um)	лифт
assistant/e (un/une)	assistant (an)	助理	asistente (un/una)	assistente (um/uma)	ассистент(ка)
assister (v.)	to attend	参加	asistir	assistir (v.)	присутствовать
association (une)	association (an)	协会	asociación (una)	associação (uma)	ассоциация
atelier (un)	workshop (a)	工坊	taller (un)	atelier (um)	мастерская, семинар
au bout	at the end	在尽头	al final	no final	в конце
au revoir	good-bye	再见	adiós	adeus	до свидания
aubergine (une)	aubergine (an)	茄子	berenjena (una)	beringela (uma)	баклажан
autoproduction (une)	growing your own	自己生产	autoproducción (una)	autoprodução (uma)	самообеспечение
autre (un/une)	another	其他	otro/a	outro/a (um/uma)	другой(ая)
avenue (une)	avenue (an)	大道	avenida (una)	avenida (uma)	проспект
avion (un)	plane (a)/airplane (an)	飞机场	avión (un)	avião (um)	самолёт
avis (un)	opinion (an)	意见	opinión (una)	opinião (uma)	мнение
avoir (v.)	to have	有	tener	ter (v.)	иметь
avoir mal (v.)	to be in pain	疼痛	doler	sentir dor (v.)	испытывать боль
avril	April	四月	abril	abril	апрель
bac (le)	a Level (the)	毕业会考	bachillerato (el)	exame de fim de estudos do ensino secundário	выпускной экзамен
bague (une)	ring (a)	戒指	anillo (un)	anel (um)	кольцо
baignoire (une)	bath (a)	浴缸	bañera (una)	banheira (uma)	ванная
balade (une)	walk/ride (a)	漫游，游玩	paseo (un)	passeio (um)	прогулка
balcon (un)	balcony (a)	阳台	balcón (un)	varanda (uma)	балкон
banane (une)	banana (a)	香蕉	plátano (un)	banana (uma)	банан
bande-annonce (une)	trailer (a)	预告片	tráiler (un)	trailer (um)	трейлер
banque (la)	bank (the)	银行	banco (el)	banco (um)	банк
bar (un)	bar (a)	酒吧	bar (un)	bar (um)	бар
barquette (une)	punnet/small container (a)	小艇，食品盒	bandeja (una)	bandeja (uma)	контейнер
basket (le)	basketball	篮球	baloncesto (el)	ténis (o)	баскетбол
baskets (des)	trainers	篮球鞋	zapatillas deportivas (unas)	ténis (os)	кроссовки
bateau (un)	boat (a)	船	barco (un)	barco (um)	корабль
beau/belle (adj.)	beautiful/attractive/handsome	俊/美	bonito/a	bonito /bonita (adj.)	красивый(ая)
beaucoup de	a lot of	很多的	muchos/as	muito	много
bébé (un)	baby (a)	宝宝，婴儿	bebé (un)	bebé (um)	младенец
beige (adj.)	beige	米色	beis	bege (adj.)	бежевый(ая)
beurre (le)	butter (the)	黄油	mantequilla (la)	manteiga (a)	сливочное масло
bien	good	好	bien	bem	хорошо
bio (adj.)	organic	天然的	ecológico/a	bio (adj.)	био
bip sonore (un)	beep (a)	嘟嘟声	señal (una)	sinal (um)	гудок
blanc/blanche (adj.)	white	白色的	blanco/a	branco/branca (adj.)	белый(ая)
bleu(e) (adj.)	blue	蓝色的	azul	azul (adj.)	синий(яя)
blond(e) (adj.)	blond	金色的	rubio/a	loiro/a (adj.)	блондин(ка)
blouson (un)	bomber jacket (a)	夹克	cazadora (una)	jaqueta (uma)	куртка
bœuf (le)	beef (the)	牛肉	carne de buey (la)	vaca (a)	говядина
boire un verre (v.)	to have a drink	喝一杯	tomar una copa	beber um copo (v.)	выпить
boisson (une)	drink (a)	饮品	bebida (una)	bebida (uma)	напиток
boîte (une)	tin (a)	盒子	caja (una)	caixa (uma)	коробка
bonjour	hello	你好	hola	bom dia	здравствуйте

Lexique multilingue

FRANÇAIS	ANGLAIS	CHINOIS	ESPAGNOL	PORTUGAIS	RUSSE
bonne journée	good day	祝您今天愉快	que pases un buen día	até logo	хорошего дня
bonsoir	good evening	晚上好	buenas noches	boa noite	добрый вечер
bottes (des)	boots (the)	长靴	botas (unas)	botas (as)	сапоги
bouche (la)	mouth (the)	嘴	boca (la)	boca (a)	рот
boucherie-charcuterie (une)	butcher's shop-delicatessen (a)	肉食店	carnicería-charcutería (una)	talho-charcutaria (um)	мясной магазин
boulangerie-pâtisserie (une)	bakery-cake shop (a)	面包糕点店	panadería-pastelería (una)	padaria-pastelaria (uma)	булочная-кондитерская
boulette d'agneau (une)	lamb meatball (a)	羊肉丸子	albóndiga de cordero (una)	almôndefa de borrego (uma)	тефтеля из баранины
boulevard (un)	boulevard (a)	林荫大道	bulevar (un)	bulevar (um)	бульвар
boulodrome (le)	pétanque court (a)	滚球游戏场	pista de petanca (la)	campo de petanca (o)	площадка для игры в шары
bouteille (une)	bottle (a)	瓶子	botella (una)	garrafa (uma)	бутылка
boutique (une)	boutique/shop (a)	商店	tienda (una)	loja (uma)	магазин
bras (le)	arm (the)	胳膊	brazo (el)	braço (o)	рука
brun(e) (adj.)	brown	棕色的	moreno/a	castanho/a	коричневый(ая)
brunch (un)	brunch (a)	早午餐	brunch (un)	brunch (um)	бранч
bureau (un)	office (an)	办公室	oficina (una)	escritório (um)	офис
bus (le)	bus (the)	巴士	autobús (el)	autocarro (o)	автобус
but (un)	aim/objective (an)	目标	objetivo (un)	objetivo (um)	цель
c'est par là	it's that way/it's over there	那边走	es por allí	é por aqui	это туда
cabillaud (le)	cod (the)	鲜鳕鱼	bacalao (el)	bacalhau (o)	треска
cabine d'essayage (une)	changing room (a)	试衣间	probador (un)	cabine de prova (uma)	примерочная
café (un)	coffee (a)	咖啡馆	café (un)	café (um)	кофе
cahier (un)	notebook (a)	本子	cuaderno (un)	caderno (um)	тетрадь
caisse (la)	till (a)	收银台	caja (la)	caixa (a)	касса
calme (adj.)	quiet	安静的	tranquilo/a	calmo/a (adj.)	спокойный(ая)
canapé (un)	sofa (a)	沙发	sofá (un)	sofá (um)	диван
caractère (le)	character (the)	性格	carácter (el)	caráter (o)	характер
carafe (une)	carafe (a)	玻璃瓶	jarra (una)	jarro (um)	кувшин
carotte (une)	carrot (a)	萝卜	zanahoria (una)	cenoura (uma)	морковь
carte (une)	menu (a)	菜单	carta (una)	ementa (uma)	меню
carte de visite (une)	business card (a)	名片	tarjeta de visita (una)	cartão de visita (um)	визитная карточка
carte postale (la)	postcard (a)	明信片	postal (la)	cartão-postal (o)	открытка
carte Vitale (la)	state health insurance card (the)	医保卡	tarjeta sanitaria (la)	cartão de saúde (o)	карточка медицинского страхования
casserole (une)	saucepan (a)	平底锅	cazo (un)	tacho (um)	кастрюля
cathédrale (une)	cathedral (a)	教堂	catedral (una)	catedral (uma)	собор
cave (une)	cellar (a)	地窖	sótano (un)	cave (uma)	подвал
CDI (un)	permanent contract (a)	终身合同	contrato indefinido (un)	contrato de trabalho sem termo	бессрочный контракт
ceinture (une)	belt (a)	腰带	cinturón (un)	cinto (um)	ремень
centre commercial (un)	shopping centre (a)	商场	centro comercial (un)	centro comercial (um)	торговый центр
cerise (une)	cherry (a)	樱桃	cereza (una)	cereja (uma)	вишня
c'est	it is/this is/it's	这是	es	é	это
chaise (une)	chair (a)	椅子	silla (una)	cadeira (uma)	стул
chambre (une)	bedroom (a)	卧室	habitación (una)	quarto (um)	комната
chanson (une)	song (a)	歌曲	canción (una)	canção (uma)	песня
chanteur/euse (un/une)	singer (a)	歌手	cantante (un/una)	cantor/a (um/uma)	певец/певица
chapeau (un)	hat (a)	帽子	sombrero (un)	chapéu (um)	шляпа
chargé/e (un/une)	Head (a)	负责人	encargado/a (un/una)	responsável (um/uma)	ответственный(ая)

FRANÇAIS	ANGLAIS	CHINOIS	ESPAGNOL	PORTUGAIS	RUSSE
château (un)	castle/stately home (a)	城堡	castillo (un)	castelo (um)	замок
chaud(e) (adj.)	hot/warm	热的	caliente	quente (adj.)	тёплый(ая)
chauffage (le)	heating (the)	暖气	calefacción (la)	aquecedor (o)	отопление
chauffer (v.)	to heat	加热	calentar	aquecer (v.)	подогревать
chaussure (une)	shoe (a)	鞋子	zapato (un)	sapato (um)	ботинок
chaussures à talons (des)	high-heeled shoes (the)	高跟鞋	zapatos de tacón (unos)	sapatos de salto (os)	туфли на каблуках
chemin (un)	path/track/way (a)	道路	camino (un)	caminho (um)	дорога
cheminée (une)	fireplace (a)	烟囱	chimenea (una).	lareira (uma)	камин
chemise (une)	shirt (a)	衬衫	camisa (una)	camisa (uma)	рубашка
cher/chère (adj.)	dear	亲爱的	caro/a	caro/cara (adj.)	дорогой(ая)
chercher (v.)	to look for	搜索	buscar	procurar (v.)	искать
cheveux (les)	hair (the)	头发	cabello (el)	cabelos (os)	волосы
chic	chic	高雅	chic	chique	шикарный
chimie (la)	chemistry (the)	化学	química (la)	química (a)	химия
choisir (v.)	to choose	选择	elegir	escolher (v.)	выбирать
choix (un)	choice (a)	选择	elección (una)	escolha (uma)	выбор
cinéma (le)	cinema (the)	电影	cine (el)	cinema (o)	кино
cinéphile (adj.)	cinema-going	影迷	aficionado/a al cine	cinéfilo/a (adj.)	любитель кино
circulaire (adj.)	circular	循环	circular	circular (adj.)	круговой(ая)
clair/e (adj.)	light	明亮的	luminoso/a	claro/a (adj.)	светлый(ая)
classe (une)	class (a)	班级	clase (una)	classe (uma)	класс
client(e) (un/une)	customer/client (a)	顾客	cliente/a (un(a))	cliente (um/uma)	клиент(ка)
cocotte (une)	casserole (a)	炖锅	cazuela (una)	caçarola (uma)	гусятница
collectif(ve) (adj.)	collective	团体的	colectivo/a	coletivo/a (adj.)	коллективный(ая)
collège (le)	secondary school (the)	初中	colegio (el)	colégio (o)	колледж
collègue (un/une)	colleague (a)	同事	colega (un/una)	colega (um/uma)	коллега
commander (v.)	to order	点菜	pedir	pedir (v.)	заказывать
commentaire (un)	comment (a)	评论	comentario (un)	comentário (um)	комментарий
commerce (un)	shop/business (a)	商家	comercio (un)	comércio (um)	магазин
commode (adj.)	convenient	方便的	cómodo/a	cómodo (adj.)	удобный
communication (la)	comms (the)	交流	comunicación (la)	comunicação (a)	коммуникация
compost (le)	compost (the)	堆肥	compost (el)	húmus (o)	компост
comprendre (v.)	to understand	理解	entender	compreender (v.)	понимать
concept (un)	concept (a)	概念	concepto (un)	conceito (um)	концепт
concours (un)	competition (a)	竞赛	concurso (un)	concurso (um)	конкурс
condiment (un)	seasoning (a)	调料	condimento (un)	condimento (um)	приправа
confiture (la)	jam (the)	果酱	mermelada (la)	geleia (a)	варенье
confortable (adj.)	comfortable	舒适	cómodo/a	confortável (adj.)	удобный
connaître (v.)	to know	得知	conocer	conhecer (v.)	знать
connaître quelqu'un (v.)	to know someone	认识某人	conocer a alguien	conhecer alguém (v.)	знать кого-то
conseil (un)	advice/piece of advice (a)	顾问	consejo (un)	conselho (um)	совет
conseiller (v.)	to advise	建议	aconsejar	aconselhar (v.)	советовать
conservateur/trice (un/une)	curator (a)	保管员	conservador/ conservadora (un/una)	curador/a (um/uma)	хранитель музея
consulat (un)	consulate (a)	领事馆	consulado (un)	consulado (um)	консульство
consulter (v.)	to consult	会诊	consultar	consultar (v.)	посещать (врача)
contacter (v.)	to contact	联系	ponerse en contacto	contactar (v.)	связываться с
contenant (un)	container (a)	容器	envase (un)	recipiente (um)	емкость
continuer (v.)	to continue	继续	continuar	continuar (v.)	продолжать
contrat (un)	contract (a)	合同	contrato (un)	contrato (um)	контракт
coordonnées (des)	contact details (the)	联系方式	información de contacto (la)	contacto (o)	координаты

Lexique multilingue

FRANÇAIS	ANGLAIS	CHINOIS	ESPAGNOL	PORTUGAIS	RUSSE
copain/ine (un/une)	friend/mate/chum (a)	伙伴	amigo/a (un/una)	amigo/a (um/uma)	притятель/приятельница
cordialement	sincerely	真诚地	cordialmente	cordialmente	с уважением
corps (le)	body (the)	身体	cuerpo (el)	corpo (o)	тело
costume (un)	suit (a)	服装	traje (un)	fato (um)	le vêtement de travail
cou (le)	neck (the)	脖子	cuello (el)	pescoço (o)	шея
couper (v.)	to cut	切割	cortar	cortar (v.)	резать
couple (un)	couple (a)	情侣	pareja (una)	casal (um)	пара
courgette (une)	courgette (a)	西葫芦	calabacín (un)	curgete (uma)	кабачок
cours (une)	lesson (a)	课程	patio (un)	curso (um)	урок
courses (les)	shopping (the)	采购	compra (la)	compras (as)	покупки
court(e) (adj.)	short	短	corto/a	curto/a (adj.)	короткий(ая)
cousin(e) (le/la)	cousin (the)	表兄弟，表姐妹	primo/a (el/la)	primo/a (o/a)	двоюродный брат/двоюродная сестра
couteau (un)	knife (a)	刀	cuchillo (un)	faca (uma)	нож
crayon (un)	pencil (a)	铅笔	lápiz (un)	lápis (um)	карандаш
crèche (la)	day nursery (the)	托儿所	guardería (la)	creche (a)	ясли
créer (v.)	to create	创造	crear	criar (v.)	создавать
crème (la)	cream (the)	奶油	nata (la)	natas (as)	сметана
CTT (un)	temporary contract (a)	临时合同	contrato de trabajo temporal (un)	contrato de trabalho temporário	временный контракт
cuillère (une)	spoon (a)	勺子	cuchara (una)	colher (uma)	ложка
cuillère à soupe (une)	soup spoon (a)	汤勺	cuchara sopera (una)	colher de sopa (uma)	столовая ложка
cuisine (une)	kitchen (a)	厨房	cocina (una)	cozinha (uma)	кухня
cuisinière (une)	tablespoon (a)	烹饪机	cocina (una)	fogão (um)	плита
cursus (un)	course (a)	大学课程	plan de estudios (un)	programa (um)	обучение
CV (un)	CV (a)	履历	CV (un)	CV (um)	резюме
d'abord	first of all	首先	primero	em primeiro lugar	сначала
dans	in	在……里	dentro de	em	в
danse (la)	dance (the)	舞蹈	baile (el)	dança (a)	танец
danser (v.)	to dance	跳舞	bailar	dançar (v.)	танцевать
debout	standing up	站着	de pie	de pé	стоя
décembre	December	十二月	diciembre	dezembro	декабрь
décider (v.)	to decide	决定	decidir	decidir (v.)	решать
décontracté(e) (adj.)	casual	轻松	informal	descontraido/a (adj.)	свободный
découvrir (v.)	to discover	发现	descubrir	descobrir (v.)	открывать для себя
décrire (v.)	to describe	描述	describir	descrever (v.)	описать
déjeuner (v.)	to lunch/to have breakfast	吃午餐	almorzar	almoçar (v.)	обедать
déjeuner (le)	lunch (the)	午餐	almuerzo (el)	almoço (o)	обед
délicieux/se (adj.)	delicious	美味的	delicioso/a	delicioso/a (adj.)	превосходный(ая)
demain	tomorrow	明天	mañana	amanhã	завтра
demande (une)	application (an)	请求	solicitud (una)	pedido (um)	просьба
demande en mariage (une)	marriage proposal (a)	求婚	petición de matrimonio (una)	pedido de casamento (um)	делать предложение
demander (v.)	to ask/to request	请求	preguntar	perguntar (v.)	спрашивать
dent (une)	tooth (a)	牙齿	diente (un)	dente (um)	зуб
dentiste (un/une)	dentist (a)	牙医	dentista (un/una)	dentista (um/uma)	стоматолог
déplacement (un)	journey/trip (a)	移动	desplazamiento (un)	deslocamento (um)	командировка
déposer (v.)	to post	放下	publicar	colocar (v.)	подавать
depuis	since/from	自……以来	desde	desde	с
derrière	behind	后面	detrás	atrás	сзади
descendre (v.)	to descend/to come down	下去	bajar	descer (v.)	спускаться
description (une)	description (a)	描述，说明	descripción (una)	descrição (uma)	описание
désolé(e) (adj.)	sorry	抱歉的	lo siento	triste (adj.)	огрочённый(ая)

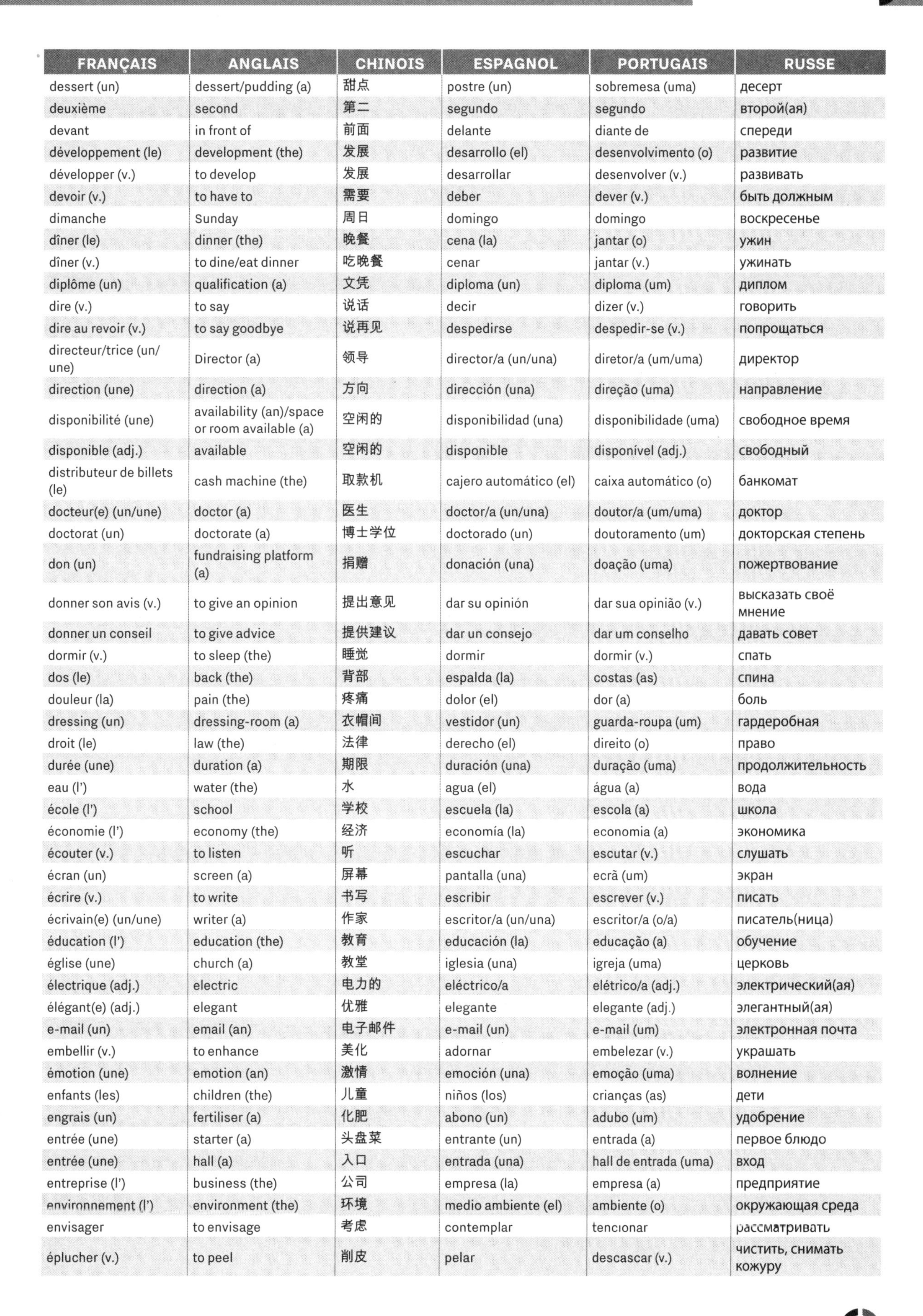

FRANÇAIS	ANGLAIS	CHINOIS	ESPAGNOL	PORTUGAIS	RUSSE
dessert (un)	dessert/pudding (a)	甜点	postre (un)	sobremesa (uma)	десерт
deuxième	second	第二	segundo	segundo	второй(ая)
devant	in front of	前面	delante	diante de	спереди
développement (le)	development (the)	发展	desarrollo (el)	desenvolvimento (o)	развитие
développer (v.)	to develop	发展	desarrollar	desenvolver (v.)	развивать
devoir (v.)	to have to	需要	deber	dever (v.)	быть должным
dimanche	Sunday	周日	domingo	domingo	воскресенье
dîner (le)	dinner (the)	晚餐	cena (la)	jantar (o)	ужин
dîner (v.)	to dine/eat dinner	吃晚餐	cenar	jantar (v.)	ужинать
diplôme (un)	qualification (a)	文凭	diploma (un)	diploma (um)	диплом
dire (v.)	to say	说话	decir	dizer (v.)	говорить
dire au revoir (v.)	to say goodbye	说再见	despedirse	despedir-se (v.)	попрощаться
directeur/trice (un/une)	Director (a)	领导	director/a (un/una)	diretor/a (um/uma)	директор
direction (une)	direction (a)	方向	dirección (una)	direção (uma)	направление
disponibilité (une)	availability (an)/space or room available (a)	空闲的	disponibilidad (una)	disponibilidade (uma)	свободное время
disponible (adj.)	available	空闲的	disponible	disponível (adj.)	свободный
distributeur de billets (le)	cash machine (the)	取款机	cajero automático (el)	caixa automático (o)	банкомат
docteur(e) (un/une)	doctor (a)	医生	doctor/a (un/una)	doutor/a (um/uma)	доктор
doctorat (un)	doctorate (a)	博士学位	doctorado (un)	doutoramento (um)	докторская степень
don (un)	fundraising platform (a)	捐赠	donación (una)	doação (uma)	пожертвование
donner son avis (v.)	to give an opinion	提出意见	dar su opinión	dar sua opinião (v.)	высказать своё мнение
donner un conseil	to give advice	提供建议	dar un consejo	dar um conselho	давать совет
dormir (v.)	to sleep (the)	睡觉	dormir	dormir (v.)	спать
dos (le)	back (the)	背部	espalda (la)	costas (as)	спина
douleur (la)	pain (the)	疼痛	dolor (el)	dor (a)	боль
dressing (un)	dressing-room (a)	衣帽间	vestidor (un)	guarda-roupa (um)	гардеробная
droit (le)	law (the)	法律	derecho (el)	direito (o)	право
durée (une)	duration (a)	期限	duración (una)	duração (uma)	продолжительность
eau (l')	water (the)	水	agua (el)	água (a)	вода
école (l')	school	学校	escuela (la)	escola (a)	школа
économie (l')	economy (the)	经济	economía (la)	economia (a)	экономика
écouter (v.)	to listen	听	escuchar	escutar (v.)	слушать
écran (un)	screen (a)	屏幕	pantalla (una)	ecrã (um)	экран
écrire (v.)	to write	书写	escribir	escrever (v.)	писать
écrivain(e) (un/une)	writer (a)	作家	escritor/a (un/una)	escritor/a (o/a)	писатель(ница)
éducation (l')	education (the)	教育	educación (la)	educação (a)	обучение
église (une)	church (a)	教堂	iglesia (una)	igreja (uma)	церковь
électrique (adj.)	electric	电力的	eléctrico/a	elétrico/a (adj.)	электрический(ая)
élégant(e) (adj.)	elegant	优雅	elegante	elegante (adj.)	элегантный(ая)
e-mail (un)	email (an)	电子邮件	e-mail (un)	e-mail (um)	электронная почта
embellir (v.)	to enhance	美化	adornar	embelezar (v.)	украшать
émotion (une)	emotion (an)	激情	emoción (una)	emoção (uma)	волнение
enfants (les)	children (the)	儿童	niños (los)	crianças (as)	дети
engrais (un)	fertiliser (a)	化肥	abono (un)	adubo (um)	удобрение
entrée (une)	starter (a)	头盘菜	entrante (un)	entrada (a)	первое блюдо
entrée (une)	hall (a)	入口	entrada (una)	hall de entrada (uma)	вход
entreprise (l')	business (the)	公司	empresa (la)	empresa (a)	предприятие
environnement (l')	environment (the)	环境	medio ambiente (el)	ambiente (o)	окружающая среда
envisager	to envisage	考虑	contemplar	tencionar	рассматривать
éplucher (v.)	to peel	削皮	pelar	descascar (v.)	чистить, снимать кожуру

Lexique multilingue

FRANÇAIS	ANGLAIS	CHINOIS	ESPAGNOL	PORTUGAIS	RUSSE
équipé(e) (adj.)	fully-equipped	设备齐全的	equipado/a	equipado/a (adj.)	оборудован(а)
essayer (v.)	to try on	试穿	probarse	provar (v.)	примерять
et	and	和	y	e	и
étage (un)	floor (a)	层	piso (un)	andar (um)	этаж
étagère (une)	shelving unit (a)	架子	estantería (una)	estante (uma)	этажерка
être (v.)	to be	是	ser, estar	ser (v.)	быть
être d'accord (v.)	to agree with	同意	estar de acuerdo	concordar (v.)	быть согласным
être en forme (v.)	to be fit	精神好	estar en forma	estar em forma (v.)	быть в форме
être en retard (v.)	to be late	迟到	estar retrasado	estar atrasado (v.)	опаздывать
être libre	to be free	有空	estar libre	estar livre	быть свободным
étudiant(e) (un/une)	student (a)	大学生	estudiante (un/una)	estudante (um/uma)	студент(ка)
étudier (v.)	to study	学习	estudiar	estudar (v.)	изучать
événement (un)	event (an)	事件	acontecimiento (un)	evento (um)	событие
éviter (v.)	to avoid	避免	evitar	evitar (v.)	избегать
exceptionnel/le (adj.)	outstanding	例外的	excepcional	excecional (adj.)	уникальный(ая)
explication (une)	explanation (an)	解释	explicación (una)	explicação (uma)	объяснение
expliquer (v.)	to explain	解释	explicar	explicar (v.)	объяснять
exposé(e) (adj.)	facing	朝向	orientado/a	virado/a (adj.)	доклад
exposition (une)	exhibition (an)	展览	exposición (una)	exposição (uma)	выставка
exposition (une)	orientation	展览	exposición (una)	exposição (uma)	выставка
fac (la)	uni (the)	大学	facultad (la)	faculdade (a)	университет
faire (v.)	to do/to make	做	hacer	fazer (v.)	делать
faire beau (v.)	to be fine	天气好	hacer buen tiempo	fazer sol (v.)	хорошая погода
faire cuire (v.)	to cook	烧，煮	cocer	cozinhar (v.)	приготовить, испечь
faire la lessive	to do the washing	洗衣服	lavar la ropa	lavar a roupa	стирать
faire la liste (v.)	to make a list	撰写列表	hacer la lista	listar (v.)	составлять список
faire la sieste	to have a nap	午休	dormir la siesta	fazer a sesta	вздремнуть
faire la vaisselle	to do the washing-up	洗碗碟	fregar los platos	lavar a louça	мыть посуду
faire le ménage	to do the housework	做家务	hacer la limpieza	limpar	делать уборку
faire les courses	to do the shopping	购物	hacer la compra	fazer compras	делать покупки
faire revenir (v.)	to brown/to cook gently	油煎	rehogar	selar (v.)	обжаривать
falloir	to have to/to need	必须	hacer falta	ter de (v.)	требоваться
famille (une)	family (a)	家庭	familia (una)	família (uma)	семья
fatigué(e) (adj.)	tired	疲惫	cansado/a	cansado/a (adj.)	уставший(ая)
fauteuil (un)	armchair (an)	扶手椅	sillón (un)	poltrona (uma)	кресло
fauteuil roulant (un)	wheelchair (a)	轮椅	silla de ruedas (una)	cadeira de rodas (uma)	кресло-каталка
fenêtre (une)	window (a)	窗户	ventana (una)	janela (uma)	окно
fermer (v.)	to close	关闭	cerrar	fecahr (v.)	закрывать
fête (une)	party/fête/celebration (a)	节日	fiesta (una)	festa (uma)	праздник
février	February	二月	febrero	fevereiro	февраль
fiancé(e) (un/une)	fiancé(e) (a)	未婚夫/未婚妻	prometido/a (un/una)	noivo/a (um/uma)	жених/невеста
fiche de poste (une)	job description (a)	岗位描述	ficha (una) del puesto	descrição de cargo (uma)	описание позиции
fièvre (la)	fever/temperature (a)	发烧	fiebre (la)	febre (a)	температура
fille (la)	girl/daughter (the)	女孩	chica (la)	filha (a)	девочка
film (un)	film (a)	电影	película (una)	filme (um)	фильм
fils (le)	son (the)	儿子	hijo (el)	filho (o)	сын
fixer un rendez-vous	to make an appointment	定约会	pedir cita	marcar um encontro	назначить встречу
formation (une)	training course (a)	培训	formación (una)	formação (uma)	образование
formel(le)	formal/definite	明确，正式	formal	formal	фомальный(ая)
formule (une)	set meal/meal deal (a)	套餐	menú (un)	menu (um)	комплексное меню
foulard (un)	headscarf (a)	丝巾	pañuelo (un)	lenço (um)	шейный платок

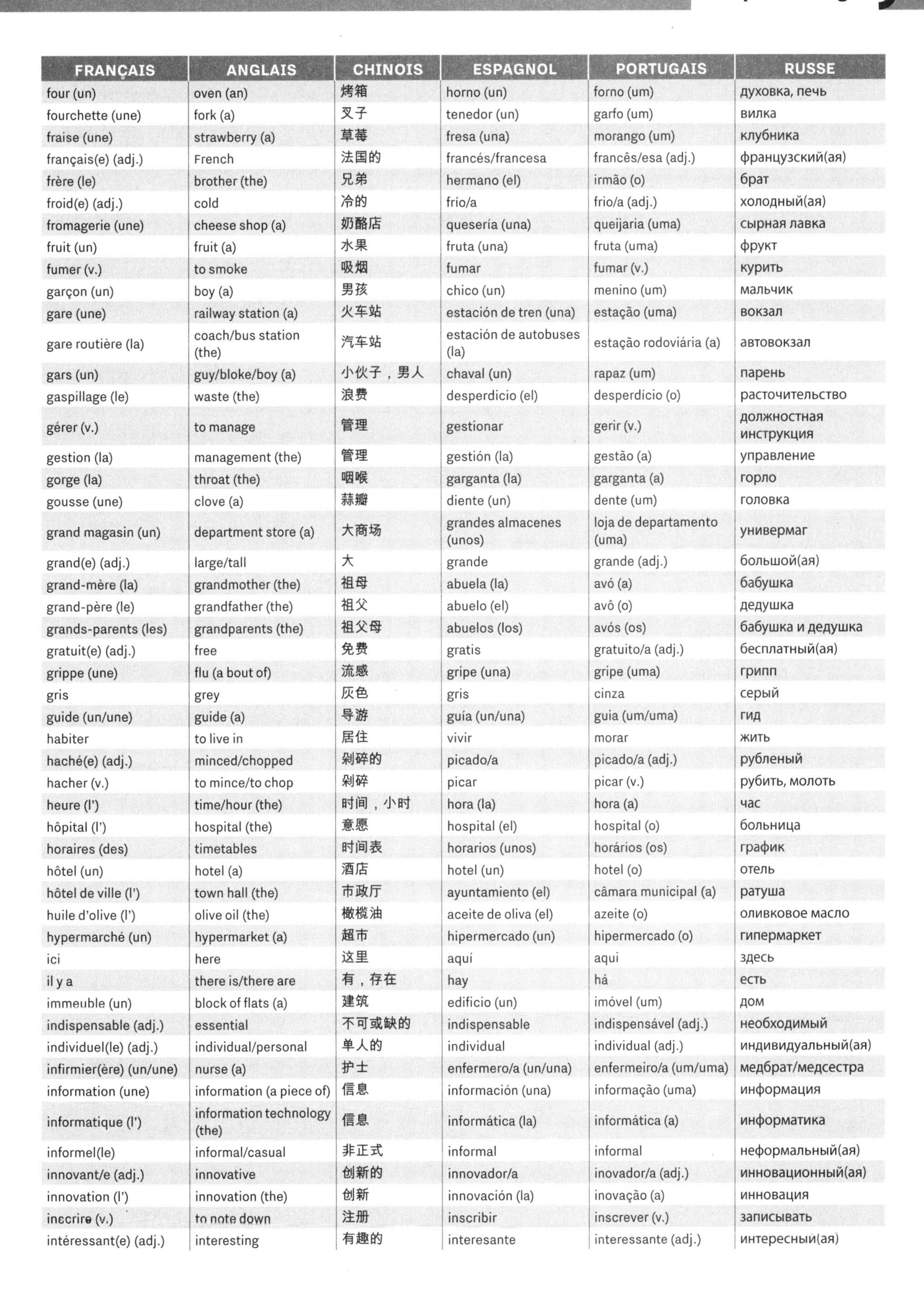

FRANÇAIS	ANGLAIS	CHINOIS	ESPAGNOL	PORTUGAIS	RUSSE
four (un)	oven (an)	烤箱	horno (un)	forno (um)	духовка, печь
fourchette (une)	fork (a)	叉子	tenedor (un)	garfo (um)	вилка
fraise (une)	strawberry (a)	草莓	fresa (una)	morango (um)	клубника
français(e) (adj.)	French	法国的	francés/francesa	francês/esa (adj.)	французский(ая)
frère (le)	brother (the)	兄弟	hermano (el)	irmão (o)	брат
froid(e) (adj.)	cold	冷的	frío/a	frio/a (adj.)	холодный(ая)
fromagerie (une)	cheese shop (a)	奶酪店	queseria (una)	queijaria (uma)	сырная лавка
fruit (un)	fruit (a)	水果	fruta (una)	fruta (uma)	фрукт
fumer (v.)	to smoke	吸烟	fumar	fumar (v.)	курить
garçon (un)	boy (a)	男孩	chico (un)	menino (um)	мальчик
gare (une)	railway station (a)	火车站	estación de tren (una)	estação (uma)	вокзал
gare routière (la)	coach/bus station (the)	汽车站	estación de autobuses (la)	estação rodoviária (a)	автовокзал
gars (un)	guy/bloke/boy (a)	小伙子，男人	chaval (un)	rapaz (um)	парень
gaspillage (le)	waste (the)	浪费	desperdicio (el)	desperdício (o)	расточительство
gérer (v.)	to manage	管理	gestionar	gerir (v.)	должностная инструкция
gestion (la)	management (the)	管理	gestión (la)	gestão (a)	управление
gorge (la)	throat (the)	咽喉	garganta (la)	garganta (a)	горло
gousse (une)	clove (a)	蒜瓣	diente (un)	dente (um)	головка
grand magasin (un)	department store (a)	大商场	grandes almacenes (unos)	loja de departamento (uma)	универмаг
grand(e) (adj.)	large/tall	大	grande	grande (adj.)	большой(ая)
grand-mère (la)	grandmother (the)	祖母	abuela (la)	avó (a)	бабушка
grand-père (le)	grandfather (the)	祖父	abuelo (el)	avô (o)	дедушка
grands-parents (les)	grandparents (the)	祖父母	abuelos (los)	avós (os)	бабушка и дедушка
gratuit(e) (adj.)	free	免费	gratis	gratuito/a (adj.)	бесплатный(ая)
grippe (une)	flu (a bout of)	流感	gripe (una)	gripe (uma)	грипп
gris	grey	灰色	gris	cinza	серый
guide (un/une)	guide (a)	导游	guía (un/una)	guia (um/uma)	гид
habiter	to live in	居住	vivir	morar	жить
haché(e) (adj.)	minced/chopped	剁碎的	picado/a	picado/a (adj.)	рубленый
hacher (v.)	to mince/to chop	剁碎	picar	picar (v.)	рубить, молоть
heure (l')	time/hour (the)	时间，小时	hora (la)	hora (a)	час
hôpital (l')	hospital (the)	意愿	hospital (el)	hospital (o)	больница
horaires (des)	timetables	时间表	horarios (unos)	horários (os)	график
hôtel (un)	hotel (a)	酒店	hotel (un)	hotel (o)	отель
hôtel de ville (l')	town hall (the)	市政厅	ayuntamiento (el)	câmara municipal (a)	ратуша
huile d'olive (l')	olive oil (the)	橄榄油	aceite de oliva (el)	azeite (o)	оливковое масло
hypermarché (un)	hypermarket (a)	超市	hipermercado (un)	hipermercado (o)	гипермаркет
ici	here	这里	aquí	aqui	здесь
il y a	there is/there are	有，存在	hay	há	есть
immeuble (un)	block of flats (a)	建筑	edificio (un)	imóvel (um)	дом
indispensable (adj.)	essential	不可或缺的	indispensable	indispensável (adj.)	необходимый
individuel(le) (adj.)	individual/personal	单人的	individual	individual (adj.)	индивидуальный(ая)
infirmier(ère) (un/une)	nurse (a)	护士	enfermero/a (un/una)	enfermeiro/a (um/uma)	медбрат/медсестра
information (une)	information (a piece of)	信息	información (una)	informação (uma)	информация
informatique (l')	information technology (the)	信息	informática (la)	informática (a)	информатика
informel(le)	informal/casual	非正式	informal	informal	неформальный(ая)
innovant/e (adj.)	innovative	创新的	innovador/a	inovador/a (adj.)	инновационный(ая)
innovation (l')	innovation (the)	创新	innovación (la)	inovação (a)	инновация
inscrire (v.)	to note down	注册	inscribir	inscrever (v.)	записывать
intéressant(e) (adj.)	interesting	有趣的	interesante	interessante (adj.)	интересный(ая)

FRANÇAIS	ANGLAIS	CHINOIS	ESPAGNOL	PORTUGAIS	RUSSE
intérim (l')	replacement (the)	代理职务	interino (el)	interino (o)	временное исполнение обязанностей
invitation (une)	invitation (an)	邀请函	invitación (una)	convite (um)	приглашение
invité(e) (un/une)	guest (a)	嘉宾	invitado/a (un/una)	convidado/a (um/uma)	приглашенный(ая)
italien(ne) (adj.)	Italian	意大利的	italiano/a	italiano/a (adj.)	итальянский(ая)
itinéraire (un)	itinerary (an)/route (a)	路线	itinerario (un)	itinerário (um)	маршрут
jamais	never	从不	nunca	nunca	никогда
jambe (la)	leg (the)	腿部	pierna (la)	perna (a)	нога
janvier	January	一月	enero	janeiro	январь
japonais(e) (adj.)	Japanese	日本的	japonés/japonesa	japonês/esa (adj.)	японский(ая)
jardin (un)	garden (a)	花园	jardín (un)	jardim (um)	сад
jardin partagé (un)	communal garden (a)	共享花园	jardín compartido (un)	horta partilhada (uma)	совместный сад
jardinage (le)	gardening (the)	园艺	jardinería (la)	jardinagem (a)	садоводство
jardinier(ère) (un/une)	gardener (a)	园丁	jardinero/a (un/una)	jardineiro/a (um/uma)	садовник/садовница
jaune	yellow	黄色	amarillo	amarelo	жёлтый
jean (un)	jeans (a pair of)	牛仔裤	vaqueros (unos)	ganga (uma)	джинсы
jeu (un)	game (a)	游戏	juego (un)	jogo (um)	игра
jeudi	Thursday	周四	jueves	quinta-feira	четверг
jogging (le)	jogging	慢跑	footing (el)	jogging (o)	бег трусцой
joli(e) (adj.)	pretty	美丽	bonito/a	bonito/a (adj.)	красивый(ая)
jour (un)	day (a)	天，日子	día (un)	dia (um)	день
journal (un)	newspaper (a)	日报	periódico (un)	jornal (um)	газета
journée (la)	whole day (the)	一天	día (el)	dia (um)	день
juillet	July	七月	julio	julho	июль
juin	June	六月	junio	junho	июнь
jupe (une)	skirt (a)	半身裙	falda (una)	saia (uma)	юбка
jus de fruits (un)	fruit juice (a)	果汁	zumo de frutas (un)	sumo de frutas (um)	фруктовый сок
karaoké (le)	karaoke (the)	卡拉OK	karaoke (el)	karaoke (o)	караоке
là	there	那里	allí	aqui	там
laisser (v.)	to leave	留下	dejar	deixar (v.)	оставлять
lait (le)	milk (the)	牛奶	leche (la)	leite (o)	молоко
langue (une)	language (a)	语言	idioma (un)	língua (uma)	язык
langues (les)	languages (the)	语言	idiomas (los)	idiomas (os)	языки
laryngite (une)	laryngitis (a bout of)	喉炎	laringitis (una)	laringite (uma)	ларингит
laurier (le)	bay (the)	月桂树	laurel (el)	louro (o)	лавровый лист
lavabo (un)	washbasin (a)	洗手池	lavabo (un)	lavatório (um)	раковина
lave-linge (un)	washing machine (a)	洗衣机	lavadora (una)	máquina de lavar roupa (uma)	стиральная машина
lave-vaisselle (un)	dishwasher (a)	洗碗机	lavavajillas (un)	máquina de lavar louça (uma)	посудомоечная машина
légume (un)	vegetable (a)	蔬菜	verdura (una)	legume (um)	овощь
libre (adj.)	free	自由的	libre	livro (adj.)	свободный
licence (une)	degree (a)	执照	grado (un)	licenciatura (uma)	лицензиат
lieu (un)	place (a)	地点	lugar (un)	lugar (um)	место
limiter (v.)	to limit	限制	limitar	limitar (v.)	ограничивать
lire (v.)	to read	阅读	leer	ler (v.)	читать
liste (une)	list (a)	列表	lista (una)	lista (uma)	список
lit (un)	bed (a)	床	cama (una)	cama (uma)	кровать
livre (un)	book (a)	书籍	libro (un)	livro (um)	книга
location (une)	rented property (a)	租赁	propiedad alquilada (una)	aluguer (um)	аренда
logement (un)	dwelling (a)	住宅	alojamiento (un)	habitação (uma)	жильё
loin	far	远	lejos	longe	далеко
loisir (un)	leisure activity (a)	娱乐	hobby (un)	lazer (um)	досуг

FRANÇAIS	ANGLAIS	CHINOIS	ESPAGNOL	PORTUGAIS	RUSSE
loisirs (les)	leisure activities (the)	娱乐	hobbies (los)	lazer (o)	досуг
long(ue) (adj.)	long	长	largo/a	longo/a (adj.)	длинный(ая)
loyer (un)	rent (a)	房租	alquiler (un)	renda (uma)	квартплата
lumineux/se (adj.)	light-filled	光线充足的	luminoso/a	solarengo/a (adj.)	светлый(ая)
lundi	Monday	周一	lunes	segunda-feira	понедельник
lunettes (des)	glasses (the)	眼镜	gafas (unas)	óculos (os)	очки
lycée (le)	high school/sixth-form college (the)	高中	instituto (el)	liceu (o)	лицей
madame	Mrs.	女士	señora	senhora	госпожа
magasin (un)	shop/store (a)	商店	tienda (una)	loja (uma)	магазин
magique (adj.)	magic	神奇的	mágico/a	mágico/a (adj.)	волшебный(ая)
magnifique (adj.)	magnificent	美妙	magnífico	magnífico	потрясающий(ая)
mai	May	五月	mayo	maio	май
main (la)	hand (the)	手	mano (la)	mão (a)	рука
maintenant	now	现在	ahora	agora	сейчас
mairie (la)	town hall (the)	市政厅	ayuntamiento (el)	câmara municipal (a)	мэрия
mal de dos (un)	backache (a)	背疼	dolor de espalda (un)	dor nas costas (uma)	боль в спине
maladie (une)	illness (an)/disease (a)	疾病	enfermedad (una)	doença (uma)	болезнь
management (le)	management (the)	管理	gestión (la)	gestão (a)	менеджмент
manger (v.)	to eat	吃	comer	comer (v.)	есть
manifestation (une)	event (an)	活动	manifestación (una)	manifestação (uma) = un evenement cuturel	манифестация
manteau (un)	coat (a)	大衣	abrigo (un)	casaco (um)	пальто
marche (la) > marcher	walking (the)	步行	caminata (la)	caminhada (a)	ходьба
marché (un)	market (a)	市场	mercado (un)	mercado (um)	рынок
marche (une)	step (a)	台阶	escalón (un)	degrau (um) = d'escalier	ступенька
mardi	Tuesday	周二	martes	terça-feira	вторник
mariage (le)	wedding (the)	婚礼	boda (la)	casamento (o)	свадьба
marketing (le)	marketing (the)	营销	marketing (el)	marketing (o)	маркетинг
mars	March	三月	marzo	março	март
master (un)	Masters (a)	硕士	máster (un)	mestrado (um)	магистратура
matin (le)	morning (the)	早晨，上午	mañana (la)	manhã (a)	утро
médecin (un)	doctor (a)	医生	médico (un)	médico (um)	врач
médicament (un)	medicine/drug (a)	药物	medicamento (un)	medicamento (um)	медикамент
mélanger (v.)	to mix	混合	mezclar	misturar (v.)	перемешивать
melon (un)	melon (a)	甜瓜	melón (un)	melão (um)	дыня
menu (un)	menu (a)	菜单	menú (un)	menu (um)	меню, комплексный обед
merci	thank you	谢谢	gracias	obrigado/a	спасибо
mercredi	Wednesday	周三	miércoles	quarta-feira	среда
mère (la)	mother (the)	母亲	madre (la)	mãe (a)	мать
message vocal (un)	voice message (a)	语音信息	mensaje de voz (un)	mensagem de voz (uma)	голосовое сообщение
métro (le)	underground/metro (the)	地铁	metro (el)	metro (o)	метро
mettre ses chaussures (v.)	to put his/her shoes on	穿鞋	ponerse los zapatos	calçar os seus sapatos (v.)	обуться
meuble (un)	piece of furniture (a)	家具	mueble (un)	móvel (um)	мебель
meublé(e) (adj.)	furnished	带家具的	amueblado/a	mobilado/a (adj.)	с мебелью
mexicain(e) (adj.)	Mexican	墨西哥的	mexicano/a	mexicano/a (adj.)	мексиканский(ая)
midi	midday	中午	mediodía	meio-dia	полдень
minuit	midnight	午夜	medianoche	meia-noite	полночь
mission (une)	task (a)	任务	tarea (una)	missão (uma)	командировка, миссия
mode (la)	fashion (the)	时尚	moda (la)	moda (a)	мода

Lexique multilingue

FRANÇAIS	ANGLAIS	CHINOIS	ESPAGNOL	PORTUGAIS	RUSSE
moderne (adj.)	modern	现代的	moderno/a	moderno (o)	современный(ая)
monnaie virtuelle (une)	virtual currency	虚拟货币	moneda virtual (una)	moeda virtual	виртуальная валюта
monorail (le)	monorail (the)	单轨的	monorrail (el)	monocarril (o)	монорельс
monsieur	Mr.	先生	señor	senhor	господин
montgolfière (une)	hot-air balloon (a)	热气球	globo (un)	balão (um)	монгольфьер
monument (un)	monument (a)	古迹	monumento (un)	monumento (um)	памятник
motivé(e) (adj.)	motivated	积极的	motivado/a	motivado/a (adj.)	мотивированный(ая)
moule (un)	cake tin (a)	模子	molde (un)	forma (uma)	форма для запекания
moutarde (la)	mustard (the)	芥末	mostaza (la)	mostarda (a)	горчица
mûr(e) (adj.)	ripe	成熟的	maduro/a	maduro/a (adj.)	зрелый(ая)
muscu(lation (la)	exercise/workout/ body-building (the)	肌肉锻炼	musculación (la)	musculação (a)	упражнения для развития мускулатуры
musée (un)	museum (a)	博物馆	museo (un)	museu (um)	музей
musicien(ne) (un/une)	musician (a)	音乐家	músico/a (un/una)	músico/a (um/uma)	музыкант
naturel(le) (adj.)	natural	自然的	natural	natural (adj.)	натуральный(ая)
neiger (v.)	to snow	下雪	nevar	nevar (v.)	идёт снег
nigérian(e) (adj.)	Nigerian	尼日利亚的	nigeriano/a	nigeriano/a (ad.)	нигерийский(ая)
noir(e) (adj.)	black	黑色	negro/a	negro/a (adj.)	черный(ая)
nom (un)	name/surname (a)	名字	apellido (un)	apelido (um)	фамилия
nord (le)	north (the)	北	norte (el)	norte (o)	север
nourriture (la)	food (the)	食物	comida (la)	alimento (o)	пища
nouveau (nouvelle) (adj.)	new	新的	nuevo/a	novo/a (adj.)	новый(ая)
nouveau/elle (un/une)	new colleague (a)	新的	nuevo/a (un/una)	novo/a (um/uma)	новый(ая)
novembre	November	十一月	noviembre	novembro	ноябрь
nuageux/euse (adj.)	cloudy	多云的	nublado/a	nublado (adj.)	облачный(ая)
nuit (la)	night (the)	夜晚	noche (la)	noite (a)	ночь
nul(le) (adj.)	worthless/hopeless/ useless	差的，不好的	pésimo/a	péssimo/a (adj.)	никудышный(ая), ничтожный(ая)
numéro de téléphone (un)	telephone number (a)	电话号码	número de teléfono (un)	número de telefone (um)	номер телефона
objectif (un)	aim/objective (an)	目标	objetivo (un)	objetivo (um)	цель
objet (un)	object (an)	物体	objeto (un)	objeto (um)	объект
obtenir (v.)	to obtain	获取	obtener	obter (v.)	получить
octobre	October	十月	octubre	outubro	октябрь
œuf (un)	egg (an)	鸡蛋	huevo (un)	ovo (um)	яйцо
office de tourisme (l')	tourist office (the)	旅游局	oficina de turismo (la)	posto de turismo (o)	офис по туризму
officiel(le) (adj.)	official	官方的	oficial	oficial (o)	официальный(ая)
oignon (un)	onion (an)	洋葱	cebolla (una)	cebola (uma)	лук
oncle (l')	uncle (the)	叔叔	tío (el)	tio (o)	дядя
opéra (l')	opera (the)	歌剧院	ópera (la)	ópera (a)	опера
orange (adj.)	orange	橘色的	naranja	laranja (adj.)	оранжевый(ая)
ordinateur (un)	computer (a)	电脑	ordenador (un)	computador (um)	компьютер
ordonnance (une)	prescription (a)	处方	receta (una)	receita (uma)	рецепт
organiser (v.)	to organise	组织	organizar	organizar (v.)	организовывать
où	where	哪里	dónde	onde	где
ouest (l')	west (the)	西	oeste (el)	oeste (o)	запад
ouverture (une)	opening (an)	开放	apertura (una)	abertura (uma)	открытие
ouvrir (v.)	to open	打开	abrir	abrir (v.)	открывать
pantalon (un)	trousers (a pair of)	长裤	pantalón (un)	calças (as)	брюки
paquet (un)	package/packet (a)	包裹	paquete (un)	pacote (um)	упаковка
paracétamol (le)	paracetamol (the)	扑热息痛	paracetamol (el)	paracetamol (o)	парацетомол
parc (un)	park (a)	公园	parque (un)	parque (um)	парк
parce que	because	因为	porque	porque	потому что

FRANÇAIS	ANGLAIS	CHINOIS	ESPAGNOL	PORTUGAIS	RUSSE
parcelle (une)	plot (a)	地块	parcela (una)	parcela (uma)	земельный участок
pardon	excuse me/sorry	抱歉	perdón	perdão	простите
parents (les)	parents (the)	父母	padres (los)	pais (os)	родители
parfait(e) (adj.)	perfect	完美	perfecto/a	perfeito/a	прекрасный(ая)
parking (un)	car park (a)	停车场	parking (un)	parque de estacionamento (um)	парковка
parler (v.)	to speak/to talk	说话	hablar	falar (v.)	говорить
parquet (un)	wood floor (a)	镶木地板	parqué (un)	parquê (um)	паркет
partager (v.)	to share	分享	compartir	distribuir (v.)	делить
partenariat (un)	partnership (a)	合作关系	asociación (una)	parceria (uma)	партнерство
pas de	no/any	没有	no	não	нет
passion (une)	passion (a)	爱好	pasión (una)	paixão (uma)	увлечение, страсть
passoire (une)	colander/sieve (a)	滤器	colador (un)	coador (um)	дуршлаг
pause (une)	pause/break (a)	休息	pausa (una)	pausa (uma)	пауза
payer (v.)	to pay	付款	pagar	pagar (v.)	платить
pays (un)	country (a)	国家	país (un)	país (um)	страна
peinture (la)	paint (the)	绘画	pintura (la)	pintura (a)	картина
peler (v.)	to peel	剥皮	pelar	descascar (v.)	чистить
père (le)	father (the)	父亲	padre (el)	pai (o)	отец
personne	no-one	人	persona	pessoa	человек
petit déjeuner (un)	breakfast (a)	早餐	desayuno (un)	pequeno-almoço (um)	завтрак
petit(e)	small/short	小的	pequeño/a	pequeno/a	маленький(ая)
petite-fille (la)	granddaughter (the)	孙女，外孙女	nieta (la)	neta (a)	внучка
petit-fils (le)	grandson (the)	孙子，外孙子	nieto (el)	neto (o)	внук
petits-enfants (les)	grandchildren (the)	孙子孙女，外孙子女	nietos (los)	netos (os)	внуки
pharmacie (une)	pharmacy/chemist's shop (a)	药店	farmacia (una)	farmácia (uma)	аптека
pharmacien(ne) (un/une)	pharmacist/chemist (a)	药剂师	farmacéutico/a (un/una)	farmacêutico/a (um/uma)	фармацевт
photo (la)	photo (the)	照片	foto (la)	foto (a)	фото
physique (le)	physical appearance (the)	外貌	físico (el)	físico (o)	внешность
pichet (un)	jug (a)	酒罐	jarra (una)	jarro (um)	кувшинчик
pied (le)	foot (the)	脚	pie (el)	pé (o)	ступня
pion (un)	counter (a)	棋子	ficha (una)	pião (um) = de jeu	пешка
pique-nique (un)	picnic (a)	野餐	picnic (un)	piquenique (um)	пикник
place (une)	square (a)	广场	plaza (una)	praça (uma)	площадь
place de parking (une)	parking place (a)	停车位	plaza de aparcamiento (una)	lugar de estacionamento (um)	парковочное место
placer (v.)	to place	就座	poner	posicionar-se (v.)	положить, поместить
plaire (v.)	to please	取悦	gustar	agradar (v.)	нравиться
plan (un)	plan (a)	地图	plano (un)	mapa (um)	план
planète (une)	planet (a)	星球	planeta (un)	planeta (um)	планета
plantation (une)	planting (a)	种植	plantación (una)	plantação (uma)	посадка
planter (v.)	to plant	栽种	plantar	plantar (v.)	сажать
plastique (le)	plastic (the)	塑料	plástico (el)	plástico (o)	пластик
plat (un)	dish (a)	菜品	plato (un)	prato (um)	блюдо
plate-forme (une)	platform (a)	平台	plataforma (una)	plataforma (uma)	платформа
pleurer (v.)	to cry	哭	llorar	chorar (v.)	плакать
pleuvoir (v.)	to rain	下雨	llover	chover (v.)	идёт дождь
pneumologue (un/une)	lung specialist (a)	肺科医生	neumólogo/a (un/una)	pneumologista (um/uma)	пульмонолог
poêle (une)	frying pan (a)	平底锅	sartén (una)	frigideira (uma)	сковорода
poète(sse) (un/une)	poet (a)	诗人	poeta/poetisa (un/una)	poeta/isa (um/uma)	поэт/поэтесса
point cardinal (un)	compass point (a)	方位基点	punto cardinal (un)	ponto cardeal (um)	сторона света

Lexique multilingue

FRANÇAIS	ANGLAIS	CHINOIS	ESPAGNOL	PORTUGAIS	RUSSE
poire (une)	pear (a)	梨子	pera (una)	pera (uma)	груша
poisson (le)	fish (the)	鱼	pescado (el)	peixe (o)	рыба
poissonnerie (une)	fish shop (a)	鱼店	pescadería (una)	peixaria (uma)	рыбный магазин
poivre (le)	pepper (the)	胡椒	pimienta (la)	pimenta (a)	перец
poivron (un)	sweet pepper (a)	甜椒	pimiento (un)	pimento (um)	перец (сладкий)
police (la)	police (the)	警察	policía (la)	polícia (a)	полиция
poliment	politely	礼貌地	educadamente	educadamente	вежливо
polonais(e) (adj.)	Polish	波兰的	polaco/a	polaco/a (adj.)	польский(ая)
pomme (une)	apple (an)	苹果	manzana (una)	maçã (uma)	яблоко
pomme de terre (une)	potato (a)	土豆	patata (una)	batata (uma)	картошка
port (un)	port/harbour (a)	港口	puerto (un)	porto (um)	порт
porter	to wear	穿，戴	llevar	usar	носить
porter (un vêtement)	to wear (an item of clothing)	穿着	llevar (una prenda)	vestir (uma roupa)	носить (одежду)
possibilité (une)	possibility (a)	可能性	posibilidad (una)	possibilidade (uma)	возможность
poste (la)	post office (the)	邮局	oficina de correos (la)	correio (o)	почта
poste (un)	post (a)	岗位	puesto (un)	posto (um)	позиция
pot (un)	pot/jar (a)	罐子	bote (un)	pote (um)	баночка
pour	for/to	为了	para	para	для
pourquoi	why	为什么	por qué	porquê/porque	почему
pousser (v.)	to grow	生长	crecer	crescer (v.)	расти
pouvoir (v.)	to be able to do something	能够	poder	poder (v.)	мочь
préférer (v.)	to prefer	偏爱	preferir	preferir (v.)	предпочитать
premier	first	第一	primero	primeiro	первый
prendre (v.)	to take	拿，取	tomar	tomar (v.)	брать
prendre congé (v.)	to leave	休假	despedirse	despedir-se (v.)	взять отпуск
prendre rendez-vous (v.)	to make an appointment	预约	concertar una cita	marcar consulta (v.)	записаться на приём
prénom (un)	first name (a)	名	nombre (un)	nome (um)	имя
président/e (un/une)	Chairperson (a)	主席	presidente/a (un/una)	presidente (um/uma)	президент
prêt (un)	loan (a)	贷款	préstamo (un)	empréstimo (um)	заём
primeur (un)	greengrocer (a)	蔬菜水果商	frutero (un)	vendedor de frutas e legumes (um)	продавец овощей и фруктов
privé(e) (adj.)	private	私人的	privado/a	privado/a (adj.)	частный(ая)
prix (un)	price (a)	价格	precio (un)	preço (um)	цена
prochain(e) (adj.)	next	下一个	próximo/a	próximo/a (adj.)	следующий(ая)
produit laitier (un)	dairy product (a)	奶产品	producto lácteo (un)	produto lácteo (um)	молочный продукт
professeur(e) (un/une)	teacher (a)	教师	profesor/a (un/una)	professor/a (um/uma)	профессор
profession (une)	profession (a)	职业	profesión (una)	profissão (uma)	профессия
profil (un)	profile (a)	资料，特点	perfil (un)	perfil (um)	профиль
programme (un)	programme (a)	节目安排	programa (un)	programa (um)	программа
projet (un)	project (a)	项目	proyecto (un)	projeto (um)	проект
promenade (une)	walk (a)	散步	paseo (un)	passeio (um) = une balade	прогулка
promotion (une)	promotion (a)	促销	oferta (una)	promoção (uma)	скидка
prononcer (v.)	to pronounce	宣布	pronunciar	pronunciar (v.)	произносить
proposer (v.)	to offer/suggest/ propose	提议	proponer	propor (v.)	предлагать
publier (v)	to post	发布	publicar	publicar (v.)	публиковать
quartier (un)	area (an)/district/ neighbourhood (a)	地区	barrio (un)	bairro (um)	район
question (une)	question (a)	问题	pregunta (una)	pergunta (uma)	вопрос
quitter (v.)	to leave	离开	dejar	deixar (v.)	покинуть, бросить
quotidien (le)	everyday life (the)	日常	vida diaria (la)	quotidiano (o)	повседневная жизнь
quotidien (un)	daily paper (a)	日报	diario (un)	jornal (um)	ежедневная газета

FRANÇAIS	ANGLAIS	CHINOIS	ESPAGNOL	PORTUGAIS	RUSSE
quotidien(ne) (adj.)	daily	每日的	diario/a	quotidiano/a	повседневный(ая)
raconter (v.)	to tell	讲述	contar	contar (v.)	рассказывать
randonnée (une)	walk/hike (a)	远足	senderismo (un)	caminhada (a)	длинная прогулка
ranger (v.)	put away/tidy up	整理	ordenar	arrumar (v.)	убирать
rappeler (v.)	to call back/to remind	再打电话	recordar	ligar (v.)	перезвонить
ratatouille (la)	ratatouille (the)	焖菜	pisto (el)	ratatouille (a)	рататуй
réalisateur/trice (un/une)	film director (a)	导演	realizador/a (un/una)	realizador/ora (um/uma)	режиссёр
réalité virtuelle (la)	virtual reality (the)	虚拟现实	realidad virtual (la)	realidade virtual (a)	виртуальная реальность
recette (une)	recipe (a)	菜谱	receta (una)	receita (uma)	рецепт
rechercher (v.)	to look for	搜索	buscar	procurar (v.)	искать
récit (un)	account (an)/story (a)	叙述	relato (un)	história (uma)	рассказ
réfrigérateur (un)	refrigerator (a)	冰箱	frigorífico (un)	frigorífico (um)	холодильник
refuser (v.)	to refuse	拒绝	rechazar	recusar (v.)	отказывать
regarder (v.)	to look at/to watch	看	mirar	olhar (v.)	смотреть
remercier (v.)	to thank	感谢	agradecer	agradecer (v.)	благодарить
remplacer (v.)	to replace	替换	sustituir	substituir (v.)	заменять
rendez-vous (un)	appointment (an)/rendezvous (a)	约会	cita (una)	encontro (um)	встреча
renouvelable (adj.)	renewable	可更新的	renovable	renovável (adj.)	возобновляемый(ая)
renseigner (v.)	to inform	咨询	informar	informar (v.)	осведомить
rentrer chez soi (v.)	to go home	回家	volver a casa	voltar para casa (v.)	вернуться домой
repas (un)	meal (a)	饮食	comida (una)	refeição (uma)	приём пищи
répéter (v.)	to repeat	重复	repetir	repetir (v.)	повторять
réponse (une)	answer (an)	回答	respuesta (una)	resposta (uma)	ответ
réseau (un)	network (a)	网络	red (una)	rede (uma)	сеть, социальная сеть
réserver (v.)	to book	预定	reservar	reservar (v.)	забронировать
respecter (v.)	to respect	尊重	respetar	respeitar (v.)	уважать
responsable (adj.)	in charge	负责的	responsable	responsável (adj.)	ответственный
responsable (un/une)	Head (a)	负责人	responsable (un/una)	responsável (um/uma)	руководитель
ressources humaines (les)	human resources (the)	人力资源	recursos humanos (los)	recursos humanos (os)	отдел кадров
restaurant (un)	restaurant (a)	餐厅	restaurante (un)	restaurante (um)	ресторан
retourner (v.)	to return	返回	dar la vuelta	regressar (v.)	вернуться
réunion (une)	meeting (a)	会议	reunión (una)	reunião (uma)	собрание
RH (relations humaines) (les)	HR (human resources) (the)	人力资源	RH (relaciones humanas) (las)	RH (relações humanas) (as)	отдел кадров
rhinite (une)	rhinitis (a bout of)	鼻炎	rinitis (una)	rinite (uma)	ринит
rhume (un)	cold (a)	感冒	resfriado (un)	constipação (uma)	насморк
rien	nothing	什么也没有	nada	nada	ничего
robe (une)	dress (a)	连衣裙	vestido (un)	vestido (um)	платье
rose (adj.)	pink	粉红色的	rosa	cor-de-rosa (adj.)	розовый(ая)
rouge (adj.)	red	红色的	rojo	vermelho (adj.)	красный(ая)
rue (une)	street/road (a)	街道	calle (una)	rua (uma)	улица
s'accroupir (v.)	to squat/to crouch down	蹲下	ponerse de cuclillas	agachar-se (v.)	сесть на корточки
s'asseoir (v.)	to sit down	坐下	sentarse	sentar-se (v.)	садиться
s'excuser (v.)	to apologise	抱歉	disculparse	desculpar-se (v.)	извиняться
s'habiller (v.)	to get dressed	穿衣	vestirse	vestir-se (v.)	одеваться
s'il vous plaît	please	请	por favor	por favor	пожалуйста
s'inscrire (v.)	to register/to enrol	注册	inscribirse	inscrever-se (v.)	записаться
sac (un)	bag (a)	包袋	bolso (un)	bolsa (uma)	сумка
salade (une)	lettuce (a)	生菜	ensalada (una)	salada (uma)	салат
saladier (un)	mixing bowl (a)	色拉盆	ensaladera (una)	saladeira (uma)	салатник
salaire (un)	salary (a)	工资	sueldo (un)	salário (um)	зарплата

Lexique multilingue

FRANÇAIS	ANGLAIS	CHINOIS	ESPAGNOL	PORTUGAIS	RUSSE
salle d'eau (une)	shower room (a)	淋浴室	cuarto de baño (un)	casa de banho (uma)	душевая комната
salle de bain (une)	bathroom (a)	浴室	cuarto de baño (un)	casa de banho (uma)	ванная комната
salle de cinéma (une)	cinema (a)	电影厅	sala de cine (una)	sala de cinema (uma)	кинозал
salle de gym (la)	gym (the)	健身房	gimnasio (el)	sala de ginástica (a)	спортзал
salon (un)	living room (a)	客厅	salón (un)	sala (uma)	салон
salon (un)	exhibition hall (an)	沙龙	salón (un)	sala (uma)	салон
saluer (v.)	to greet	招呼	saludar	cumprimentar (v.)	приветствовать
salut	hi!	招呼，致意	hola	olá	привет
samedi	Saturday	周六	sábado	sábado	суббота
sandales (des)	sandals (the)	凉鞋	sandalias (unas)	sandálias (as)	сандалии
santé (la)	health (the)	健康	salud (la)	saúde (a)	здоровье
s'appeler (v.)	to be called (name)/ to call one another (by phone)	名叫	llamarse	chamar-se (v.)	называться
savoir (v.)	to know	知道	saber	saber (v.)	знать
scénario (un)	scenario (a)	剧情	escenario (un)	cenário (um)	сценарий
sculpture (la)	sculpture (the)	雕塑	escultura (la)	escultura (a)	скульптура
se composer (v.)	to comprise	组成	componerse	compor-se (v.)	состоять из
.se coucher (v.)	to lie down/to go to bed	睡觉	acostarse	deitar-se (v.)	ложиться спать
se doucher (v.)	to take a shower	洗澡	ducharse	tomar um duche (v.)	принимать душ
se laver (v.)	to wash yourself	盥洗	lavarse	lavar-se (v.)	мыться
se lever (v.)	to get up	起床	levantarse	levantar-se (v.)	подниматься
se loger (v.)	to find accommodation	居住	alojarse	hospedar-se (v.)	поселиться
se marier (v.)	to get married	结婚	casarse	casar-se (v.)	жениться/выходить замуж
se pencher (v.)	to bend over/to lean forward	弯腰	inclinarse	inclinar-se (v.)	наклониться
se présenter (v.)	to introduce yourself	自我介绍	presentarse	apresentar-se (v.)	представляться
se reposer (v.)	to rest	休息	descansar	descansar (v.)	отдыхать
séjour (un)	living room (a)	住宿	estancia (una)	sala (uma)	пребывание
sel (le)	salt (the)	盐	sal (la)	sal (o)	соль
sélectionner (v.)	to choose	选择	seleccionar	selecionar (v.)	отбирать
semaine (la)	week (the)	一周	semana (la)	semana (a)	неделя
septembre	September	九月	septiembre	setembro	сентябрь
sérieux /sérieuse (adj.)	serious	严肃的	serio/a	sério /séria (adj.)	серьёзный(ая)
services (les)	administrative services (the)	部门	servicios (los)	serviços (os)	административные услуги
short (un)	shorts (a pair of)	短裤	pantalón corto (un)	calção (um)	шорты
siège social (un)	head office (a)	总部	sede social (una)	sede social (uma)	головной офис
sieste (une)	nap (a)	午休	siesta (una)	sesta (uma)	сиеста
sirop (un)	syrup (a)	糖浆	jarabe (un)	xarope (um)	сироп
smartphone (un)	smartphone (a)	智能手机	smartphone (un)	smartphone (um)	смартфон
sœur (la)	sister (the)	姐妹	hermana (la)	irmã (a)	сестра
soir (le)	evening (the)	晚上	noche (la)	noite (a)	вечер
soirée (une)	evening out (an)	晚会	velada (una)	serão (um)	вечер, вечеринка
soleil (le)	sun (the)	阳光	sol (el)	sol (o)	солнце
sortie (une)	outing (an)	外出	salida (una)	saída (uma)	выход
sortir (v.)	to go out	出去	salir	sair (v.)	выходить
souhaiter (v.)	to wish	希望	desear	desejar (v.)	желать
sous	under	之下	debajo de	sob	под
spécialité (une)	speciality (a)	特色	especialidad (una)	especialidade (uma)	специальность
spectacle (un)	show/spectacle (a)	表演	espectáculo (un)	espetáculo (um)	спектакль
spectateur/trice (un/e)	viewer (a)/onlooker (an)/member of the audience (a)	观众	espectador/a (un/una)	espectador/a (um/ uma)	зритель(ница)

FRANÇAIS	ANGLAIS	CHINOIS	ESPAGNOL	PORTUGAIS	RUSSE
sportif / sportive (adj.)	athletic/competitive	运动的	deportista	desportista (um/uma)	спортивный(ая)
stade (un)	sports stadium (a)	体育场	estadio (un)	estádio (um)	стадион
stage (un)	internship (an)	实习	prácticas (unas)	estágio (um)	стажировка
stagiaire (un/une)	intern (an)	实习生	estudiante en prácticas (un)	estagiário/a (um/uma)	стажёр
startup (une)	startup (a)	新兴信息通讯企业	startup (una)	startup (uma)	стартап
station de métro (une)	underground/metro station	地铁站	estación de metro (una)	estação de metro (uma)	станция метро
station de tramway (une)	tram stop (a)	电车站	estación de tranvía (una)	estação de tranvia (uma)	трамвайная остановка
station-service (une)	service station/petrol station (a)	加油站	gasolinera (una)	bomba de gasolina (uma)	автозаправочная станция
steak (un)	steak (a)	牛排	filete (un)	bife (um)	стейк
stylo (un)	pen (a)	钢笔	bolígrafo (un)	caneta (uma)	ручка
sucre (le)	sugar (the)	糖	azúcar (el)	açúcar (o)	сахар
sud (le)	south (the)	南	sur (el)	sul (o)	юг
suisse (adj.)	Swiss	瑞士	suizo/a	suiço	швейцарский
suivre (v.)	to follow	听课	seguir	frequentar (v.)	проходить
super	super/great	很棒	genial	fantástico	супер
supermarché (un)	supermarket (a)	超市	supermercado (un)	supermercado (um)	супермаркет
sur	on	在……上面	encima de	sobre	на
surpris(e) (adj.)	surprised	惊奇的	sorprendido/a	surpreso/a (adj.)	удивленный(ая)
surprise (une)	surprise (a)	惊喜	sorpresa (una)	surpresa (uma)	сюрприз
sympa (adj.)	nice	和善	simpático/a	simpático	милый(ая), мило
symptôme (un)	symptom (a)	症状	síntoma (un)	sintoma (um)	симптом
tabacologue (un/une)	smoking cessation specialist (a)	戒烟医生	especialista en dejar de fumar (un)	pneumologista (um/uma)	табаколог
table (une)	table (a)	桌子	mesa (una)	mesa (uma)	стол
table basse (une)	coffee table (a)	矮桌	mesita (una)	mesa de centro (uma)	журнальный стол
tableau (un)	blackboard/whiteboard (a)	表格	pizarra (una)	quadro negro (um) = de classe	доска
tablette (une)	tablet (a)	平板电脑	tablet (una)	tablet (um)	планшет
taille (la)	size (the)	尺寸	talla (la)	cintura (a)	размер
tante (la)	aunt (the)	姑母，伯母	tía (la)	tia (a)	тётя
taxi (un)	taxi (a)	出租车	taxi (un)	táxi (um)	такси
tee-shirt (un)	tee-shirt (a)	T恤	camiseta (una)	t-shirt (uma)	футболка
télévision (la)	television (the)	电视	televisión (la)	televisão (a)	телевизор
témoignage (un)	testimony/statement (a)	证据	testimonio (un)	testemunha (uma)	свидетельство
temps (le)	time/weather (the)	时间	tiempo (el)	tempo (o)	время
tennis (le)	tennis/tennis court (the)	网球场	tenis (el)	ténis (o)	теннис
terrain (un)	piece/plot of land (a)	土地	terreno (un)	terreno (um)	участок
terrasse (une)	terrace/patio (a)	露台	terraza (una)	terraço (um)	терраса
tête (la)	head (the)	头部	cabeza (la)	cabeça (a)	голова
thé (un)	tea (a cup of)	茶	té (un)	chá (um)	чай
thym (le)	thyme (the)	百里香	tomillo (el)	tomilho (o)	чабрец
tirage (un)	print run (a)	印刷	tirada (una)	tiragem (uma)	тираж
titre (un)	title (a)	标题	titular (un)	título (um)	название
toilettes (les)	toilets (the)	卫生间	aseos (los)	casas de banho (as)	туалет
toilettes séparées (des)	separate toilets	独立卫生间	aseos separados (los)	casas de banho separadas (as)	раздельные туалеты
toit (un)	roof (a)	屋顶	tejado (un)	teto (um)	крыша
tomate (une)	tomato (a)	西红柿	tomate (un)	tomate (um)	помидор
top (un)	top (a)	上衣	top (un)	top (um) = un vêtement	топ

Lexique multilingue

FRANÇAIS	ANGLAIS	CHINOIS	ESPAGNOL	PORTUGAIS	RUSSE
tôt	early	早	temprano	cedo	рано
tourner (v.)	to turn	旋转	girar	virar (v.)	поворачивать
tousser (v.)	to cough	咳嗽	toser	tossir (v.)	кашлять
tout droit	straight on	直走	todo recto	em frente	прямо
toux (la)	cough (the)	咳嗽	tos (la)	tosse (a)	кашель
traditionnel(le)	traditional	传统的	tradicional	tradicional	традиционный(ая)
train (un)	train (a)	火车	tren (un)	trem (um)	поезд
traitement (un)	treatment (a)	治疗	tratamiento (un)	tratamento (um)	лечение
tranquille (adj.)	quiet/peaceful	安静的	tranquilo/a	tranquilo (adj.)	спокойный(ая)
transport (un)	transport (a means of)	交通	transporte (un)	transporte (um)	транспорт
travail (un)	job (a)	工作	trabajo (un)	trabalho (um)	работа
travailler (v.)	to work	工作	trabajar	trabalhar (v.)	работать
trek (un)	trek (a)	高山地区徒游	trekking (un)	trekking (um)	поход в горы
très	very	很	muy	muito	очень
triste (adj.)	sad	悲伤的	triste	triste (adj.)	грустный
troc (le)	exchange (the)	以货易货	trueque (el)	troca (v.)	обмен
troisième	third	第三	tercero/a	terceiro/a	третий/третья
trombinoscope (un)	photos of everyone	照片档案	directorio de fotos (un)	quem é quem (um)	доска с портретами
trop	too	非常	demasiado	demasiado	слишком
trottoir (un)	pavement (a)	人行道	acera (una)	calçada (uma)	тротуар
typique (adj.)	typical	典型的	tipico/a	típico/a (adj.)	типичный(ая)
un peu de	a little	少量的	un poco de	um pouco de	немного
ustensile (un)	utensil (a)	用具	utensilio (un)	utensílio (um)	предмет посуды
utile (adj.)	useful	有用的	útil	útil (adj.)	полезный(ая)
utiliser (v.)	to use	使用	utilizar	utilizar (v.)	использовать
vacances (des)	holiday/holidays	假期	vacaciones (unas)	férias (as)	отпуск, каникулы
valider (v.)	to validate	确认	validar	validar (v.)	подтверждать
valise (une)	suitcase (a)	行李	maleta (una)	mala (uma)	чемодан
végétalisation (la)	planting (the)	植物化	vegetalización (la)	cobertura vegetal (a)	озеленение
vendeur/vendeuse (un/une)	sales assistant (a)	店员	vendedor/a (un(a))	vendedor/vendedora (um/uma)	продавец/ продавщица
vendredi	Friday	周五	viernes	sexta-feira	пятница
venir (v.)	to come	来	venir	vir (v.)	приходить
ventre (le)	stomach (the)	腹部	estómago (el)	barriga (a)	живот
vérifier (v.)	to check	核实	comprobar	verificar (v.)	проверять
vert(e) (adj.)	green	绿色的	verde	verde (adj.)	зеленый(ая)
veste (une)	jacket (a)	外套	chaqueta (una)	casado (um)	куртка, пиджак
vêtement (un)	item of clothing (an)	衣服	prenda (una)	roupa (uma)	одежда
viande (la)	meat (the)	肉	carne (La)	carne (a)	мясо
ville (une)	town (a)	城市	ciudad (una)	cidade (uma)	город
vin (le)	wine (the)	葡萄酒	vino (el)	vinho (o)	вино
virus (un)	virus (a)	病毒	virus (un)	vírus (o)	вирус
visite (une)	visit (a)	参观	visita (una)	visita (uma)	посещение
visiter (v.)	to visit	参观	visitar	visitar (v.)	посещать
visiteur/euse (adj.)	visiting	访客	visitante	visitante (adj.)	посетитель/ посетительница
voisin(e) (un/une)	neighbour (a)	邻居	vecino/a (un/una)	vizinho/a (um/uma)	сосед(ка)
voiture (une)	car (a)	汽车	coche (un)	carro (um)	машина
vol (un)	flight (a)	飞行	vuelo (un)	voo (um)	поездка на самолёте
volcan (un)	volcano (a)	火山	volcán (un)	vulcão (um)	вулкан
vouloir (v.)	to want to	想要	querer	querer (v.)	хотеть
voyage (un)	voyage/journey/trip (a)	旅行	viaje (un)	viagem (uma)	путешествие
voyager	to travel	旅游	viajar	viajar	путешествовать
week-end (le)	weekend (the)	周末	fin de semana (el)	fim de semana (o)	выходной
yeux (les)	eyes (the)	眼部	ojos (los)	olhos (os)	глаза